Cómo interpretar el

Tarot

Diego Meldi

LIBSA

Este libro nació en 1986 como conclusión de un largo estudio sobre el arte de la memoria y sobre
su posible relación con el Tarot del Renacimiento. En 1989 se dio a la imprenta una edición que
desarrollaba un poco esta idea, de forma sugestiva, pero todavía insuficiente. La publicación tuvo
mucho éxito y se reeditó muchas veces. Hoy, doce años después, se ha completado
y documentado la investigación. Se han eliminado algunos mecanismos didácticos (por ejemplo,
las tarjetas personales, etc.), muy útiles para comprender e intuir el valor infinito (¿o nulo?)
de las imágenes y los símbolos, pero extraños a las tradiciones de las que partían nuestras hipótesis.

• Las cartas han sido diseñadas a propósito para este libro por STEFANO SCAGNI,
siguiendo sugerencias precisas del autor.

• El prólogo es de PAOLO ALDO ROSSI, profesor titular de Historia del Pensamiento Científico
en la Universidad de Génova.

• Para las notas histórico-filosóficas nos han sido de gran ayuda los consejos
de ANNA MARIA CARASSITI.

© 2014, Editorial LIBSA
C/ San Rafael, 4
28108 Alcobendas. Madrid
Tel. (34) 91 657 25 80
Fax (34) 91 657 25 83
e-mail: libsa@libsa.es
www.libsa.es

Traducción: Inés Martín/José Luis Tamayo

© MCMXCVII The Twin Brothers
L.I.BER, progetti editoriali

Título original: *I Tarocchi*

ISBN: 978-84-662-2830-5

Derechos exclusivos de edición para todos
los países de habla española.

Contenido

PRÓLOGO

El juego del Tarot: entre hermetismo y teatro de la memoria

En lo que se refiere al origen del juego del Tarot, el historiador se encuentra en la embarazosa situación de no tener ningún testimonio apreciable anterior al siglo xv. Desde la edad clásica (griega y latina) hasta el principio del segundo milenio d. C. no encontramos menciones de nada parecido a las cartas, sean éstas de juego o de adivinación. Sin embargo, desde finales del siglo xiii y durante todo el xiv existen algunas citas sobre cartas de juego y en el siglo xv ya tenemos documentos merecedores de cierta atención. Pero para encontrar testimonios ciertos sobre una baraja de cartas numeradas, divididas en palos y con figuras emblemáticas, usadas tanto para el juego como para la adivinación, hay que esperar al siglo xvi. En cambio, se oye repetir una y otra vez que las cartas del Tarot son «el libro de la sabiduría más antiguo del mundo», una especie de *liber mutus* cuyos orígenes se pierden en el arcano de los tiempos: la época en la que Ermete-Thot enseñó las artes y las letras a los egipcios.

Si no se tiene en cuenta la atmósfera mágico-esotérica que envolvió a toda Europa entre la mitad del siglo xv y el principio del siglo xvi, no es posible comprender la cultura del Renacimiento. El pensamiento hermético fue, en este ambiente, como una niebla sutil que todo lo invadía, dando a todo el panorama una tonalidad irrepetible. Las artes, las letras, la arquitectura, las ciencias, la filosofía... todas quedaron impregnadas; pero no se libraron de esta circunstancia ni siquiera los hechos de la vida privada y social. Desde los carros alegóricos que triunfaban en las fiestas de las plazas a los emblemas que decoraban los objetos y espacios cotidianos; de las imágenes simbólicas para uso didáctico o moral... a las figuras de las cartas de juego, todo estaba embebido de un lenguaje antiguo, polivalente, equívoco, con el que se representaba la coincidencia de los opuestos, la identidad de lo diverso y la diversidad de lo idéntico.

Los artistas del Renacimiento que pintaron frescos con símbolos astrológicos en los palacios de los señores, que tallaron y esculpieron emblemas en las piedras de los edificios, que pusieron mosaicos en las iglesias, que ilustraron con complicadas figuras simbólicas los libros de los poetas y también los que limitaron los triunfos del Tarot para el ocio de los poderosos, conocían bien la compleja corriente de pensamiento que encontraba respuestas en la fuerza evocadora de los símbolos y en la fuerza creadora de la imaginación.

Así se puede entender cómo el juego del Tarot, en el Renacimiento, formaba parte de un universo mucho más complejo de lo meramente lúdico y que incluyese entre sus fines algo que iba más allá del simple pasatiempo divertido.

En realidad, si los términos *ludus, jeu, gioco, juego...* se asumen en la dimensión semántica más amplia del término unívoco moderno que significa pasatiempo o diversión –ampliando su sentido del teatro a la teoría del juego–, entonces el Tarot se puede interpretar en una dimensión distinta tanto de los juegos de azar como de la adivinación y el ocultismo, porque las 78 cartas del juego representan verdaderamente a los actores (de distinta importancia, como pasa lógicamente en la vida real) de la historia del hombre y su mundo. ¿Qué otra cosa reproducen los arcanos mayores sino los símbolos del mundo natural de los hombres en su proceso continuo de interacción? Si a cada uno de los personajes representados se les da un papel concreto y peculiar, si los arneses, las armas y los instrumentos que tienen son característicos y adecuados, si las reglas que rigen sus acciones e interacciones son precisas y claras, ¿qué impide que se usen para un juego de rol o para una estrategia de simulación de resolución de problemas? ¿Quién podría prohibir al hombre que soñara con un conocimiento casi divino de la historia futura?

La idea de usar un cierto número de notaciones simbólicas, aplicándoles el cálculo combinatorio para resolver cualquier problema, había sido un sueño de Raimundo Lulio que luego retomó Leibniz sobre bases teóricas mucho más rigurosas. Este sueño se había interrumpido precisamente durante los siglos que separan a Raimundo Lulio de Leibniz, que es justamente la época en la que germina, nace y se desarrolla la utopía mágica de la era humanística del Renacimiento. De hecho, el cálculo lógico no puede convivir con el arte de la memoria, basada en imágenes y emociones. Porque precisamente la mnemotecnia había tenido un papel fundamental en la creación del colosal sistema de las ciencias mágico-esotérico-simbólicas, una arquitectura de conocimientos estructurada en disciplinas como la magia natural, la astrología y la alquimia.

Quintiliano describía así la construcción del Palacio de la memoria: «La primera idea se asigna a un vestíbulo; la segunda, a un atrio; luego, se va alrededor del patio, que va ligándose ordenadamente no sólo a las habitaciones y cámaras sino a las estatuas y los adornos. Hecho esto, cuando se quiere recordar lo que se ha aprendido, se pasa revista a estos lugares, pidiendo la restitución de la idea que se ha confiado a cada uno...». Así, el lenguaje hecho de imágenes permite experimentar las innumerables coincidencias entre lo icónico y lo lingüístico y permite que el Palacio de la memoria se transforme en un auténtico teatro de la memoria.

PAOLO ALDO ROSSI
Profesor titular de Historia del Pensamiento Científico
en la Universidad de Génova

INTRODUCCIÓN

Éste no es el clásico libro sobre el Tarot.

No queremos encantar al lector con la habitual introducción fantástica sobre los orígenes y símbolos de este arte antiguo. Queremos que pueda comprender bien su mecanismo, sin que esto le obligue a un estudio forzado de todo el simbolismo hermético. Sin embargo, no es un libro fácil. Es, incluso, un libro incómodo, especialmente cuando trata de eliminar los aspectos más folclóricos del arte adivinatorio, los que han hecho ricos a los magos y expertos en cartomancia.

Queremos que al acabar nuestro libro el lector pueda, por sí solo, aprender a leer su destino. Y que nuestro libro se convierta en su libro.

Hemos elegido una baraja sencilla y clara, con un simbolismo elemental, para poder recoger, sin interferencias, el valor profundo de esta experiencia interior. Y la realidad es que, deliberadamente, no hemos recargado los símbolos de nuestras cartas –como estamos acostumbrados a ver en todas partes–, precisamente porque creemos que este sistema es un semillero de confusión, adoptado sobre todo por aquellos que sólo quieren impresionar al lector. Desde luego, no se hace comprensible el significado de una carta recargándola de símbolos. Y también por ello hemos considerado secundario todo lo que sale de un uso correcto de las cartas. El único punto de partida, el fundamental, es la historia del Tarot y especialmente el desarrollo y los cambios de sus imágenes con el tiempo. En cambio, sus relaciones con la astrología, la Cábala y la magia se han sintetizado: deben servir de remate a las meditaciones con cartas y no para confundir. Sólo queremos llevar al lector al borde del camino que conduce a su yo más profundo (aunque no en el sentido del psicoanálisis) y dejarle que siga ese camino sin condicionamientos ni imposiciones. Libre para descubrir, por sí solo, que puede ser algo más: al final puede ser él mismo.

Juegos de fortuna, aguafuerte de Giovan Battista Bonacina (siglo xvii).
Se pueden ver algunos de los símbolos de los arcanos mayores:
la rueda de la fortuna, el ángel, el mundo, la guadaña, la mesa del mago.

PRIMERA PARTE

Miniatura de *Le Roi Meliadus de Leonnoys,* de Helie de Borron
(fin del siglo XIV). Probablemente es la ilustración más antigua en la que se
representa un juego de cartas. El manuscrito se fechó entre 1330 y 1362,
pero la miniatura puede no ser contemporánea del texto.

Diez prejuicios
a evitar

Antes de acercarse físicamente al Tarot, es oportuno liberar la mente de los siguientes prejuicios que, frecuentemente, han hecho salirse del camino (o incluso alejarse de él) a los que buscaban algo más que un simple juego de cartas.

No es cierto en absoluto:
1. QUE SÓLO SE DEBAN USAR LOS ARCANOS MAYORES
2. QUE LOS DETALLES SEAN FUNDAMENTALES E INDISPENSABLES
3. QUE LOS COLORES SEAN ESENCIALES EN LA VALORACIÓN
4. QUE LO TRADICIONAL VAYA LIGADO A LO AGRADABLE DEL DIBUJO
5. QUE LOS RITOS SEAN NECESARIOS OPERATIVAMENTE
6. QUE LAS CARTAS TENGAN UN SIGNIFICADO FIJO E INMUTABLE
7. QUE SE DEBAN BUSCAR LOS ORÍGENES EN EL PASADO REMOTO
8. QUE EL TAROT SEA EXCLUSIVAMENTE ADIVINATORIO
9. QUE EL TAROT SEA MONOPOLIO DE LOS QUE PRACTICAN LA CARTOMANCIA
10. QUE EL TAROT SEA SÓLO UN JUEGO

1. Los arcanos mayores

Algunos autores (especialmente Oswald Wirth) nos han acostumbrado a pensar que los arcanos menores no tienen influencia. Pero, en realidad, las 78 cartas son un todo único, un mosaico maravilloso, en el que cada carta representa un engaste pequeño, pero importante.

Querer usar sólo los arcanos mayores es como querer escribir conociendo solamente el alfabeto. Sin saber los acentos, los signos de puntuación y los de ortografía, no es posible comprender perfectamente el sentido de una frase.

Por lo tanto, los arcanos mayores representan la idea que se encarna en la realidad (un arcano menor), el gran acontecimiento que tiene eco en nuestra vida, la causa que produce un efecto, el ideal que se transforma en experiencia, la teoría que se convierte al fin en práctica.

Los arcanos menores, por tanto, son el espacio de un acontecimiento y el tiempo en que se realiza: nuestra vida en contacto con el mundo; nuestro mundo (microcosmos) en contacto con un mundo aparentemente distinto de nosotros (macrocosmos), que puede ser también la negación (fin del mundo) o la transformación (otro mundo) de todas nuestras esperanzas o ilusiones.

2. Los detalles

Hay autores que se detienen demasiado en la descripción de los detalles y los aspectos simbólicos. De esta manera, descubrimos cartas tan complejas y cargadas de significado que confunden completamente la interpretación. Aquellos creen que, cuantos más detalles haya, más cosas se aprenderán, como si hubiera que embellecer las letras del alfabeto para poder leer un texto con mayor claridad. Una lámina (una carta) es un simple signo que sólo hay que leer, no describir. Como, por otra parte, habría que hacer con un jeroglífico egipcio. Además, como los símbolos dibujados son universales, todo el mundo puede entenderlos, lógicamente según la cultura de cada uno y, precisamente por esto, no son iguales para todos. Pero, al mismo tiempo, al ser una experiencia individual, cada «echada» de cartas indica un suceso personal que es independiente de la cultura y del tiempo. El Tarot tradicional es sencillo, claro, casi descarnado. No dispersa la atención, más bien la refuerza; invita a la concentración y no a la anulación (es decir, a la pérdida de conciencia). Por tanto, es importante conocer el sentido de las figuras, pero el verdadero arte de la adivinación está en saberlas ligar a la experiencia personal propia para extraer de ellas las referencias precisas.

3. Los colores

Hay otros autores que siguen atribuyendo una excesiva importancia a los colores en la interpretación de las cartas. En principio, no vamos a negarlo. Pero, considerando que es imposible remontarse a los colores originales de cualquier carta, nos parece un tanto arbitraria cualquier reconstrucción cromática.

Al principio, seguramente las diversas combinaciones de colores tenían un sentido concreto: la vista se impresionaba exactamente por las diversas gradaciones y tonalidades, suscitando los efectos que se querían.

Pero hoy día, cuando se ha perdido casi por completo el uso correcto de los colores, no se puede considerar esencial lo que refleja, simplemente, los prejuicios del autor. Además, las dificultades tipográficas para reproducir exactamente las diversas tonalidades hacen inútiles las disquisiciones sobre algo que resultaría poco evidente.

Los colores empleados para la baraja o mazo del Tarot citado en este volumen son, simplemente, una hipótesis de trabajo. En lo posible, se han tratado de reproducir los posibles colores que habría debido tener cada figura, basándonos en el método que hemos adoptado (en este caso, el color tiene la misión de excitar el nervio óptico y preparar la mente para la visualización).

4. El dibujo

En cambio, hay algunos autores que han convertido las cartas del Tarot en tebeos de viñetas o en espléndidos dibujos de fantasía, bonitos y agradables a la vista, pero casi inútiles para usarlos. Las cartas del Tarot antiguas solían ser bastante toscas en sus rasgos, pero no por ello eran menos eficaces.

El Tarot no está hecho sólo para distraer la mente o alegrar la vista (aunque nadie se lo impide): sobre todo, debe impulsar a la mente a buscar continuamente conexiones o relaciones. Es casi un regreso a los eruditos medievales. Al buscar analogías, los signos tienen que convertirse en estímulos de una búsqueda interior que es la única que puede servir de base para un cambio verdadero. El retrato de nuestra vida.

5. Los ritos

No faltan quienes piensan que los ritos son importantes antes, durante y después de haber barajado. Hay quien se sirve de una simple oración; otros, de invocaciones mágicas; otros, de incienso y perfumes. Pero sólo se trata de inútiles intentos de enmascarar un escaso conocimiento de la tradición.

Sin embargo, este protocolo ritual –que, desde luego, no es el citado– podrá tener su importancia en una segunda fase, cuando se haya comprendido el significado general de las 78 cartas.

Para quien no tenga una mentalidad tradicional, los ritos siempre son un poco ridículos o totalmente extraños al comportamiento normal. Si no se conocen el significado, las fases y los modos de un ritual, no es posible ejecutarlo correctamente e incluso puede ser muy peligroso.

De hecho, la alteración –o, peor aún, la inversión– de lo que es en realidad una operación de magia puede poner al incauto en situaciones poco agradables. Es mejor evitar que unas posibles invocaciones se conviertan de hecho en evocaciones reales. Para ello, aconsejamos a los profanos que, de momento, dejen a un lado este aspecto hasta haber profundizado más (los juegos con el Tarot que encontraremos en la segunda parte de este libro se pueden hacer tranquilamente sin ningún rito. Si, a pesar de todo, alguien quisiera realizar alguno, por lo menos que elija el camino más tradicional y no las burdas representaciones de los aprendices del ocultismo).

6. El significado fijo

Frecuentemente, en los manuales de cartomancia se describen las cartas del Tarot como si tuvieran un significado fijo y perfectamente localizable. En realidad, las cartas, tomadas de una en una tienen un significado incompleto si no se ven en el contexto de las otras; (lo mismo que las letras u - e - r - t tienen un sentido distinto en las palabras muerte, suerte, fuerte, etc., a pesar de ser siempre las mismas, así las cartas aisladas indican simplemente tendencias, que se concretan en el contexto del juego y revelan aspectos muy distintos u opuestos). Más que un significado, cada carta tiene un sentido (en su acepción de «estado de ánimo»), el cual comunica a las cartas que la rodean y de las que recibe, al mismo tiempo, influencia y energía.

Por lo tanto, y por pura comodidad, existe un significado general de cada carta aislada, que puede ser positivo o negativo, independientemente del hecho de que, al barajar y dar una mano, caiga derecha o invertida. Pero no se puede tomar este significado aislado, sin verificar sus diversas combinaciones y analogías.

Además, cada carta tiene un significado especial, tanto si se refiere al que consulta como si lo hace al objeto de la consulta o al propio hecho consultado. Por último, hay un significado interior que no puede explicarse sino sólo intuirse –la analogía más inmediata es la iluminación *zen (koan)*.

7. Los orígenes

Por último, hay algunos autores que han sentido la necesidad de atribuir a este arte un origen noble, haciendo lo posible por situar su génesis en un pasado cada vez más remoto.

Hay quien lo ha encontrado en el antiguo Egipto (Court de Gebelin), quien lo ha hecho en el templo de Salomón (Eliphas Levi) y quien, seguramente con más acierto que los anteriores, lo ha situado en el simbolismo medieval (Oswald Wirth). Cada uno ha tratado de justificar su interpretación, ligándola a los acontecimientos más importantes de la historia tradicional. Así, cada texto de cartomancia acaba por ser la larga historia de sus posibles orígenes. Sin embargo, no hay nadie que sepa de verdad de dónde ha venido el Tarot ni quiénes son sus autores ni cuáles son los verdaderos significados de las cartas. Sólo se pueden hacer hipótesis y reconstrucciones personales. Y, aunque alguna de éstas pueda tener bases más sólidas que otras, no por esto tiene que ser la más correcta. También nuestra teoría se funda en bases histórico filosóficas antiguas pero cuyo influjo sigue estando presente en nuestra cultura europea, que ha seguido siendo esencialmente humanística. Trataremos de demostrar la posibilidad de que el nacimiento del Tarot coincida con el desarrollo mágico del arte de la memoria y cómo, a partir de las cortes del Renacimiento, se han desarrollado las cartas de adivinación posteriores.

Para conocer el futuro hace falta recordar el propio pasado. Para cambiar el futuro hay que revivir el pasado. Las cartas ponen de relieve los aspectos ambivalentes de nuestro ser, que se abren a la vez en dos direcciones opuestas: pasado y futuro. Un eterno retorno, un eterno devenir.

8. La adivinación

Esta palabra ha terminado por indicar la simple predicción. En realidad, la religión grecorromana indicaba una técnica para descubrir los sucesos futuros –y los presentes no conocidos–, mediante el examen de unos signos que manifestaban la voluntad de los dioses. Las cartas ponen a nuestra disposición unos signos que se interpretarán confrontándolos con las preguntas que hayamos formulado. Si las preguntas son banales, se tendrán respuestas banales. También a los antiguos les parecía un ultraje pedirles a los dioses respuestas a cuestiones fútiles. Del mismo modo, los que crean que van a encontrar en el Tarot respuesta a problemas pequeños se verán defraudados, o encontrarán respuestas falsas o desorientadoras. Es la otra cara del juego. Nos encontramos frente a hechos parecidos a los que nacen de evocaciones equivocadas. El que ha sido evocado (aunque los escépticos pueden pensar que venga del subconsciente) suele manifestarse con otro nombre u otra personalidad y lleva al que le ha evocado a una serie de actos o pensamientos engañosos. Nosotros no creemos que las cartas sean divinas sino que, mediante los signos concretos que nos revelan, tienen la posibilidad de llevar a nuestra mente a un razonamiento inductivo que nos permite conocer los principios generales de nuestra existencia. Los sabios antiguos no tenían necesidad de instrumentos intermedios, lo mismo que el mago auténtico no necesita escudos artificiales –como amuletos o talismanes– para actuar o defenderse. El talismán más poderoso del mundo es la mente: nuestra verdadera baraja.

9. Los cartománticos

En todas las profesiones, artes y oficios hay personas válidas e incapaces: no es misión nuestra localizar al buen cartomántico o descubrir a un posible estafador. No tratamos de negar que algunos cartománticos pueden tener unas dotes de intuición poco comunes, que suelen estar reforzadas por una larga experiencia. Tampoco el lucro nos parece un factor negativo. Un buen médico que se hace pagar por su trabajo no rebaja, desde luego, su profesión; tampoco lo hace un buen cartomántico. Quizás nos inclinemos a creer que las personas que ejercen gratuitamente el arte de la cartomancia tienen más credibilidad que las demás, como si la misión santificara la profesión. Pero quien despacha gratis noticias sin fundamento quizá sea más peligroso que el que cobra por las noticias correctas. Por otra parte, para atravesar el río infernal –el Aqueronte– las ánimas de los muertos tenían que llevar en la lengua una moneda para el barquero Caronte.

10. El juego

Sólo se trata de ponernos de acuerdo sobre este término. Si para nosotros el juego es sólo un pasatiempo o una diversión, es seguro que el Tarot no va a defraudarnos. Podremos pasar una velada agradable maravillando a los amigos con nuestra intuición. Como un niño al que le han regalado el juguete *El pequeño químico* y asombra a sus padres con juegos sencillos y naturales. Pero el Tarot es algo más. No vamos a decir qué otra cosa puede ser. Debemos descubrirlo por nosotros mismos, lo que también forma parte del juego.

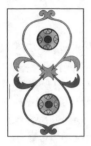

Normas generales

Creemos que, esencialmente, hay dos maneras de acercarse al Tarot, que después son dos caminos:

• uno inmediato, sencillo, intuitivo, abierto a todos;

• otro, oscuro, complejo, oculto, abierto a pocos.

El primero —del que se trata principalmente en este volumen— está en casi todos los libros comerciales: nos pone en contacto con nosotros mismos, saca y pone de relieve todo lo que ocultamos o queremos ocultar de nuestra mente. Nos hace hablar con nosotros mismos (meditación) y nos permite enfocar nuestros problemas para resolverlos mejor (concentración).

Cada carta se convierte en un espejo de nuestra vida, favorece nuestras especulaciones, exterioriza lo que es nuestro microcosmos secreto.

El segundo camino sigue siendo el mismo, pero recorrido por un hombre nuevo, regenerado, que ha sabido convertir su plomo en oro. No se puede recorrer yendo solo: es el camino de la iniciación y sólo se puede ir por él de la mano de un verdadero maestro.

No se pueden mezclar los dos caminos; es decir, que no se pueden recorrer en el mismo momento. Y si se quiere decir más de lo necesario, se acaba por sembrar la confusión.

Como este segundo camino nos pone de verdad en estrecho contacto con lo sagrado, para recorrerlo hay que desembarazarse de toda la escoria que llevemos incrustada en el alma.

Ya no se trata de nuestra vida, de nuestros ideales, de nuestras esperanzas. Hay una transformación interior que cambia por completo el sentido de nuestra existencia: ya no hablamos de nosotros, aunque sigamos siendo nosotros los que recorremos el camino.

Cada carta es una etapa hacia el cumplimiento de la Gran Obra. Es un *Via Crucis* en el cual el alma debe atravesar primero el Calvario y la muerte iniciática para poder subir al cielo.

Sin embargo, hay muchos textos que, para impresionar al lector, estiman que es útil anteponer el discurso esotérico, creyendo que de este modo se hace más fácil la comprensión del arte. De esta forma, se indican mil significados, mil analogías, mil relaciones y el lector acaba por perderse en la jungla de los símbolos y los ritos. Pero todo esto sólo tiene sentido cuando se hace en la debida forma y, sobre todo, cuando lo hace la persona indicada. Precisamente por esto, nosotros hemos dejado la profundización para otro momento (que no es, necesariamente, un momento «temporal», ligado a hechos sucesivos en tiempo).

Por lo tanto, en este texto nosotros acompañaremos al lector a lo largo del primer camino, pero no porque él no pueda llegar a buen fin con su inteligencia. Es más, sólo en este camino puede servirse de ella; en realidad, sólo en él puede sacar fruto de su capacidad de comprender y de su cultura. Pero solamente con estos medios, el lector no tiene la menor posibilidad en el otro camino: si no tiene la llave... ¡no puede entrar!

Y para cuando por fin tenga la llave, ya no la necesitará, porque ya habrá entrado.

Ocultar esta realidad equivale a engañar al lector, dejarle creer que puede comprender el arcano (del latín *arcanus,* secreto; ver arca, del latín *arceo,* contener o alejar; del griego *archeo,* proteger) solamente con su inteligencia.

Casi todos los manuales de Tarot nos hacen creer que esto es posible pero, en realidad, enmascaran una cultura superficial, echando aquí y allá algunas briznas de saber. Cualquier disciplina exige estudio y aplicación; cada profesión exige competencia; cada oficio exige capacidad y experiencia. ¡Aprendamos primero el juego! La verdad se abrirá camino en el momento preciso y cuando menos lo esperemos. Será el mismo «sacro» el que se pondrá en contacto con nosotros; será el propio macrocosmos el que hablará a nuestra alma.

«Lo que está arriba es como lo que está abajo», afirma la *Tabla de Esmeralda.* Sin embargo, no es sólo una cuestión externa, entre dos mundos.

Pero bajar a la mina y sacar a la luz los metales preciosos que hay en nosotros es otra cosa y se sale de la intención de este libro.

Las únicas normas que creemos importantes en nuestra práctica adivinatoria son:
• la preparación mental y
• el silencio.

El resto, incluidas las normas de higiene, sólo es aconsejable. Desde luego no es oportuno hacerla nada más comer o cenar, ni beber o fumar durante la misma. Sencillamente, la comida, el alcohol y el humo «ponen pesado» al estómago y excitan los sentidos.

En esta primera fase la mente no debe ensancharse, dilatarse, espaciarse —como en la videncia—, sino todo lo contrario: concentrarse (dar rienda suelta a la imaginación, de lo que hablaremos más adelante, sólo será posible cuando hayamos aprendido a concentrarnos). Para ver dentro de uno mismo hay que estar lúcido.

También es importante lavarse las manos antes y después de cada actuación, no sólo para eliminar las impurezas sino también las posibles energías negativas. Solamente esto.

En cambio, y como ya hemos dicho, es de la mayor importancia conseguir la concentración necesaria. Esto se puede hacer en un sitio tranquilo, alejado de estímulos exteriores, evitando también que los demás puedan influir en nuestra concentración y en la lectura. Lo que piensan los demás, su curiosidad y su posible ironía suelen ser factores de incomodidad para el que actúa.

Es preferible que la mesa esté cubierta con un paño de colores suaves, para no dispersar la visualidad de las cartas (la visualización creativa es una técnica de entrenamiento de la imaginación, a la que pone en condiciones de reproducir en la mente objetos y situaciones reales. Aunque se ha formulado recientemente, en realidad es una técnica muy antigua).

La habitación debe estar bien iluminada, sin que la vista tenga que sufrir porque haya mucha o poca luz; es preferible actuar siempre a la luz del día (por analogía con las propias cartas, a la luz del Sol). Una vez libre la mente de pensamiento y preocupaciones, se puede iniciar el diálogo con uno mismo mediante el juego de las cartas.

Es, al tiempo, una confrontación y un descubrimiento: nos habitúa a escrutar dentro de nosotros, a descubrir nuestro mundo interior, a despertar todo lo que estaba reprimido, anulado, olvidado.

Desde luego que en todo esto puede haber un peligro. En el fondo es el mismo sentido que tiene la carta invertida, la que revela las facetas negativas de nuestro ser.

Ni con la cultura ni con la inteligencia llega uno a conocerse a sí mismo: sólo la intuición, la visión inmediata del propio Yo a través del espejo de las cartas pueden revelarnos —y, por consiguiente, poner de relieve— nuestra verdadera naturaleza (que, por otra parte, no está muy lejos de la naturaleza).

Este antiguo método ocultista de meditación puede ser muy eficaz si no se deja que la estructura racional de nuestra mente nos domine.

La interpretación es ya, de por sí, una alteración del pensamiento y de la situación que se evoca. Dejémonos llevar por las imágenes: ellas nos guiarán a la consciencia de nuestro ser. Las mismas cartas serán las que nos hablen, no con un lenguaje estereotipado, siempre igual, sino según los propios cambios de nuestro ser.

En el fondo, el Tarot no es un método muy distinto del de *I Ching,* es decir *El libro de los cambios* (ver las analogías con los signos del *I Ching* de que se habla tras la explicación de cada uno de los arcanos mayores, en la parte *Curiosidades y analogías).* Es una investigación sobre nuestro pasado para actuar en el presente y crear nuestro futuro. Si pensamos que las cartas están allí quietas esperándonos, nos equivocamos: vienen con nosotros, viven con nosotros las mismas emociones.

Son nosotros mismos.

Representación antigua del juego de las cartas.

La terminología

Antes de empezar a describir el juego y cada una de las cartas, conviene aclarar brevemente los términos que hemos adoptado. Elegimos a propósito una terminología sumamente descriptiva, precisamente para simplificar y hacer lo más claro posible el mecanismo del juego.

La baraja o mazo de cartas elegido es el tradicional y se compone de 78 cartas o láminas: 22 cartas, numeradas de 0 a 21, llamadas arcanos mayores, y 56 cartas más, llamadas arcanos menores.

Estas últimas están divididas en cuatro palos: bastos, copas, espadas y oros, y van del as al diez, además de las llamadas figuras o Cartas de Corte: la Sota, el Caballo, la Reina y el Rey.

De todo lo que se diga de ahora en adelante se nos dará un dibujo explicativo en las páginas siguientes.

Pero antes de mostrar las 78 cartas en una visión de conjunto, damos una terminología comparada de los términos que más aparecen en las cartas.

ESPAÑOL	Corresponde a	FRANCÉS	INGLÉS	ITALIANO	LATÍN
Espadas	Picas	Epées	Swords	Spade	Gladii
Bastos	Tréboles	Bâtons	Wands Scepters Batons Clubs	Bastoni	Caducei
Copas	Corazones	Coupes	Cups Chalices Goblets	Coppe	Xiphi seu Calices
Oros	Diamantes	Deniers	Pentacles Coins Money Circles	Denari	Monetae

NÚM.	ESPAÑOL	ITALIANO	FRANCÉS	INGLÉS
I	El Mago, El Malabarista	Il Bagatto, Il Giocoliere	Le Bateleur, Le Jouer de Gobelets	The Juggler, The Thimble-Rigger, The Magician, The Mountebank, The Cup Player, The Pagad
II	La Papisa	La Papessa	La Papesse	The High Priestess, The Female Pope, The Popess, Junon
III	La Emperatriz	l'Imperatrice	L'Impératrice	The Empress
IV	El Emperador	L'Imperatore	L'Empéreur	The Emperor
V	El Papa	Il Papa	Le Pape	The Hierophant, The Pope, Jupiter
VI	El Enamorado, El Amor	l'Innamorato, l'Amore	L'Amoureux	The Lovers
VII	El Carro	Il Carro	Le Chariot	The Chariot
VIII	La Justicia	La Giustizia	La Justice	Justice
IX	El Ermitaño	L'Eremita, Il Vegliardo	L'Ermite	The Hermit
X	La Rueda de la Fortuna, La Fortuna	La Ruota della Fortuna, La Fortuna	La Roue de la Fortune	The Wheel of Fortune
XI	La Fuerza	La Forza	La Force	Strenght, Force, Fortitude
XII	El Ahorcado, El Colgado	l'Impiccato, l'Appeso	Le Pendu	The Hanged Man, The Hanging Man
XIII	La Muerte	La Morte	La Mort	Death
XIV	La Templanza	La Temperanza	La Tempérance	Temperance
XV	El Diablo	Il Diavolo	Le Diable	The Devil
XVI	La Casa de Dios, La Torre	La Casa di Dio, la Torre	La Maison de Dieu, La Maison Dieu	The Tower, The Lightning Struck Tower, The House of God, The Hospital, The Tower of Babel, Fire of Heaven
XVII	La Estrella	La Stella	L'Étoile	The Star
XVIII	La Luna	La Luna	La Lune	The Moon
XIX	El Sol	Il Sole	Le Soleil	The Sun
XX	El Juicio, El Ángel	Il Giudizio, l'Angelo	Le Jugement	Judgment, The Last Judgment
XXI	El Mundo	Il Mondo	Le Monde	The World, The Universe
0	El Loco	Il Matto, il Folle	Le Mat, le Fou, le Fol	The Fool, The Foolish Man

Los nombres más comunes de los arcanos mayores en las cartas modernas.

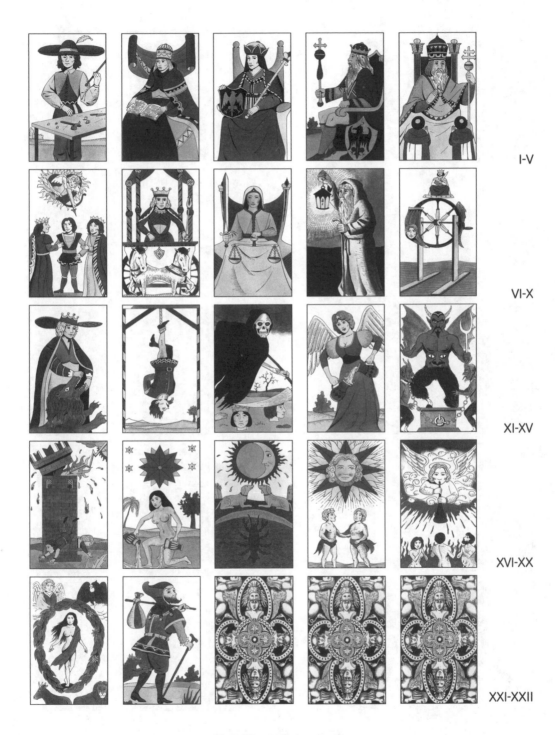

I-V

VI-X

XI-XV

XVI-XX

XXI-XXII

Los 22 arcanos mayores.

  Reyes

  Reinas

 Caballeros

 Sotas

Las figuras de Corte o triunfos.

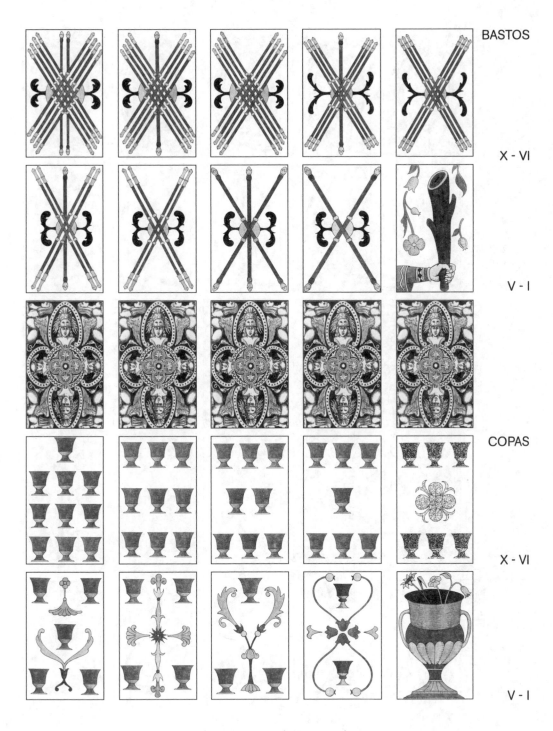

BASTOS

X - VI

V - I

COPAS

X - VI

V - I

Los arcanos menores de Bastos y de Copas.

ESPADAS

X - VI

V - I

OROS

X - VI

V - I

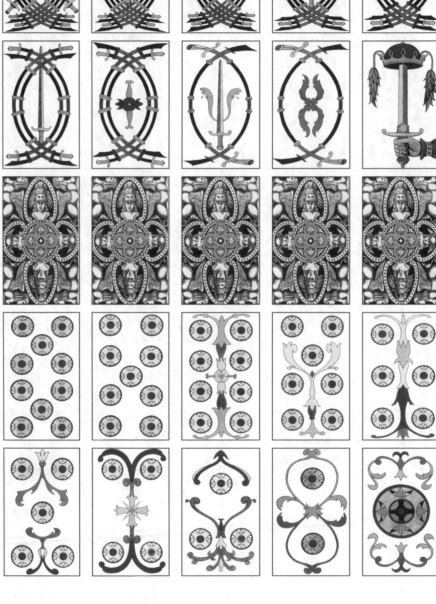

Los arcanos menores de Espadas y de Oros.

Cada carta tiene un anverso en el que está el dibujo y un reverso, siempre igual, que indica que la carta está tapada.

Anverso

Reverso

Como es natural, nuestra descripción se refiere al anverso, donde está un dibujo, que puede aparecer derecho o cabeza abajo (invertido), según caiga al barajar. En los arcanos mayores se sabe si el naipe está derecho porque lleva el número y el nombre en la parte inferior.

Derecho

Invertido

Y, como hay una parte de abajo o Sur, evidentemente hay una parte de arriba o Norte, un lado derecho o Este y un lado izquierdo u Oeste.

Sin embargo, hay que tener presente que la derecha o la izquierda son las del observador, como en un espejo y no las de la carta.

Arriba - Norte

Lado izquierdo, Oeste. Negativo y desfavorable

Lado derecho, Este. Positivo y favorable

Abajo - Sur

En los arcanos menores, una carta está derecha cuando el número, el nombre o el dibujo están bien colocados.

Naturalmente, la carta del revés, invertida o boca abajo tiene un significado que, como veremos, está ligado a esta posición. Generalmente se suele considerar que el lado izquierdo (del observador) es negativo y desfavorable, mientras que el derecho (del observador) es positivo y favorable.

En los arcanos mayores y en las figuras suele haber un dibujo con una o más figuras, cuyos gestos tendrán un significado a la hora de interpretarlas. Como en el teatro, la acción siempre se desarrolla en un espacio limitado (aunque, en realidad, el verdadero escenario es la vida). El ambiente y la escena en la que se desarrolla una acción pueden dar indicaciones preciosas al consultante que sepa comprender sus analogías.

Todas estas cosas determinan la apariencia o aspecto (del latín *aspectus* vista) de una carta. Pero la apariencia indica tanto lo que se ve en la carta como su situación entre las demás cartas.

← En movimiento →   • Inmóvil •

Además, una carta puede estar inmóvil o en movimiento, según la postura que tengan o la dirección que lleven las diversas figuras. Las figuras inmóviles suelen estar sentadas. Por otra parte, las cartas en movimiento se pueden interpretar de dos maneras, según precedan o sigan a otras cartas.

Alejamiento
Fuga ←   → Acercamiento
                                            Asalto

← En movimiento →

En un caso, indican acercamiento o agresión; en el otro, huida o alejamiento. No obstante, hay algunas cartas consideradas como inmóviles que tienen partes móviles: por ejemplo, la Justicia es inmóvil sólo cuando no está tomando parte en un juicio.

Las figuras pueden representarse de pie o sentadas. Las figuras sentadas suelen representar personas importantes y poderosas (en la iconografía clásica, al rey siempre se le retrata sentado en el trono y a los súbditos, de pie frente a él).

Figura de pie

Figura sentada

Además, las figuras se representan de frente o vueltas hacia un lado, a la izquierda o a la derecha. También el lado puede tener importancia para la interpretación global (desde luego, si se tienen en cuenta las cartas adyacentes hacia las que se dirige la figura).

Vuelta hacia la izquierda
(del observador)

Vuelta hacia la derecha
(del observador)

Cada carta tiene una tendencia que indica sus aspectos potenciales, que no tienen que traducirse necesariamente en actos.

Una carta puede ser potencialmente negativa y/o positiva, desfavorable y/o favorable. Y el poder especular sobre ella permite al observador precisar los fines del actor que hay en la escena, que luego coincide con las del propio consultante o con la idea que se ha formado éste sobre lo consultado.

Carta potencialmente
positiva (Amor)

Carta potencialmente
negativa (Torre)

Carta potencialmente
favorable (Juicio)

Carta potencialmente
desfavorable (Diablo)

Sin embargo, hay que decir que ninguna carta es potencialmente positiva o negativa de manera absoluta: el significado definitivo estará siempre influido por las cartas inmediatamente anteriores y posteriores. Por esto es importante el ascendiente, que está representado por el parentesco con las demás cartas vecinas o por la carta que más influye en las otras.

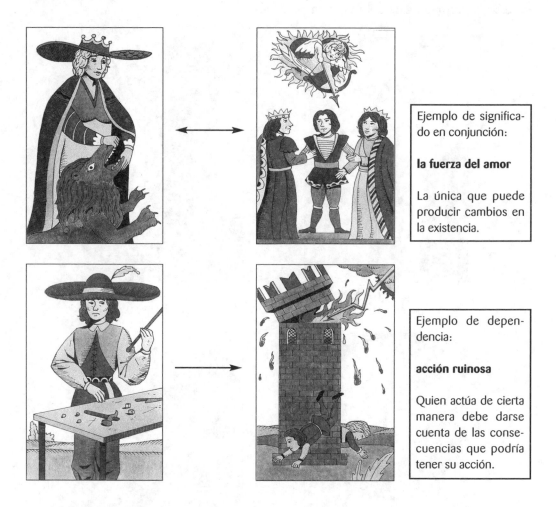

Ejemplo de significado en conjunción:

la fuerza del amor

La única que puede producir cambios en la existencia.

Ejemplo de dependencia:

acción ruinosa

Quien actúa de cierta manera debe darse cuenta de las consecuencias que podría tener su acción.

No es necesario forzar nunca la interpretación. La evidencia surge de manera fortuita. Cuando las cartas parecen ocultar algo, eso depende sólo de nuestra «malicia».

Esta influencia se ve, sobre todo, cuando se considera la relación con las demás cartas. Y se puede ver cuando hay afinidad —es decir, cuando están en conjunción o en relación de dependencia— o cuando hay contraste de significado, es decir, cuando están en oposición o en posiciones opuestas. Además, es útil verificar la posible herencia; o también lo que queda de una «mano» precedente sobre el mismo tema.

Ejemplo de significado en contraste:
la vida, el Sol, la alegría contra la muerte, la noche, la tristeza.

Desgraciadamente, esta aburrida disertación sobre los términos es necesaria para entender el desarrollo del juego. Hay matices que pueden parecer evidentes, pero que no lo son tanto. Por ejemplo, una carta puede ser negativa sin ser por ello desfavorable. La carta que indica la muerte no necesariamente trae el mal al consultante o al consultado, aunque sea potencialmente negativa. Por lo mismo, la carta que indica una victoria completa podría no ser favorable a falta de un objetivo preciso. Análogamente, una carta que es potencialmente positiva cuando está derecha, no tiene por qué ser negativa si está invertida. A veces, los opuestos refuerzan el sentido en vez de invertirlo.

El Tarot es un arte combinatorio, un lenguaje aparentemente sencillo de leer pero que, en realidad, tiene una estructura compleja. Pero esta ambigüedad oracular no quita el que represente, en su silencio aparente, una «máquina filosófica» de un poder extraordinario. En el mundo moderno, podría convertirse en lo que representó para los antiguos la mayéutica socrática (esto es, el arte de la comadrona). Pero, cuidado: se puede sacar a la luz al niño que hay en nosotros, mas también a su doble (en el sentido que le dio Stevenson, en el de mister Hyde).

Ilustración de las *Obras de Terencio* (1493). Se pueden ver algunas analogías con el Tarot. Arriba, los cuatro símbolos que recuerdan los 4 palos. La primera figura, con el bastón y una especie de bolsa al hombro recuerda al Loco. Además, a la derecha, se ve un Cupido con su arco que recuerda al Amor y, a la izquierda, un sátiro que recuerda al Diablo.

La gestualidad

Para podernos acercar más a lo que significa el gesto en las cartas del Tarot, conviene hacer una pequeña digresión histórica sobre el gesto en el medievo, al que se pueden remontar gran parte de las interpretaciones.

Cuando el hombre medieval hace gestos (y no simples movimientos), sabe que nunca está solo y no los hace en vano. Hace gestos para favorecer o perjudicar a alguien y sabe que —arriba o abajo— alguien le está observando (Dios, un ángel o un diablo). El caballero que besa su espada y pide la ayuda de Dios y el monje que reza en la soledad de su celda no interpretan sólo para sí mismos. Sólo el loco o el demente hacen gestos inopinados y movimientos sin sentido.

Los hombres, para comunicarse, rogar y amenazar, siempre hacen gestos y suelen cargarlos con todos sus valores. Por lo tanto, el estudio de los gestos nos permite analizar los mecanismos sociales de una sociedad cerrada como la medieval y comprender algunos de sus aspectos no reflejados en la escritura.

El tema del gesto como expresión de los movimientos interiores del alma, de la moralidad, de los sentimientos, tiene una larga tradición. Hacer gestos es una categoría especial del movimiento que, a su vez, recuerda la movilidad (que, casi siempre, tiene un significado negativo). En la cultura medieval cristiana, la movilidad tiene que ver con lo inestable, lo terrestre, lo transitorio: es el concepto que expresa la rueda de la fortuna; en el lado opuesto, está la estabilidad de Dios.

Junto al hacer gestos está, en sentido peyorativo, el gesticular desordenadamente y, en sentido positivo, las gestas, los actos heroicos y su testimonio por excelencia, la historia de estos actos.

Entre los siglos v y viii empezaron a difundirse en el ambiente numismático muchas indicaciones sobre el comportamiento gestual que debían observar los monjes (y, sobre todo, los novicios) durante todo el día. Además de estos testimonios, son utilísimas las imágenes que se ven en los códices miniados (por ejemplo, el *Salterio de Utrecht,* de la primera mitad del siglo ix).

Entre tanto, nos parece conveniente recordar un párrafo de Rabano Mauro que, en cierto modo, nos podría ser útil para comprender las imágenes del Tarot.

En su obra enciclopédica *De universo* (856), nos da el significado simbólico de todas las partes del cuerpo y lo relaciona con las virtudes morales del cristiano. Antes de nada, examina lo que siempre es positivo en el gesto: «estar de pie» (la firmeza de la fe), «caminar» (el esfuerzo por ir hacia Dios), «estar sentado» (abandonarse a Dios). Luego, enumera los gestos que siempre son negativos: «estar distendido» (sucumbir a la pasión), el «descenso» (la caída, el abandono de Dios). Por último, analiza los gestos neutros, que pueden ser buenos o malos según la intención: «correr» (apresurarse a hacer el bien, pero también el mal), la «subida» (la tendencia a Dios, pero en sentido negativo, ser orgulloso).

También encontramos una afirmación útil para nuestra investigación: lo que es bajo desde el punto de vista moral también lo es en el espacio y viceversa.

Por lo tanto, partiendo de estas consideraciones, resulta casi esencial el análisis de las cartas con figuras y, en concreto, el gesto que hace la figura representada.

Para empezar, hay que hacer una distinción entre el gesto y el simple movimiento. Este último no es más que una simple acción instrumental (por ejemplo, abrir la puerta, subir la escalera...), mientras que el gesto además tiene un significado muy preciso (por ejemplo, quitarse el sombrero para saludar, enseñar los puños para amenazar...); es una forma de lenguaje corporal para comunicar al exterior lo que piensa y siente el que lo hace. Así como en los jeroglíficos cada movimiento indica un cambio en el significado del signo, en el Tarot el gesto puede repercutir en las propias preguntas del consultante.

| Forzar, abrir | Leer, estudiar | Levantar, sostener | Iluminar |

| Verter, volcar | Llenar | Pesar | Cortar |

Confrontando las cartas que preceden o siguen a una determinada es posible interpretar el sentido del gesto: si se ha hecho a causa de algo, si es instintivo, si quiere advertir, disuadir, rogar, maldecir, bendecir. Si se trata de un gesto que puede tener consecuencias para nosotros, si quiere impulsarnos a la prudencia, si nos llama, si se aleja. Como es natural, el gesto, en cartas de movimiento o inmóviles tiene aspectos diversos y lo mismo si la carta está invertida.

En este caso el gesto también está invertido: el que bendice, puede maldecir; el que llama, puede alejarse; el que une, divide; el que purifica, ensucia; el que defiende, ofende. Pero, como ya se ha explicado, la carta invertida no tiene por qué significar lo contrario de lo normal. Hay casos en que este significado se hace, simplemente, más intenso. En otros casos puede tratarse de una invitación a recoger lo que cae: el bastón o la espada, el contenido de la copa o el dinero.

Estos aspectos polivalentes hacen difícil la interpretación; por esto, es útil revolver en los recuerdos para encontrar el eslabón perdido. Aunque la respuesta parezca imposible, en el fondo de nuestra mente hay una posible explicación. Desde luego, hay que ser sincero con uno mismo; mentir no serviría de nada.

Como en una confesión, nuestra alma se va purificando según va saliendo el pecado. Estas afirmaciones podrán hacer sonreír pero, en el fondo, el secreto profundo de la confesión está en su efecto catártico.

El que va al psicoanalista, al sacerdote o a un amigo, trata de transferirles el peso insoportable de una culpa, un dilema indisoluble, un problema inexplicable. Y si esta transferencia libera la psique, una carta puede liberarnos de una pesadilla. «¿Es esta carta la que esperaba? ¿Cuál querría que saliese?» A veces, el destino es una verdadera liberación.

Unir   Dividir   Caminar   Retroceder

Bendecir   Maldecir   Caer   Volver a subir

Si alguien odia a una persona pero no quiere admitirlo, tendrá que meditar mucho si, por ejemplo, sale la carta de la Muerte sobre una figura (Rey, Reina, Caballo, Sota). O si, en cambio, las cartas que siguen indican un juicio, una absolución o una condena.

Un pensamiento oculto que se saca a la luz libera de forma extraña a quien lo tiene: una idea de muerte, de amor, un deseo o una esperanza vuelven a equilibrar los platillos de nuestra balanza interior.

Nuestra armonía psíquica se basa precisamente en el equilibrio de estos impulsos. Ninguno debe prevalecer exageradamente: hasta un exceso de amor puede romper el equilibrio cuando se convierte en egoísmo o pasión desenfrenada.

En el fondo, cada uno sólo puede convertirse en lo que es.

Si ya hemos agotado nuestras posibilidades y queremos probar otras, no hay más que seguir el segundo camino del que ya se ha hablado antes. El primer camino nos ha dado la posibilidad de medirnos, de ver nuestras cartas. Ahora ya sólo queda elegir el jugar con estas cartas o pedir otras. Pero, cuidado: podría ser una tarea demasiado pesada para nosotros y las cartas podrían ser peores.

O, incluso, las cartas podrían venir rotas y sustituidas por otras sin ninguna figura; pero también podrían ser las cartas sobre las cuales escribir un nombre nuevo y una nueva vida. Entonces, tiraremos este juego inútil para recomenzar de nuevo a vivir.

El actor

(el que actúa)

La acción

(por ejemplo, conducir un carro)

Una escena

(dos perros que ladran)

En las cartas, hasta el movimiento más simple puede convertirse en gesto.

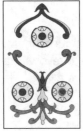

Breves nociones de la Cábala hermética

Hoy día, los principios de la Cábala hermética han caído en desuso y ya no se aplican al estudio de la ciencia hermética. Naturalmente, no hay que confundir esta Cábala con las complicadas teorías de la Cábala hebraica. Esta última se deriva del término hebreo *kabbalah,* que significa tradición; la nuestra se deriva del griego *kabálles* (en latín *caballus),* que evidentemente significa caballo y con más propiedad caballo de carga. En el fondo, la Cábala sostiene un peso considerable: la carga de todo el conocimiento antiguo. Por otra parte, también lleva el nombre y el espíritu de la antigua caballería. Además, el griego *kabállo* significa precisamente «echo abajo, derribo»; de ahí, «desvelo» y luego «echo nuevos cimientos». En realidad y al contrario de la Cábala hebraica, la nuestra no está hecha para ocultar lo que está muy claro, sino para revelar. Aunque, cabalísticamente (pero no desde el punto de vista etimológico), la palabra revelar indica una nueva ocultación: re-velar, velar de nuevo.

La Cábala hermética es una lengua secreta, aunque sea universal, una gramática con reglas sin definir. Puede resultar una preciada clave para abrir los libros cerrados representados por las obras de alquimia, para extraer su espíritu y conocer su significado más íntimo y secreto. Este sistema de lectura se puede aplicar a muchísimos textos de alquimia, porque a sus autores les encantaba esconder en sus propias palabras la clave de su discurso. También Rabelais en el *Gargantúa* –obra que aconsejamos vivamente leer– se sirve de este lenguaje aparentemente sin sentido. Hasta Cyrano de Bergerac en su obra *El otro mundo* exalta este lenguaje, este idioma que puede considerarse como «el instinto o la voz de la naturaleza». De hecho, sólo llega a ser inteligible para los que viven en el ámbito de la naturaleza.

Pero hoy ya nadie trata de transformar mediante el propio lenguaje una idea de algo vivo, una idea de conocimiento verdadero. Hoy día, cuando la imaginación ha desaparecido por completo, resulta difícil hacer comprender la importancia de este método, que se ha quedado sólo en un reflejo de los juegos de enigmas.

No en vano el «rebus», en analogía con *Rebis* (en el *rebus,* el sonido de una frase se expresa mediante cosas, *–cum rebus–,* es decir, siguiendo el orden de las sílabas y de los sonidos de las cosas), es el último eco de la *Lingua Sacra* (ver especialmente a Di Nardo, *Lingua Sacra e Simbolismo Alchemico,* Génova, 1983), de la lengua que, en principio y simbólicamente, se dice que era la que hablaba Adán.

Las leyes de las Cábala fonética no tienen en cuenta la ortografía ni las lenguas que se hablan en los distintos países ni los dialectos. Una o dos palabras combinadas pueden dar lugar a frases en varias lenguas. Fulcanelli afirma con justicia *(Las moradas filosóficas,* Roma, 1969, vol. II, pág. 165): «Todos los idiomas pueden dar asilo al sentido tradicional de las palabras cabalísticas, porque la Cábala, desprovista de trama y de sintaxis, se adapta fácilmente a cualquier lenguaje sin alterar sus peculiaridades especiales». Es un idioma fonético que se basa únicamente en la asonancia. Pero no se trata sólo de juegos de palabras, como podría llegar a creer alguien desprevenido: las palabras pueden llevarnos hacia la clave del misterio de manera que no nos perdamos en el propio laberinto de la imaginación. Dice muy bien Santo Tomás de Aquino: «En las ciencias sagradas, no sólo las palabras sino las propias cosas significan otra cosa». El doble sentido, la asonancia, la aproximación, esconden un lenguaje oculto para el que es natural la deformación ortográfica, con arreglo a una homofonía perfecta. Tampoco el lenguaje simbólico sigue las reglas gramaticales normales ni se funda en etimologías normalmente correctas.

Para Fulcanelli *(El misterio de las catedrales,* p. 46), el último gran alquimista que se ha servido de este método, el arte gótico *(art gotique,* en francés) se deriva, por una serie de asonancias, en *ar-gotik* para llegar a ar-got, el argot, la jerga tan cara a Rabelais.

Hay que aprender a pensar de nuevo, sin las leyes que rigen la gramática, sin la tiranía de las letras.

El destino del campesino, según Hans Holbein
(en el Tarot, la Muerte indica transformación y cambio).

Dice acertadamente Plotino: «No hay que creer que en el mundo inteligible los Dioses y los bienaventurados vean visiones: lo que se expresa así es una bella imagen». En realidad, para el filósofo neoplatónico se puede entrar en contacto con las verdades más profundas a través de las imágenes.

Es el lenguaje de la analogía, del juego de palabras, de los significados encadenados, absurdos, casi ilógicos. El que se interesa por la alquimia, sabe hasta qué punto este arte combinatorio se base en los principios afines. En el fondo, es muy fácil perder el hilo de un discurso que aparentemente parecía muy claro: estamos demasiado acostumbrados a ver las palabras como un todo único, con un significado preciso, y ya no somos capaces de aislar los componentes propios del significado. De hecho, todo lo que contribuye a precisar un significado determinado se puede encontrar descomponiendo la propia palabra.

La misma operación filológica que se puede hacer con las raíces de las palabras, también se puede hacer cabalísticamente con los componentes fonéticos. Esta es la razón por la que hay analogía entre las palabras y el Tarot, entre el significado normal de las palabras y las cartas del Tarot. Y tampoco éstas pueden verse aisladas, sino que deben colocarse en un contexto que puede cambiar por completo su significado original. También ellas constituyen un lenguaje secreto que sólo puede descifrarse parcialmente por el estudio de los sonidos que evocan las propias figuras. Es significativo el hecho de que se haya comparado al Tarot con un libro mudo *(Mutus liber)*: somos nosotros los que tenemos que conseguir dialogar en el lenguaje de los mudos. Y ésta es la importancia del análisis de los gestos, de los signos que quieren comunicarnos las propias cartas.

En efecto, hay una identidad entre la representación visual y el propio significado de la palabra que la representa. Una imagen suscita una o más palabras que, a su vez, suscitan una o más imágenes, en una cadena infinita de representaciones y de significados. Tomando el tema de la obra alquimista *El sueño de Polífilo,* Fulcanelli *(Las moradas filosóficas,* vol. I, pág. 90, nota 2), nos proporciona un ejemplo de esta identidad. En esta obra, el rey Salomón está representado teniendo en la mano una rama de sauce (en francés, *saule); de aquí sale naturalmente en francés *saule à main,* por «sauce en la mano», que se pronuncia «solamán», muy próximo a Salomón.

¿Hemos probado alguna vez, por ejemplo, a invertir las palabras Roma-amor o Suez-Zeus? Hay infinitas combinaciones posibles: arroz-zorra, rata-atar, saco-ocas, y así sucesivamente. Fulcanelli *(ibid),* por ejemplo, juega con la palabra margarita (en francés *marguerite),* a la que, por asonancia, transforma en *me regrette* (me molesta).

También Rabelais, como ya se ha dicho, aplica la Cábala fonética a las imágenes cuando afirma que *dessiner un panier* (dibujar una cesta) quiere decir que me encuentro *en la panne* (en la miseria).

¡Cuántas maravillas esconde una palabra! Si las liberamos de su cáscara, su espíritu nos llevará al verdadero conocimiento. Por esto es útil ejercitarse en esta técnica, para tener la mente dispuesta a percibir cualquier matiz. Va a ser esta misma Cábala fonética la que nos permitirá descifrar el lenguaje incomprensible de nuestros sueños, el mensaje simbólico del Tarot, el alfabeto de nuestro subconsciente.

Limitaremos este resumen a lo que se ha dicho, que será ampliado en otro capítulo. Nos basta con haber señalado, a los que se acercan a las disciplinas herméticas, la importancia de la Cábala fonética en el estudio de los secretos de la naturaleza y la necesidad de que el lector encuentre la clave de ella.

En realidad, quien tenga en cuenta todo lo que aquí se ha dicho podrá, quizá sin darse cuenta, percibir el verdadero sentido literal de estas figuras aparentemente incomprensibles.

Sin embargo, antes de dejar a un lado este complicado asunto, aconsejamos que el lector haga un pequeño ejercicio preparatorio de Cábala fonética: un modo de relajar los músculos de la mente.

Leamos en sentido inverso una palabra cualquiera que se haya encontrado (en un periódico, en un libro, en el escaparate de una tienda, en un cartel publicitario, etc.) y tratemos de encontrar otras palabras que tengan un sentido igual o parecido.

Muchas veces iremos a tientas en la oscuridad; pero alguna vez podemos encontrarnos con una sorpresa agradable: ideas para nuestra vida, advertencias, ¿por qué no?, presagios.

Fuerza + Rey = forzar

6 + loco = ¡estás loco!

6 + colgado = estás pendiente de…

3 + Amor = temblor

Ejemplo de combinaciones con nombres y gestos.

Las palabras de estos ejemplos italianos se presentan a veces con elisión de letras: tre(a)mare; tre(a)mante; tr(e)amante, tr(e)amare, etc.

Evocar a los demonios es peligroso

Los gestos no son siempre secuenciales; a veces se presentan superpuestos, combinados u opuestos; otras veces también toman la forma de un proverbio.

Amor forzado, amor ahorcado

Ejemplo de combinaciones con nombres y gestos.

Amor, bajo tu **imperio** toda empresa
deshace con el **tiempo** la **fortuna,**
la **muerte** con su **carro,** horrenda y oscura
el **mundo** de los hombres atraviesa.

La **justicia** del **Papa** no es promesa
y tú sabes que no hay **papisa** alguna.
Dime: quien con el **Sol** hizo la **Luna,**
¿por qué rindió mi **fuerza** por sorpresa?

Al **ermitaño loco** se aparece
el **amor,** como un **ángel** o un **demonio**
en la **torre** y debajo de la **estrella.**

Emperatriz de un sueño que amanece
suspende el corazón, que el matrimonio
es un **mago** que encanta a la **doncella.**

Teófilo Folengo, soneto del *Chaos del Triperuno*
(se citan todos los arcanos mayores).

El arte de la memoria

El arte de la memoria es afín al arte de la escritura: el que aprende a conocer las letras del alfabeto puede escribir todo lo que tenga en la cabeza y después está en condiciones de leerlo y releerlo como le plazca. Desde la antigüedad, el hombre ha buscado técnicas que le permitieran recordar fácilmente no sólo los acontecimientos pasados sino, sobre todo, los sucesos contingentes ligados a su actividad propia. Al principio, el campo de desarrollo de estas técnicas estaba ligado al ámbito de la retórica donde, como es lógico, era más necesario retener el mayor número de ideas en la mente. Se podía potenciar la memoria natural; pero sin la ayuda de una memoria artificial no se habría podido abarcar todo el mundo. El hombre ha sabido siempre lo débil que era su memoria y esto, en parte, era lo que inconscientemente quería su instinto de supervivencia. Muchas veces, la memoria aplasta a la vida.

Porque si los recuerdos estuvieran siempre claramente impresos en su mente, en cuanto hombre tendría que soportar siempre el duro peso de la fragilidad de su existencia; (*soma-sema,* afirman los pitagóricos: el cuerpo —*soma*— es una cárcel —*sema*— para el alma). El dolor y la muerte dejarían una huella indeleble en su ánimo. Pero, afortunadamente, el olvido va borrando los recuerdos penosos y permite sobrevivir. Pero la búsqueda de una memoria artificial (en todos los manuales de mnemotecnia se distingue entre memoria natural y memoria artificial que, como es lógico, sirve para potenciar la natural) podía ser una válvula de escape: permitía mejorar una facultad natural del hombre sin el lado negativo. En ella sólo se introducían los datos capaces de estimular determinados recuerdos, que podían traerse en el acto a la memoria sin activar ningún otro mecanismo (doloroso) del subconsciente.

Los manuales clásicos de mnemotecnia (ver, por ejemplo, la *Rethorica ad Herennium,* manual anónimo del siglo I d. C.) nos dan información útil para comprender el desarrollo de esta disciplina que, en el Renacimiento, más que en un apéndice de la retórica se convirtió en una verdadera técnica de evolución espiritual.

En primer lugar, analicemos los elementos fundamentales de este arte. Son, por este orden:

- los lugares,
- las imágenes,
- la memoria de las cosas,
- la memoria por las palabras.

Los lugares (del latín *loci*) son sitios que la memoria es capaz de reconocer, como una casa, una esquina, una habitación. Las imágenes (del latín *imagines)* son formas, símbolos de lo que queremos recordar. La memoria de las cosas (las cosas son el sujeto de la oración) construye imágenes para recordar un asunto, un concepto. La memoria por las palabras (las palabras son el lenguaje con el que se reviste el sujeto) debe encontrar imágenes para recordar cada palabra aislada.

Por lo tanto, quien quiera recordar algo tiene que colocar en un lugar o lugares a propósito lo que ha oído, para poderlo repetir después de memoria. Y, cuanto más haya que recordar, más necesidad tendremos de muchos lugares: colocados en un orden determinado se pueden recordar lo mismo hacia delante que hacia atrás. De hecho, cuando vemos algo ya conocido, venga en el orden que venga, somos capaces tanto de nombrarlo como de recordar lo que significa.

Este razonamiento que, aparentemente, puede parecer que se aparta del tema tratado en este libro, se verá más claro cuando se comprendan mejor las analogías entre los lugares y la colocación de las cartas, entre las imágenes y las figuras del Tarot, entre el arte de la memoria y el de conocerse a uno mismo. Siguiendo el camino de este arte —típicamente retórico— se podrá definir uno de los ámbitos en los que se ha insertado el juego del Tarot. El otro ámbito es el mágico, incluso el de la magia notoria (para Giordano Bruno —*De magia, De Vinculis in genere,* pág. 7— es una especie perversa de magia demoníaca. «Esta es la magia de los desesperados —*magia desperatorum*— que acaban poseídos por malvados demonios, y a la que se llega por medio del arte Notoria.»), que ha dado nacimiento a doctrinas puramente gramaticales, aunque hay que esperar al Renacimiento para encontrar algún planteamiento hermético que tendrá su auge en la época de Giordano Bruno.

En la *Rethorica ad Herennium* hay un párrafo que nos hace comprender el valor que pueden tener una figura o una imagen para impresionar la memoria. Es la misma función que puede hacer una carta con respecto tanto a los recuerdos personales como a los universales. Precisamente, del choque que suscita la carta nacen el recuerdo o el descubrimiento del mundo interior que vive al margen de la consciencia.

Pero sigamos al retórico anónimo, que vuelve a hacer interesantes consideraciones: «Ahora es la propia naturaleza la que nos ense-

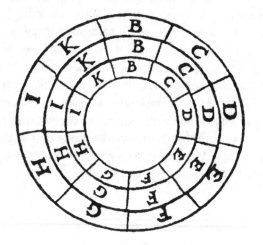

Figura combinatoria de la *Ars Brevis* de Raimundo Lulio (en *Opera, Argentinae,* 1617).

ña lo que tenemos que hacer. Cuando, en la vida cotidiana, vemos cosas pobres, corrientes, banales, generalmente no conseguimos recordarlas porque la mente no recibe ningún estímulo nuevo e insólito. Pero si vemos u oímos algo extraordinariamente vergonzoso, insólito, grande, increíble o ridículo, solemos recordarlo durante mucho tiempo. Por esta razón, normalmente olvidamos cosas vistas u oídas recientemente; pero solemos recordar a la perfección sucesos de nuestra infancia. Esto no ocurriría si no fuera porque las cosas corrientes salen fácilmente de la memoria, mientras que las cosas nuevas y excitantes se fijan más tiempo en la mente.

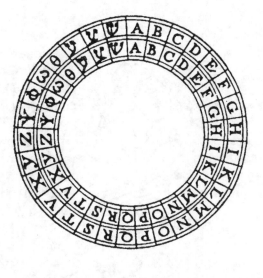

Rueda de la memoria (del *Umbris idearum,* de Giordano Bruno, 1582).

Una aurora, el curso del sol, un atardecer no son una sorpresa para nadie, porque ocurren todos los días. Pero un eclipse nos maravilla, porque es muy raro; y el de sol nos maravilla más que el eclipse de luna, al ser éste más frecuente. Así, la naturaleza muestra que no se turba por hechos corrientes y diarios, pero sí se sacude ante un suceso nuevo o extraordinario. Por consiguiente, el arte debe imitar a la naturaleza, buscar lo que la naturaleza pida, elegirla como su guía; porque en la invención, la naturaleza nunca es la última y la doctrina nunca es la primera; al contrario, los principios de las cosas surgen del talento natural y las conclusiones las consigue la disciplina.

Por lo tanto, tenemos que captar imágenes de tal calidad que se adhieran el mayor tiempo posible a nuestra memoria. Y lo haremos captando semejanzas lo más extraordinarias posibles: si fijamos imágenes, que no sean muchas o vagas sino eficaces; si las asignamos una gran belleza o una fealdad singular; si adornamos algunas de ellas —por ejemplo, con coronas o mantos de púrpura— para que el parecido sea mayor; si las desfiguramos de algún modo —por ejemplo, introduciendo una manchada de sangre o de fango, o teñida con tinta roja— para que su aspecto impresione más; o si atribuimos a las imágenes algo ridículo, porque también esto nos permite recordarlas mejor. Las cosas que se recuerdan con facilidad cuando son reales, también se recuerdan con dificultad cuando son ficticias, siempre que se caractericen con cuidado. Pero es esencial volver a recorrer de cuando en cuando con el pensamiento todos los lugares mentales originales, con el fin de refrescar el recuerdo de las imágenes». *(Ad Herennium, III, XXII).*

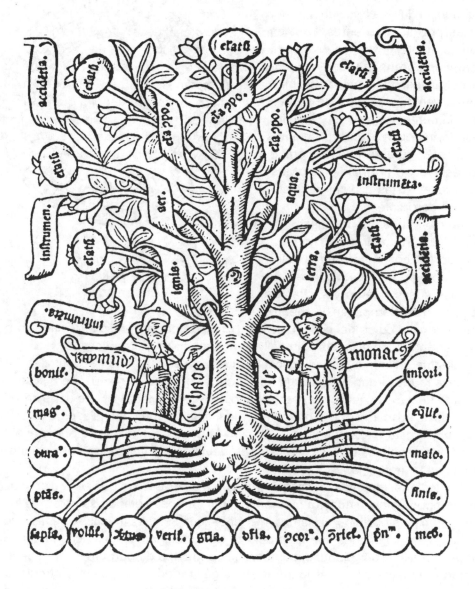

El diagrama del árbol

(del *Arbor Scientiae*, de Raimundo Lulio, Lugdunum, 1515). El juego del Tarot también se puede comparar con un árbol. Los arcanos menores serían el árbol que crece (los ases son las raíces, las cartas del 2 al 9 el desarrollo, el 10 el tronco resultante y las ramas, las figuras), mientras que los arcanos mayores son los factores externos que favorecen (o impiden) el crecimiento (desde la lluvia a las heladas, desde los aperos al campesino...).

Por tanto, el autor anónimo afirma que la memoria se refuerza sólo con suscitar emociones por medio de imágenes que choquen por su intensidad.

Ahora queda claro por qué hemos aludido a este párrafo. Aunque, desde luego, se refiere a figuras humanas comprometidas dramáticamente en algún acto, no estamos muy lejos de una posible identificación con las figuras dramáticas de los arcanos mayores del Tarot. Como veremos, también las figuras del Tarot están implicadas en una acción dramática y viviendo una experiencia que se realiza paralelamente a la nuestra: es como si dos mundos paralelos viviesen un suceso al mismo tiempo. También las figuras del Tarot son bellas o misteriosas o grotescas: su misión es la de dar una sacudida emotiva a la conciencia, que provocará recuerdos, miedos, deseos, esperanzas.

Una imagen en un lugar de la memoria
(del *Congestiorum artificiosa memoria,*
1533, de J. Romberch).
El espacio en que actúa la figura es el mismo de una carta. Los
gestos nos señalan el escenario en el que colocar los recuerdos
que queremos conservar. Y, en el caso de la carta,
los recuerdos que hemos perdido.
Podría ser una sota.

Seguramente, los primeros que estructuraron el Tarot tenían presentes estos motivos de la retórica clásica y conocían el poder de las palabras y las imágenes «imágenes... que tengan la fuerza para presentarse al alma e impresionarla rápidamente» (Cicerón, *De Oratore*, II, LXXXVII, 358). Se grabarán en nuestra alma como sellos sobre cera. Generalmente, todo consistía en imprimir las imágenes o signos sobre unas tablillas enceradas (ver Platón, *Teeteto*, 191 C-D). En cierto sentido, también nuestra alma es como un bloque de cera.

En este contexto, resulta más evidente el comprender la fuerza de la magia, la capacidad de imprimir en cera —y, al mismo tiempo, en la cera del alma— las marcas de la vida y de la muerte. Los maleficios que se hacen con muñecos o muñecas siguen principios afines: la posibilidad de actuar a distancia, a través de sustitutos vivificados, sobre el cuerpo real, imprimiéndole el sello de nuestro poder. Hay objetos o partes del cuerpo —como cabellos, uñas—... que sustituyen a la persona; actuar sobre ellos es como actuar sobre el que está ausente.

Éstos eran los principios del arte notoria, en la que el actuante miraba fijamente a unas figuras mágicas con signos concretos (*notae*) y recitaba fórmulas concretas para evocar a los demonios.

Sin embargo, Giordano Bruno considera que este arte era inferior y dañino.

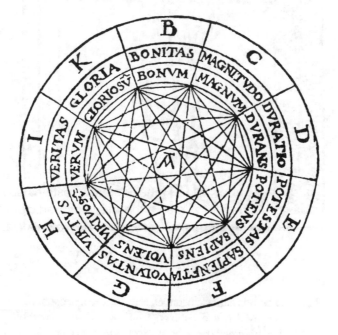

Figura A: del *Ars Brevis* de Raimundo Lulio
(en *Opera, Argentinae*, 1617).

En cambio, hay un tipo de magia (al que él llama Teurgia) que trata de dominar a los demonios inferiores por medio de los superiores: la denomina «magia metafísica». Precisamente por esto, el arte de la mnemotecnia fue perseguido en la época medieval, sobre todo por el posible desarrollo mágico a que daba lugar.

Tanto Alberto Magno (ver *memoria et Reminiscentia*) como Tomás de Aquino (*In Aristotelis libros de sensu et sensato, de memoria et reminiscentia commentarium*) se interesaron por este arte, pero sobre todo con una intención moral. Ya la Escolástica había fijado vicios y virtudes según signos mnemotécnicos, que recordaban a la mente los caminos a recorrer para llegar al paraíso o al infierno. Pero las reglas eran siempre las mismas: disponer en un cierto orden las cosas a recordar, aferrarse apasionadamente a ellas, usar similitudes insólitas y recordarlas con meditaciones frecuentes.

Sin embargo, fue Raimundo Lulio (1235-1316) el que introdujo el concepto de movimiento en el arte mnemotécnico medieval; es el mismo concepto que creemos que es importante para estudiar las figuras del Tarot. Las figuras de Lulio no son estáticas sino rotatorias y los conceptos están representados por las letras del alfabeto.

Pero es en el Renacimiento cuando el arte mnemotécnico alcanza su mayor desarrollo, sobre todo con la inclusión del pensamiento hermético y de la magia. Se descubrió de nuevo el pensamiento pagano, aunque mediatizado por el neoplatonismo tardío y el pensamiento hermético cabalístico.

Marsilio Ficino nos da una versión en latín de los *Misteri* de Giamblico, Pico della Mirandola *(Della dignità dell'uomo)* redescubre la antigua sabiduría persa y los misterios de Orfeo.

Seguramente fue en esta época cuando el Tarot empezó a estructurarse según modelos más próximos a los que conocemos. Hacia finales del siglo XIV, los juegos de cartas ya eran muy conocidos, especialmente a causa de los edictos que los prohibían.

Una de las fechas oficiales que se dan como principio de las primeras cartas de juego es la del año 1392, en el que Jacquemin Gringonneur pintó tres barajas de cartas para diversión del rey Carlos VI de Francia (aunque esta es sólo una simpática leyenda). Pero las cartas más próximas a los modelos tradicionales del Tarot son, seguramente, el Tarot de Mantegna, el *Tarocchino* de Bolonia o la llamada baraja Visconti-Sforza.

En estas cartas vemos estructuras parecidas a las actuales, aunque varían en el número y en algunas figuras que han desaparecido. En el Tarot de Mantegna, por ejemplo, la función puramente lúdica incluye una concepción estético-filosófica que transforma un simple juego en un juego cósmico, en el que están todos los aspectos de la vida humana, representados simbólicamente según la estructura jerárquica del poder: emperadores, papas, caballeros... Además, las estructuras típicas no están lejos del pensamiento mágico, siempre presente en la mentalidad del hombre del Renacimiento. No es posible entender la génesis de la adivinación con el Tarot si no se comprenden los mecanismos a través de los que se manifiesta la acción mágica. Ahora, y siguiendo el tratado más importante de magia medieval, el *Picatrix,* trataremos de captar los aspectos de la actuación mágica que interesan a nuestro estudio sobre el Tarot. El *Picatrix* en principio se escribió en árabe (hacia el siglo XII): fue obra de un autor islámico con influencias herméticas y después se tradujo al latín.

Hay muchos escritores modernos de Tarot que sólo aluden a la magia para después ver la forma de utilizar las insulsas recetas de un ocultismo deteriorado, hecho de ritos folclóricos y fórmulas demenciales. Para entender el pensamiento mágico, hay que empezar a pensar mágicamente, comprender que el mundo se sostiene sobre una densa red de relaciones sutiles, localizables mediante el estudio de los símbolos y las analogías. Aprender a captar estas ataduras también quiere decir que después hay que saber desatarlas; cualquier acción sobre el mundo provoca una reacción inmediata del mundo; y, quien ata, acaba muchas veces por atarse sólo a sí mismo. En esto consiste el peligro de la magia: el inexperto se convierte siempre en la víctima de su maquinación (es como terminó el aprendiz de brujo).

El *Picatrix* se abre con una serie de oraciones y con la promesa evidente de revelar sus secretos más profundos. El hombre es un microcosmos que refleja el macrocosmos (un concepto siempre presente en el pensamiento mágico) y gracias a su inteligencia puede elevarse al conocimiento de la verdad.

En la magia siempre hay, como punto de partida, una gnosis, el conocimiento de ciertos secretos de la naturaleza. Y el medio más adecuado para conseguir estos poderes son los talismanes, es decir, las imágenes astrales impresas en de-

La Gramática como imagen de memoria (del *Congestorium artificiosae memoriae,* 1533, de J. Romberch). Igual que en las cartas, el lado izquierdo es negativo *(negatio)* y el derecho, positivo *(affirmatio).*

terminados materiales, en el momento propicio y con la actitud mental precisa. El talismán es «un condensador de fluido, al que hay que ayudar con un esfuerzo personal» (Muchery). Al contrario que el amuleto —al que basta con llevar encima para prevenir los peligros—, el talismán, al ser personal, tiene el fin de aumentar las capacidades de quien lo posee, mejorando sus dotes al máximo. Mediante los talismanes es posible atraer la influencia de las estrellas, estableciendo cadenas de lazos y de correspondencia con el mundo superior. Después se da una lista de imágenes a reproducir en los talismanes: Saturno, Júpiter, Marte, el Sol, Mercurio, la Luna... Hay también una lista completa de las imágenes de los 36 decanatos, ligadas al signo del Zodíaco al que pertenecen. Cada signo del Zodíaco mide 30 grados y está dividido en tres partes que tienen 10 grados cada una. El decanato es el conjunto de 10 grados. En este compendio manual de magia se encuentran todos los consejos prácticos y los procedimientos mágicos para actuar correctamente según los cánones de la filosofía hermética. El conocimiento del modo de actuar se-

Alfabetos visuales
(del *Congestorium artificiosae memoriae,* 1533, de J. Romberch).
A la izquierda, animales. A la derecha: aperos y herramientas.
Nótese el emparejamiento entre figuras y letras.

gún la magia talismánica permite apreciar el poder oculto en las imágenes y, por consiguiente, el mismo poder que se encierra en las figuras del Tarot.

El talismán es siempre un objeto en el que se ha introducido —para custodiar-lo— el espíritu de una estrella. Cuanto más poderoso es el mago más fuerte es la impresión que recibe el talismán. No era tan distinta la concepción pagana de las estatuas de los dioses. La divinidad no estaba en ellas —y esto lo sabían bien—, pero lo que sí estaba era el espíritu que el escultor había conseguido imprimirle, po-niéndose en sintonía con el dios: la inspiración no es más que el modo más per-fecto para acoger a la divinidad en nosotros mismos y para transferirla después a la creación artística de la estatua.

La belleza de las estatuas griegas era un indicio seguro de la grandeza de sus dioses.

Del mismo modo, las figuras del Tarot tendrían que revelar la belleza del mundo ideal, al que simbolizan en imágenes. La imagen de la Justicia no es sólo una re-

Venus y la tortuga, de Andrea Alciati
(*Emblemata*, 1531).

presentación pictórica sino que tiene también algún eco de la idea divina de Justicia. En realidad, las figuras no se han creado sólo para que las admiren o para jugar con ellas, sino para convertirse en temas de meditación para el alma. Pero es con Giordano Bruno cuando el arte de la memoria se convierte en tema de estudio hermético. Bruno había sacado muchas ideas del *De occulta philosophia,* de Cornelio Agrippa. Y, seguramente, en él terminó el proceso de evolución que convirtió al Tarot de juego en filosofía. Por tanto el largo proceso de desarrollo encuentra su justo desenlace. Tanto Bruno como sus predecesores jamás nombran el juego del Tarot.

Y aquí podemos abrir un breve paréntesis histórico sobre la adivinación con cartas. Nunca, en ningún texto, ni de magia ni de alquimia ni de adivinación se cita el Tarot según los criterios que conocemos. Ni en Cornelio Agrippa (1486-1535) ni en Paracelso (1493-1541) se encuentra alusión alguna a la cartomancia. Ni siquiera en el *Commentarius de praecipuis Divinationum generibus* (Wittenburg, 1553) de Kaspar Peucer (1523-1602) se alude a la adivinación con cartas. Es cierto que hay muchos juegos verbales que tienen analogías con los métodos adivinatorios. Por ejemplo, se encuentran indicios adivinatorios en la obra *Chaos del Triperuno* de Teófilo Folengo (ver el capítulo «Los Triunfos en algunos textos del 1500»). Hay también un juego de cartas quirománticas (Nuremberg, hacia 1659) con cierta afinidad con los juegos de Tarot modernos, pero está todavía muy lejos de la adivinación por cartomancia. Tal vez la baraja de 52 cartas que hizo Dorman Newman en Inglaterra en 1690, con cartas divididas en tres partes, se pueda acercar a las barajas adivinatorias. En la parte superior había un número romano (del I al XIII), con uno de los palos franceses (corazones, diamantes, tréboles, picas) y el nombre de un personaje legendario. En las partes central e inferior había dibujos y frases. En cada Rey había escritas cinco preguntas. Pero faltaba una de las características de la cartomancia: «echar» las cartas. Por lo tanto, estos juegos de Tarot todavía no pueden considerarse como verdaderamente adivinatorios.

Luego, de pronto, a finales del siglo XVIII aparece el Tarot en la ya mítica interpretación de Court de Gebelin. Pero esta aparición no fue un hecho casual. Sin servirnos de los instrumentos típicos de la política-ficción podemos afirmar que ya era conocido y se mantenía en secreto mucho tiempo antes de que lo descubriese Gebelin.

Si no se usaba de la manera que conocemos, por lo menos ya estaba metido a fondo en el mundo mágico, del cual sufría notable influencia. Seguramente el origen del Tarot se pierde en el tiempo pero, en la práctica, ha tenido un desarrollo y una estructuración posteriores a su invención. Y, como hemos visto, la idea original no estaba en absoluto separada del mundo mágico.

Volviendo al tema, podemos concluir que, precisamente con Giordano Bruno, acaba un ciclo: las imágenes pierden su contacto original con la retórica y se convierten en filosofía. Si imprimimos en la memoria lo que es superior, podemos co-

Re
Zelofia fe Uulcano in forme noue
pigliar Uenercie Marte entrole rethi
e il Sol ne fece manifeue proue

Tarot del Boyardo
(El rey de Ojos, Vulcano)
Mateo Maria Boyardo (1441-1494), autor de *Orlando
Enamorado,* parece ser que era un ferviente jugador
del Tarot. Hizo ilustrar una baraja (78 cartas + 2
sonetos) a Pier Antonio Viti, de Urbino. Sus cartas no
tienen los palos tradicionales sino los Dardos
(el amor), las Vasijas (los celos), los Flagelos (el temor)
y los Ojos (la esperanza). Escribió también
un *Capitolo del Gioco dei Tarocchi.*

nocer «desde arriba» lo que se encuentra «abajo». La magia presupone que hay unas fuerzas desconocidas que recorren el universo y que pueden ser utilizadas una vez que se sepa cómo captarlas (ver la obra de G. B. Della Porta *L'arte del Recordare,* Nápoles 1566, traducida después al latín, también en Nápoles, en 1602, con el título de *Ars reminiscendi).* El universo se refleja en la mente recurriendo a técnicas mágicas. Por lo tanto, y si la mente es divina —siguiendo siempre la idea de Giordano Bruno—, en ella está la organización divina de todo el universo: un arte que reproduzca esta organización en la memoria interceptará los poderes secretos del cosmos, que son del propio hombre. El Tarot se convierte así en la memoria secreta y olvidada. Es una energía oculta capaz de sacar a la luz aquel pasado espiritual del hombre que le pone en sintonía con el universo, volviendo a ligarle, inevitablemente, con lo divino. Por lo tanto, el arte del Tarot es parecido a una doctrina del despertar: el que aprende a conocerse a sí mismo aprende a conocer el mundo.

Y el Mundo es la última carta de los arcanos mayores.

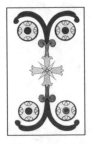

Posibles orígenes del Tarot

Es casi imposible descubrir el verdadero origen del Tarot. Muchos lo ubican —como otras cartas de juego—, en la civilización egipcia, por una cierta analogía entre los arcanos mayores y los jeroglíficos.

Otros han encontrado un notable parecido con algunos juegos orientales. Pero lo más probable es que se haya originado en la Edad Media europea, en estrecha relación con la técnica del arte de la memoria, aunque luego no haya encontrado una aplicación más estrictamente hermética hasta la época del Renacimiento.

Desgraciadamente, ni siquiera sabemos si los arcanos mayores y los menores se inventaron por separado para unirlos después en una baraja única, o si se inventaron directamente como una sola baraja.

En lo posible trataremos de dar una hipótesis plausible sobre el origen del Tarot, mostrando su desarrollo, según un estricto orden cronológico y hasta nuestros días.

Aunque en la literatura moderna abunden los libros sobre el Tarot, las noticias respecto a su origen son fragmentarias si se excluyen las hipótesis fantásticas de algunos ocultistas.

La hipótesis de un origen gitano o zíngaro —que, a primera vista, podría ser aceptable— hoy día es discutible si se tienen en cuenta los documentos de la Inquisición en sus procesos contra los zíngaros: aunque se les acusó de practicar el arte de la adivinación, las cartas no se nombran nunca.

El uso puramente adivinatorio se remonta a no antes de finales del siglo XVIII.

Uno de los primeros que formularon una hipótesis con cierto cariz científico fue Court de Gebelin. En el libro *Le Monde primitif* (1781) ofreció unos curiosos argumentos a favor del origen egipcio del Tarot. Gebelin afirmaba que los arcanos mayores eran los restos de un antiguo libro egipcio, *El Libro de Thoth,* que se salvó de un incendio que destruyó los templos. Por lo tanto, el Tarot era una alegoría de la religión egipcia con signos jeroglíficos y, al mismo tiempo, un libro sobre la creación del mundo a partir de Thoth. Este libro perdido había sido traído después a Europa por los gitanos que, según Gebelin, no eran más que una tribu del antiguo Egipto. Creía haber resuelto así el misterio de los orígenes del Tarot con una teoría sugestiva y atrayente desde el punto de vista esotérico. De hecho, al ligar el Tarot a la sabiduría egipcia había incluido este arte en el filón hermético, confiriéndole la dignidad que aún no tenía. Casi todas las noticias seudohistóricas se fundan en el testimonio de Gebelin; puede considerársele como el primer historiador que ha legalizado la materia dándole unidad y rigor. Todos los textos posteriores se sirvieron de

Una lámina de finales del siglo XV *(Revers du jeu des Suisses,* Bibliothèque Nationale),
que representa a reyes y príncipes de la época. Es interesante compararla con las
ilustraciones del Tarot. De hecho, se advierten coincidencias: el Emperador (con la
baraja en la mano), el Papa (con la tiara) y el Mago (en el centro de la mesa). Hay
además reyes y reinas y una sota.

las indicaciones de Gebelin para construir sus hipótesis, aunque no estuvieran totalmente de acuerdo. Su intento, de por sí discutible, condicionó de tal forma la mentalidad de los que vinieron detrás como para convertirlo en un dato histórico comprobado.

En cambio, es curiosa la historia de Etteilla (no hay acuerdo sobre las fechas de su nacimiento y su muerte: seguramente vivió entre la primera mitad del siglo XVIII y el final de dicho siglo), que se llamaba Jean-François Alliette (nótese el acrónimo hecho con el apellido), considerado por la mayoría como un «peluquero vidente». Esta afición, aceptada por muchos sin demasiado sentido crítico y que ha acabado influyendo negativamente en su método, la habían propalado falsamente sus adversarios. Su fama había despertado envidias y recelos, hasta el punto de que, para denigrarle, había corrido el rumor de que había estado fabricando pelucas hasta que encontró su verdadero camino en la cartomancia. En realidad, la noticia había salido de un fácil juego de palabras ligado a una casa en la que había vivido. En la calle de Chantre, de París, había un edificio llamado *La casa de las pelucas* y allí había vivido él en un piso de la tercera planta.

Etteilla es un caso raro de cartomántico. Pero, desde luego, no era un desaprensivo como se ha tratado de describirlo a menudo: en realidad, era profesor de matemáticas y esto se percibe entre líneas en sus libros.

En su obra *Etteilla, ou la manière de se récréer avec un jeu de cartes* (1770), da las reglas para jugar al Tarot. Naturalmente, sólo seguía sus teorías, pero hay muchas indicaciones que nos hacen comprender la evolución posterior del juego. Y muchos de sus críticos, sin saberlo, han acabado por usar su técnica.

Etteilla decía que los diversos significados dependían de muchos factores concomitantes: del nombre de la carta, de su apodo si lo tenía, del número, de la secuencia (en francés, *coup*), es decir de la interpretación completa de la sucesión de cartas puestas sobre la mesa, de la comparación con una nueva secuencia *(contrecoup)*, de la interpretación de conjunto de las figuras *(ensemble)*, del desplazamiento de las cartas *(relevé)*, de inventar realidades que no existen *(néant)*. Además, al echar una carta distinguía si ésta salía derecha o invertida.

Partiendo de las discutibles indicaciones, Gebelin escribió el libro *Manière de se récréer avec le jeu de cartes nommés tarots* (1783), aunque el título original, borrado luego, fue *La Cartomancie égyptienne ou les tarots*.

Sin embargo, Etteilla, a pesar de sus errores de interpretación, desafortunadamente ligados a un punto de partida erróneo, dejó a sus sucesores una excelente codificación del arte del Tarot y de los solitarios.

Después de Etteilla se multiplicaron los intentos por demostrar científicamente el origen del Tarot, pero hace falta llegar hasta mediados del siglo XIX para encontrar una teoría igualmente sugestiva. Para nuestro estudio, nos ha parecido útil analizar las interpretaciones múltiples de la señorita Lenormand, así como las de sus contemporáneos: están planteadas sobre ideas totalmente fantásticas, que son

CARTAS DE ETTEILLA	TAROT FRANCÉS	TAROT ITALIANO	TAROT ESPAÑOL
1 Questionnant	–	–	–
2 Eclaircissement	19 Le Soleil	Il Sole	El Sol
3 Discussion	18 La Lune	La Luna	La Luna
4 Révélation	17 L'Etoile	Le Stelle	La Estrella
5 Voyage	21 Le Monde	Il Mondo	El Mundo
6 Jour	–	–	
7 Protection	–	–	
8 Questionnante	–	–	
9 Justice	8 La Justice	La Giustizia	La Justicia
10 Tempérance	14 La Tempérance	La Temperanza	La Templanza
11 Force	11 La Force	La Fortezza	La Fuerza, la Fortaleza
12 La Prudence	12 Le Pendu	L'Appeso	El Colgado, el Ahorcado
13 Mariage	6 L' Amoureux	L' Amore	El Amor
14 Violence	15 Le Diable	Il Diavolo	El Diablo
15 Chagrins	1 Le Bateleur	Il Bagatto	El Mago
16 Opinion	20 Le Jugement	Il Giudizio	El Juicio
17 Décés	13 La Mort	La Mort	La Muerte
18 Trahison	9 L'Eremite	L'Eremita	El Ermitaño
19 Misère	16 La Maison de Dieu	La Torre	La Torre
20 Fortune	10 La Roue de Fortune	La Ruota della Fortuna	La Rueda de la Fortuna
21 Procès	7 La Chariot	Il Carro	El Carro
37 Femme irreprochable	2 La Papesse	La Papessa	La Papisa
23 Vertu	3 L'Impératrice	L'Imperatrice	La Emperatriz
36 Probité	4 L'Empéreur	L'Imperatore	El Emperador
–	5 Le Pape	Il Papa	El Papa
78 Folie	0 Le Mat, le Fou, le Fol	Il Matto	El Loco

Comparación de las cartas de Etteilla con los arcanos mayores tradicionales.

ALFABETO HEBRAICO		ELIPHAS LEVI PAPUS, WIRTH		A. E. WAITE		TAROT ESPAÑOL	
Aleph	א	I	Il Bagatto	I	El Mago	I	El Mago
Beth	ב	II	La Papessa	II	La Papisa	II	La Papisa
Gimel	ג	III	L'Imperatrice	III	La Emperatriz	III	La Emperatriz
Daleth	ד	IV	L'Imperatore	IV	El Emperador	IV	El Emperador
Heh	ה	V	Il Papa	V	El Papa	V	El Papa
Vau	ו	VI	Vizio e Virtù o l'Amore	VI	El Enamorado	VI	Los enamorados
Zain	ז	VII	Il Carro	VII	El Carro	VII	El Carro
Heth	ח	VIII	La Giustizia	VIII	La Fortaleza o la Fuerza	VIII	La Justicia
Teth	ט	IX	L'Eremita	IX	El Ermitaño	IX	El Ermitaño
Yod	י	X	La Ruota della Fortuna	X	La Rueda de la Fortuna	X	La Rueda de la Fortuna
Kaph	כ	XI	Fortezza	XI	La Justicia	XI	La Fortaleza
Lamed	ל	XII	L'Impiccato	XII	El Ahorcado	XII	El Ahorcado
Mem	מ	XIII	La Morte	XIII	La Muerte	XIII	La Muerte
Nun	נ	XIV	La Temperance	XIV	La Templanza	XIV	La Templanza
Samekh	ס	XV Il	Diavolo	XV	El Diablo	XV	El Diablo
Ayin	ע	XVI	La Torre	XVI	La Torre	XVI	La Torre
Peh	פ	XVII	La Stella	XVII	La Estrella	XVII	La Estrella
Tsade	צ	XVIII	La Luna	XVIII	La Luna	XVIII	La Luna
Qoph	ק	XIX	Il Sole	XIX	El Sol	XIX	El Sol
Resh	ר	XX	Il Giudizio	XX	El Juicio	XX	El Juicio
Sin	ש		–		–		–
Shin	ש	0	Il Matto	0	El Loco	0	El Loco
Tau	ת	XXI	L'universo o il Mondo	XXI	El Universo o el Mundo	XXI	El Mundo

Comparación entre algunos tipos de Tarot tradicionales y el de Waite. Cada carta va relacionada con una letra hebraica.

fruto más de una consumada astucia que del estudio. Por otra parte, tampoco hoy día faltan este tipo de personajes que se aprovechan de la candidez de la gente, despachando noticias (falsas) a cambio de dinero (verdadero).

Tampoco hemos analizado a Christian (*Histoire de la Magie*, 1854), aunque su teoría es muchísimo más interesante que otras. Pero, aunque puede ser sugestiva, es igual a la de Gebelin pero con grandes dosis de fantasía. Desgraciadamente, en la arqueología egipcia no hay nada que pueda confirmar su hipótesis, ligada a la iniciación de los misterios de Osiris. Muchas de sus tesis se encontrarán después en las obras de Papus.

El Tarot de Marziano de Tortona (1415)
Filippo Maria Visconti le encargó la baraja por 1.500 escudos, una cifra exorbitante para aquella época. Las cartas iban miniadas en oro y medían 9 x 18,5 cm. Las dos reproducciones de la ilustración (el Amor y el Emperador) fueron realizadas por Leopoldo Cicognara en el libro *Memorie Spettanti alla Storia della calcografía* (1831).

Eliphas Levi (el abate Alphonse Louis Constant) estimaba que el Tarot era un alfabeto sagrado y oculto, por lo que pensó que en el juego estaba la clave para interpretar la Cábala hebraica. Señaló la correspondencia de los 22 arcanos mayores con las 22 letras del alfabeto hebreo y los 22 senderos del Árbol de la Vida. Combinando entre ellos signos, números y letras hebraicas llegó a una simbiosis completa de cartas y símbolos.

Gerard Encausse (1865-1917), que escribía con el seudónimo de Papus, perfeccionó la tesis de Eliphas Levi, llegando a una asimilación completa entre los 22 arcanos mayores y las letras hebraicas correspondientes.

En sus loables intentos, estos autores llevaban demasiado lejos en el tiempo la búsqueda de los orígenes del Tarot, por lo que, lógicamente, después se veían obligados a dar saltos mortales para compaginar sus teorías. Luego veremos cómo algunos incluso han tenido que desplazar la numeración de los arcanos para que encajara en un esquema determinado. Por ejemplo, Eliphas Levi y Papus colocan al Loco (0) entre las cartas 20 y 21: en realidad, si el Loco corresponde a la letra hebrea *scin,* hay que correr un lugar para dejar que el Mundo sea la carta 22ª, como la última letra del alfabeto hebraico, la *tau.* En cambio, Waite lo coloca, lógicamente, antes del Mago (1), pero numera dos cartas de forma aún más arbitraria: la Fortaleza (11) se convierte en la octava y la Justicia (8) pasa al undécimo lugar.

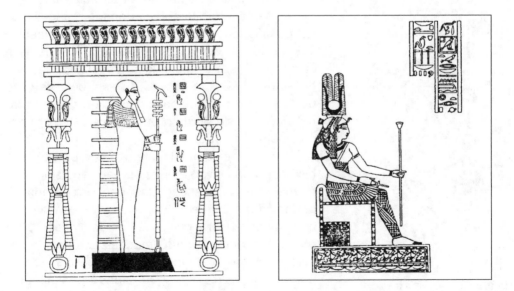

El Gran Hierofante y la Gran Madre (Papus, *Le Tarot Divinatoire,* París, 1909).
El Papa y la Emperatriz son las únicas que han quedado de una baraja inédita
que proyectó Eliphas Levi, aunque nunca llegó a realizarla.

Arthur Edward Waite (1857-1942) edificó todas sus teorías sobre el simbolismo. Creía haber hecho un tarot conforme a la tradición y explicó su significado, carta por carta, en el libro *The pictorial key to the Tarot* (Londres, Rider & Son, 1911). Si bien Waite, por una parte, había percibido uno de los aspectos más importantes del juego; por otro, había terminado —y más que otros— por quedar atrapado en sus aseveraciones. Fruto de su fantasía es la baraja de Tarot llamada *Rider-Waite* (Londres, Rider & Son, 1910). La baraja la inventó Waite con el concurso de la pintora Pamela Colman-Smith. Como es natural, refleja el gusto *liberty* de la época con algún toque del Renacimiento (hay alguien que hasta le ha encontrado cierta analogía con la baraja Sola-Busca). En 1920, las cartas fueron rediseñadas por Jesse Burns-Parke para la sociedad secreta norteamericana *Builders of the Adytum*.

La única obra moderna que ha sabido recoger no sólo el espíritu del juego sino localizar con precisión su génesis histórica es la de Oswald Wirth *(Le Tarot des imagiers du moyen age,* París, 1927). Seguramente es éste uno de los estudios esotéricos más importantes sobre el simbolismo del Tarot. Con la pericia de un alquimista medieval, Wirth combina las tradiciones occidentales y las enseñanzas de las escuelas iniciáticas, especialmente las masónicas, dando vida a un tarot capaz de contener sintéticamente el simbolismo esotérico de todos los tiempos. Ha encontrado acertadamente las raíces del juego en el simbolismo medieval, aunque ha dejado demasiado en el aire el aspecto de los orígenes, terminando también atrapado por los lazos del ocultismo que había aprendido de su maestro Estanislao de Guaita. La baraja de Tarot que lleva su nombre es la síntesis de su trabajo. Es una lástima que la edición italiana de esta célebre obra de 1927 tampoco nos haya dejado en anexo el Tarot auténtico de Wirth, prefiriendo a éste la remodelación de Knapp.

Ejemplo de carta partida por la mitad (de una vieja baraja de Tarot piamontesa). Es mejor no emplear este tipo de cartas porque no tienen posición inversa.

Como no teníamos la intención de escribir una historia de los diversos juegos del Tarot, sino simplemente la de bosquejar las tendencias de interpretación que han condicionado a las barajas que hoy hay en el comercio, nos hemos limitado a un breve *excursus,* dejando muchas lagunas. Y por esto no hemos hablado de otros autores —como por ejemplo Crowley— que, siendo cualificados, han utilizado barajas de su invención totalmente extrañas al terreno tradicional.

La baraja de Tarot que hemos encargado expresamente para este libro se basa en la baraja marsellesa tradicional, aunque aligerada de todas las imágenes que han terminado por recargar la tradición original. De paso, hay que recordar que la baraja marsellesa se hizo, en realidad, según una iconografía italiana más antigua. Sin embargo, en realidad es posible servirse de cualquier otra baraja de Tarot, a excepción de las de tipo piamontés, ya que sus figuras están partidas para comodidad del juego, por lo que no existe la posibilidad de que salgan cartas invertidas. La estructura de las nuestras es muy sencilla y ha sido hecha precisamente para los que quieren poner en práctica el objeto de este libro: aprender a conocerse a sí mismos por medio de un antiguo juego de cartas que está ligado a las técnicas medievales del arte de la memoria. El aspecto adivinatorio pertenece a la fase sucesiva de este método de autoexamen: quien se conoce a sí mismo, conoce sus posibilidades y sus límites. El destino no es siempre ciego: suele ir ligado a nuestra capacidad y nuestras cualidades; es un *karma* que cada uno lleva consigo toda la vida e incluso más allá.

Como hemos visto, el arte de la memoria no sólo nos enseñaba a recordar nuestra vida; sobre todo, enseñaba a recordar nuestro destino. Pero no es misión de este libro el aprender a conocer la magia de las imágenes; si alguna vez aludimos a ella es sólo para que nuestras explicaciones tengan lógica. Nuestro libro sigue una línea muy precisa basada en el planteamiento del autor. Parte del conocimiento intuitivo de los símbolos contenidos en un antiguo juego de cartas, que está al alcance de cualquiera, una vez que se haya puesto en sintonía consigo mismo, para llegar a la aprehensión de ciertas técnicas ocultas que, absorbiendo los propios símbolos, son capaces no sólo de hacer entender el universo sino incluso de dominarlo. El que consigue imprimir en sí mismo el mundo en su virtualidad es también capaz de utilizar su fuerza. Pero, como ya hemos dicho, esa es otra historia.

Dos cartas de Antoine Bonnier (Montpellier, 1703).

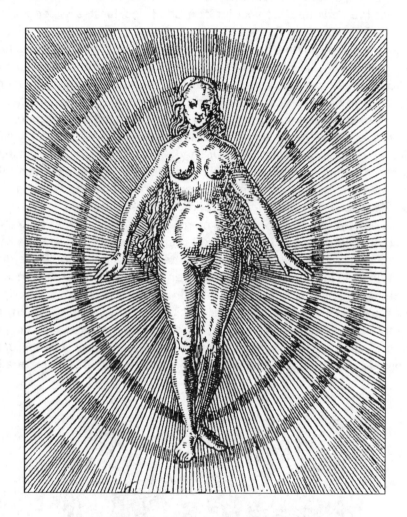

«Anima mercurii» de la obra de alquimia *Quinta Essentia*
(de Leonhard Turneyesser, Zum Thurn, 1574).
Recuerda a la carta del Mundo (21). Si se prueba a mirarla fijamente,
concentrándose en el centro de la figura, se la verá aparecer,
desaparecer o desdoblarse. Mediante un fenómeno óptico es posible
conseguir la concentración.

Diálogo con las cartas

En la primera parte de este libro hemos tenido la oportunidad de entrar en contacto con las cartas, aunque de forma marginal. Las hemos rozado y visto de paso entre uno y otro capítulo.

Aunque no por completo, los problemas principales han pasado delante de nuestros ojos. Sin demasiada profundidad, hemos podido darnos cuenta de los problemas que hay tras este sencillo juego de cartas.

Pero ha llegado el momento de hablar con ellas.

El diálogo con las cartas es uno de los primeros escalones que hay que subir para entender todo el desarrollo del juego.

Ahora las cartas van a pasar, una a una, delante de nosotros y nos van a contar su historia. Está hecha de mitos lejanos, de caballeros y damas, de ángeles y demonios, de ilusión y esperanza. Pero escuchando sus gestas nos daremos cuenta de que ya conocemos la historia que narran.

Es nuestra historia, la que habíamos olvidado o no sabíamos recordar.

Somos nosotros los que actuamos en el escenario; nosotros somos la figura que se ve en la carta.

En esta especie de transferencia, tenemos la posibilidad de modificar nuestro destino. La figura ya no condiciona nuestros actos: nosotros mismos somos la figura y podemos actuar o resistir cualquier adversidad (hasta la más terrible).

En realidad, podemos prolongar las acciones o anticiparnos a ellas, encontrarnos con alguien o evitarle, estar en otro escenario.

Mediante una fuerte visualización podemos crear mentalmente las situaciones más favorables (o agradables).

En esta fase hay que dejar que la imaginación reviva espontáneamente cualquier situación que hayamos recordado de nuevo. Después hay que seguir a la fantasía, nos

El destino del viejo, por Hans Holbein.

El destino del astrólogo, por Hans Holbein.

lleve donde nos lleve; al volver a casa seremos más ricos en recuerdos y experiencias.

Entonces podremos contarles a las cartas nuestra historia y ellas la representarán en escena tal como la hemos vivido en nuestra imaginación.

Aquí está el misterio de la adivinación con las cartas: en la interacción continua entre el hombre y la carta hasta conseguir satisfacer nuestros *deseos.*

Desgraciadamente, hay muchas personas en las que el deseo de morir es tan fuerte que la identificación con las cartas resulta negativa y frustrante.

Como en las imágenes de Holbein, solamente ven la muerte.

Su historia es una terrible pesadilla de la que no saben ni consiguen huir. En las cartas está escrito su destino, desconocido para todos menos para ellos: y lo conocen, desde antes de haber echado las cartas.

Son los eternos perdedores, derrotados antes de salir.

Este libro no está hecho para ese tipo de personas.

ARCANOS MAYORES SEGÚN LA TRADICIÓN

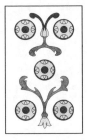

Guía de los arcanos mayores

Las 22 cartas que representan los arcanos mayores se presentan a partir del Mago (carta núm. 1) hasta el Mundo (carta núm. 21).

El Loco (carta núm. 0) se ha colocado en último lugar, no sólo por seguir la colocación más frecuente sino deliberadamente.

Hay quien lo coloca como primera carta, eligiendo una evolución lógica desde el caos a la realización completa.

Hay otros que lo ponen como última carta, prefiriendo su faceta de genialidad: es el camino que el Mago (carta núm. 1) debe recorrer para realizar su obra.

En cambio, nosotros hemos preferido considerar que está fuera del camino evolutivo de las cartas.

El Loco, en sus dos aspectos de genio y de locura (antiguamente el Loco se representaba más como un enajenado que como un insensato), pone de relieve dos modos distintos de leer las cartas. El aspecto negativo e irracional, con todas sus consecuencias, que pueden incluso llevar a la ruina total, y el aspecto positivo, suprarracional, que puede llevar a una verdadera *transmutación*.

El demente (el Loco), en las cartas llamadas de Carlos VI.

La razón es la única y auténtica defensa del hombre contra las insidias procedentes del exterior y de dentro de sí mismo y puede trascender de dos maneras: negándola (la locura) o superándola (el genio). Pero esto no debe entenderse en sentido «iluminista». La razón es el único talismán que, de hecho, se convierte en un sustituto de la razón con misión de escudo protector.

Por lo tanto, esta carta nos acompaña en nuestro camino que después caracterizará nuestra indagación.

Según el aspecto que prefiramos podremos recrear, en un sentido o en otro, toda nuestra vida que, al manifestarse precisamente de un cero (0) al otro cero (0), se convierte en símbolo de nuestra búsqueda infinita (00).

Hay quienes dividen los arcanos mayores en dos o más partes o fajas, que son afines simbólicamente.

Nosotros hemos evitado estas sucesivas divisiones para que se pueda, a gusto de cada uno, elegir las analogías y los contrastes.

Vamos a citar sólo las dos más conocidas:

La Locura según la *Iconología*
de Cesare Ripa.

La primera divide las cartas (excluido el Loco) según las tres partes que componen el hombre, es decir:

ESPÍRITU .... (de la 1 a la 7)
ALMA .... (de la 8 a la 14)
CUERPO.. (de la 15 a la 21);

La segunda prefiere:

ASPECTO INTELECTUAL DEL HOMBRE .... (1 a 7)
ASPECTO MORAL .... (8 a 14)
CIRCUNSTANCIAS DE LA VIDA MATERIAL............................. (15 a 21).

Pero se trata de divisiones que no son fundamentales; quien quiera, puede seguirlas si le parece bien, pero no son en absoluto vinculantes.

De cada carta, daremos en primer lugar el NOMBRE por el que generalmente se la conoce; después, las posibles variaciones y cambios que ha sufrido en el curso de la historia, y los sinónimos más habituales, incluyendo los nombre esotéricos y los de fantasía.

Después, vendrá la DESCRIPCIÓN, bastante sucinta, de la figura representada en la carta, pero poniendo de relieve algunos aspectos simbólicos, normalmente los mismos que aparecen detalladamente alrededor de la carta.

Luego, el SIMBOLISMO generalmente aceptado, dejando a un lado las innumerables identificaciones hipotéticas con el panteón pagano mundial. Pero no resulta difícil encontrar analogías entre las figuras de los arcanos y los dioses de distintos países.

ARCANO I - EL MAGO

Sombrero = infinito

Varita mágica

Patas de la mesa

Objetos

Nombre

El Mago, el Malabarista, el artesano, Pagad, el Prestidigitador. En italiano, el Bagatto, que es un prestidigitador que puede convertirse en mago. Se considera, generalmente, la carta del que consulta (ver también Papus).

Descripción

Un joven mago o prestidigitador delante de su mesa de trabajo, sobre la que hay revueltos algunos objetos que pueden tener cierta analogía con los palos de la baraja: unas cajitas (copas), un cuchillo (espadas), un martillo (bastos), unas monedas (oros). Sostiene una varita mágica en la mano izquierda alzada. Es un hombre seguro de lo que hace. Las patas de la mesa son rectas y están bien apoyadas en tierra. La forma del sombrero (oo) recuerda vagamente el símbolo del infinito.

No hemos querido recargar el texto con teorías discutibles, pero invitamos a quien tenga ese capricho a seguir libremente su imaginación.

Después vienen las REFERENCIAS HISTÓRICAS E ICONOGRÁFICAS. Se buscarán las analogías de cada figura con otras imágenes, en especial del mundo artístico.

LOS SIGNIFICADOS GENERALES son los que la tradición ha considerado normalmente como los más apropiados. Como es lógico, al haber muchos para cada carta, hemos elegido los que nos parecían más próximos a nuestra interpretación. Siempre hay que recordar que el significado de carta aislada indica simplemente sus características generales: las cartas deben analizarse en el contexto de las otras cartas y nunca solas. Por ello, hay que tener presente que los significados que ofrecemos sólo tienen valor de sugerencia y nunca de regla. Una carta no representa, en absoluto, lo mismo para todos y en todas las circunstancias. Por tanto, para que su lectura sea correcta, no sólo hay que entrar en sintonía con la carta analizada, sino que hay que hacer que las cartas que la rodean sintonicen entre ellas, haciendo un oráculo conjunto. No se pueden indicar los posibles significados personales, porque sólo los conoce el que consulta. Sólo él sabe el sentido que hay que darle a una carta con relación a su experiencia. Por ello, no es posible tratar este

Tarot

Simbolismo

Es la misma vida que requiere habilidad e inteligencia. Generalmente se la considera una carta masculina, en el sentido de principio activo. El hombre creador. El principio de todas las cosas. Adam Kadmon. Mercurio. Hermes Trismegisto. El conocimiento de la Ley de las Analogías («lo que está arriba es como lo que está abajo»).

Referencias históricas e iconográficas

Los charlatanes y el prestidigitador en las ferias y mercados medievales.

Significados generales

Como «artífice de su propia fortuna» el mago es voluntad creadora, capacidad, intuición y elocuencia, pero también filosofía. Representa a aquellos que «llegan» por méritos propios. Es el adepto en la religión de los misterios.

Carta derecha

En general, es una carta favorable. Indica fecundidad en todos los sentidos.
☞ Aprovecha tus dotes naturales.

Carta invertida

Representa todos los significados generales en negativo: poca confianza en sí mismo y en los demás, indecisión, arribismo, «ilusión metafísica» (Marco Daffi).
El hombre que no ha conseguido dominar a la naturaleza (Del Bello).
✂ Eres pasivo.

Curiosidades y analogías

Aspectos esotéricos
ALQUIMIA: extracción (Del Bello).
ASTROLOGÍA: el Sol en Leo (en general).
CÁBALA: letra A (en hebreo, *aleph*).
I CHING: afinidad con el hexagrama 1, *Lo Creativo*, y con el III, *La Dificultad inicial*, en el que los nombres se explican por sí mismos (M. Daffi).
MAGIA: la preparación física y mental necesaria para actuar debidamente en el terreno mágico.

Aspectos personales
FAMILIA: favorable a la procreación (fecundidad potencial en la mujer, virilidad potencial en el hombre).
MEDICINA: aviso de posibles problemas en los ojos o en el corazón (Del Bello).
PROFESIONES: artesano, empresario, abogado, comerciante, político, mafioso.

aspecto, al estar estrechamente ligado a la vida personal de cada uno de nosotros.

Además, damos la tendencia inmediata según se presente: DERECHA O INVERTIDA. También vale para esto lo que se ha dicho para el significado general. Siempre hay que verificar la tendencia con las cartas de al lado. Éstas pueden mejorar o empeorar su valoración original si preceden o siguen a otras cartas (lógicamente, una carta positiva mejora si va detrás de una carta negativa; si es negativa, atenúa esta tendencia). A una carta derecha se asocia un consejo o una consideración favorables, precedidas del símbolo ☞. A una carta que sale invertida, se asocian una advertencia y una consideración negativas, precedidas del símbolo ✂.

Por último, en las CURIOSIDADES y ANALOGÍAS hemos ilustrado los aspectos que creemos que son secundarios y de menor importancia en esta fase del estudio, sobre todo porque, al exponerlos en síntesis, un lector inadvertido no puede comprenderlos.

Para más comodidad, hemos dividido estos aspectos en dos partes: la primera agrupa las posibles relaciones con las principales doctrinas esotéricas; la segunda, las relaciones de las personas más cercanas a nosotros (sobre todo, de la familia) y las posibles correspondencias entre salud y enfermedad.

En la primera parte hemos establecido este orden:

1. posibles analogías con la ALQUIMIA;
2. conexiones con la ASTROLOGÍA, siguiendo sobre todo a Muchery (*Le Tarot Astrologique,* París, 1927), pero integrándolo con otros autores (desgraciadamente, entre ellos hay notables diferencias que hacen difícil la elección);
3. la letra correspondiente de la CÁBALA y el alfabeto hebraico;
4. la relación con los hexagramas de I CHING (para ello nos ha sido muy útil la interpretación usada por Marco Daffi en su libro *Il Tarocco secondo la Mensa Isiaca e l'I King,* Génova, 1980);

5. el momento mágico —la MAGIA— correspondiente al sentido de la carta.

En la segunda parte hemos llevado este orden:

1. las relaciones con nuestra FAMILIA, entendida en sentido genérico (padres, hijos, cónyuge, parientes...);
2. las ENFERMEDADES que la carta puede haber puesto de relieve y los peligros que se pueden encontrar. Pero no hay una correspondencia exacta entre carta y enfermedad, como si esta última fuera una consecuencia de la primera. Lo único que indica la carta es que podría —pero no necesariamente— haber una alteración de la salud; lo que indica son las posibles enfermedades.
3. Los OFICIOS (y profesiones) más próximos a la carta. Entre los oficios, están también los considerados ilícitos, como el de ladrón o prostituta.

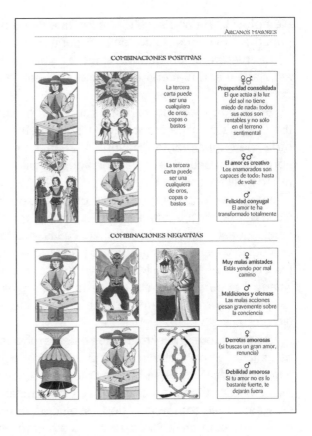

Para orientar al lector en la selva de las interpretaciones, hemos ilustrado algunas COMBINACIONES POSITIVAS y NEGATIVAS que pueden presentarse en el juego. Normalmente, la interpretación se refiere indiscriminadamente a todos y va precedida por los símbolos astrológicos de Venus y Marte (♀ y ♂); en los casos concretos en los que queremos subrayar un tipo de interpretación, hemos dejado sólo un símbolo. Desde luego, las opciones son limitadas, pero permiten crear nuevas posibilidades teniendo en cuenta las variantes. En efecto, basta con cambiar, por ejemplo, el Rey por la Reina para tener una interpretación distinta dependiendo si consulta un varón o una mujer, o para identificar a la persona con la que vamos a tener contacto. Del mismo modo, una combinación negativa puede convertirse en positiva si se cambia la carta desfavorable por una favorable. Decimos esto sobre todo para que se entienda el mecanismo de la interpretación: una vez dominada la técnica, comprender el método a seguir resulta sencillo. No hacen falta muchos ejemplos; basta con sustituir en los que hay una carta por su opuesta (positiva por negativa y viceversa) para tener docenas de ejemplos más.

La interpretación que les sigue es deliberadamente sintética: cada uno podrá ampliarla y enriquecerla a su gusto, no tiene por qué sentirse completamente vinculado.

En realidad, y como ya hemos subrayado varias veces, no hay una interpretación fija y segura de cada combinación; sólo existen hipótesis, unas más fascinantes que otras, pero igualmente discutibles. Cada lector, si sigue bien sus dotes naturales y aprende a descubrir sus capacidades insólitas, está en condiciones de acceder al mundo misterioso de su alma.

Luego, en una comprobación posterior, podrá confrontarse con las figuras clásicas del Tarot, que están elegidas para cubrir las interpretaciones esotéricas principales, desde las más tradicionales a las más fantásticas. Para poner de relieve las analogías y las diferencias, hemos elegido 4 imágenes del Tarot entre las siguientes barajas: el Tarot de Marsella, el de Court de Gebelin, el de Papus, el de Wirth-Knapp y el de Rider-Waite (en cada ocasión, escogemos los más adecuados para lo que queremos). Además, haremos un breve comentario sobre una carta del Gran Etteilla.

Se considera que el marsellés es el Tarot/básico, aunque desde luego su origen es italiano. El de Gebelin es el primer Tarot esotérico —y el más conocido— y, en cambio, el de Papus es un Tarot típico del ocultismo francés. La baraja de Wirth (París, 1937) en principio no surgió por exigencias cartománticas sino para servir de guía espiritual, como clave de la evolución interior propia. Wirth ya había preparado su armazón en 1889, cuando dio a la imprenta una edición de 350 ejemplares de un Tarot cabalístico basado en el *Dogma* de Eliphas Levi. Sin embargo, sus figuras se retocaron muchas veces para llegar a lo que Wirth consideraba la auténtica interpretación tradicional. En 1929, Johan Knapp rediseñó el Tarot de Wirth, enriqueciéndolo con símbolos masones, herméticos y de la Rosacruz y lo incluyó como anexo en el libro de Palmer Hall *Essay on the Book of Thot* (Los Ángeles, 1929). El Tarot Rider-Waite es un Tarot esotérico inglés. Y, por último, el Gran Etteilla es un Tarot «de fantasía», aunque ha sido la base del bagaje cultural de generaciones enteras de cartomantes.

Historia de las imágenes de los arcanos mayores

1. El Mago (*)

El *Malabarista* es una figura clásica que se encuentra hasta en la antigüedad. Las plazas y los mercados eran frecuentados por individuos que se ganaban la vida maravillando a los presentes con juegos de manos y, probablemente, aligerándoles los bolsillos con la misma destreza. Es comprensible que en muchas barajas a esta figura se la llame impropiamente «el Mago», porque a aquellos personajes se les consideraba una especie de magos. Un ejemplo clásico —aunque bastante más moderno— es el célebre mago Houdini. Evidentemente, de ahí a un sentido metafó-

El Artífice (Alquimista) con libro y altar (de Kelley, 1676).

rico no hay más que un paso (y permite situar al malabarista en el auténtico terreno de la magia evocadora). Sin embargo, creemos que su origen está estrechamente ligado al ámbito de la manipulación de cartas, que ha sido siempre el predilecto de los prestidigitadores. Por otra parte, el que abre el juego (la figura núm. 1) es también el que baraja las cartas y realiza la magia de evocar situaciones que se presentan así de cuando en cuando. Además, su carácter de prestidigitador se puede apreciar en las imágenes del Tarot de *Hércules I d'Este,* en el que se ve concretamente a un malabarista que bromea con dos niños.

2. La Papisa

Es muy probable que se refiera a un hecho histórico. La existencia de una mujer-papa en la literatura medieval abona la idea de que esta figura sea, desde

La papisa Juana (del libro de Forestus Bergomensis *De Claris mulieribus,* 1497).

(*) En el Tarot italiano para esta figura se usa la palabra arcaica *Bagatto,* que no significa mago, sino malabarista, prestidigitador, titiritero y hasta trilero. *(N. del T.)*

La Papisa
(de otra edición
de *De Claris mulieribus*).

La Papisa
(de la *Cronaca* de Hartman
Schedel, 1493).

La Papisa
(de la *Cronaca di Colonia,* de
Coehoff).

el principio, una de las del Tarot y no haya sido incluida en una época posterior. El historiador Marianus Scotus Minorita (muerto en 1086) habla de una mujer que parece haber ocupado la silla de Pedro con el nombre de Juan VIII (h. 854 d. C.). En su *Cronaca,* afirma que al papa León IV «le sucedió Juan, una mujer, durante dos años, cinco meses y cuatro días». Y el mismo Sigebert De Gemblours confirma, aunque con más prudencia: *Fama est hunc Joannem Foeminam esse* (se dice que este Juan era una mujer). Desgraciadamente, entre los historiadores del siglo IX no se encuentran trazas de esta curiosa leyenda que, con el tiempo, va siendo cada vez más pintoresca. De hecho, parece que la papisa estaba encinta sin saberlo y que, en pleno día y durante una procesión, dio a luz un hijo. Se dice que los asistentes, enfurecidos por el sacrilegio, dieron muerte a los dos en el mismo lugar del parto. Y como testimonio de lo ocurrido se habría puesto una lápida con una inscripción de la que hay tres versiones:

• *Petre Pater Patrum Papissae prodito partum* (Pedro, Padre de los Padres, sé favorable al parto de la Papisa).

• *Parce Pater Patrum Papissae prodere partum* (Padre de los Padres, sé benévolo con el parto de la Papisa).

• *Papa Pater Patrum peperit Papissa papillam* (El Papa, Padre de los Padres, al ser una Papisa ha engendrado un pequeño papa).

3. La Emperatriz

Parece que ésta debía ser una figura muy corriente en la iconografía medieval; en realidad y excepto en algún caso (especialmente en Oriente), la emperatriz no aparece nunca sola sino que está siempre junto al Emperador. En el Tarot se la suele representar con los atributos masculinos del poder: el escudo y el cetro. Y por esto se la ha aproximado simbólicamente a la figura de «Rebis», es decir del Andrógino. Por ejemplo, en el simbolismo alquimista

La Autoridad
(de la *Iconología* de Ripa).
La representa una mujer con el cetro
y las llaves.

al hermafrodita coronado se le llama «Emperatriz con todos los honores».

4. El Emperador

Alguien ha observado que, según la postura
de las piernas, la figura llamada Emperador debía ser, en principio, la de un alto magistrado.
Es una teoría interesante aunque un tanto for-
zada. Es cierto que, según el antiguo derecho
germánico, la postura sentada con las piernas
cruzadas era la prescrita para los altos magistrados; pero también es verdad que se encuentran láminas medievales con reyes en una actitud similar. Es posible que un rey alemán no lo
hubiera hecho nunca, pero un señor italiano no
habría dado importancia
al hecho de cruzar o no
las piernas. Y, por otra

El emperador
Enrique IV.

parte, el Tarot nace en un ambiente italiano, entre los seño-
ríos de la Italia septentrional. Seguramente cruzar las piernas era una prerrogativa de los nobles y de los señores. Hay
quien señala que sólo podían cruzar las piernas los que no
tenían que levantarse a cada momento para hacer la reve-
rencia a nadie: desde luego, levan-
tarse de golpe en semejante postura es incomodísimo, lo que
precisamente nos revela la condición del que no tenía que saludar a
nadie. En cambio, nos parece un
poco fantasiosa la teoría de que
cruzar las piernas —como cruzar los
brazos— sea una especie de postura de meditación y,
consecuentemente, señal de reflexión.

5. El Papa

Esta figura ha tenido diversas evoluciones, tanto por lo
que respecta al modo de bendecir como por el aspecto
del propio papa.

En el Tarot llamado de Carlos VI, en la mano izquierda
tiene un libro y en la derecha un par de llaves muy grandes: lo mismo que en el Tarot de Mantegna.

El Papa en el Tarot de
Carlos VI.

El papa Silvestre II
(con barba).

En cambio, desde el siglo XVIII en adelante suele estar bendiciendo a dos religiosos con la mano derecha, con la llamada bendición «latina» (con los dedos índice y medio); en la mano izquierda tiene la cruz.

Hay también un problema curioso que ha suscitado el interés de varios estudiosos: la barba. En el Tarot de Carlos VI y en el Mantegna el Papa es imberbe. En cambio, en los tarots de Marsella y en muchos de los modernos, el Papa luce una tupida barba. Desde Clemente XII (1700) hasta nuestros días todos los papas han estado afeitados, mientras que en la época que va desde 1523 (Clemente VII) al 1700 (Inocencio XII) incluido, todos los papas eran barbados. En la época anterior, que va de 1216 a 1362 hubo papas con barba y sin barba; en cambio, de 1362 a 1523 todos los papas iban afeitados, a excepción del papa cismático de Avignon, es decir, Clemente VII. Lógicamente, esto hace suponer que, en los tarots más antiguos, la figura del papa barbado surgió como contrafigura negativa por su analogía con el papa cismático, mientras que en los más modernos la barba es precisamente un indicio de su antigüedad (siglo XVII).

Para resumir, en el asunto de la barba se pueden distinguir los siguientes períodos:

El papa Benedicto IX
(sin barba).

- de 1216 a 1362 se encuentran con o sin barba, indistintamente;
- de 1362 a 1523, ningún papa lleva barba (excepto Clemente VII el de Avignon);
- de 1523 a 1700 todos los papas llevan barba;
- de 1700 hasta nuestros días, absolutamente ningún papa lleva barba.

Una vez agotado este «peludo» problema, la figura del papa nos plantea un interrogante igualmente curioso: la tiara. Sin embargo, esta prenda litúrgica no ha tenido siempre el mismo aspecto: en el curso de los siglos que van hasta el *triregnum* definitivo ha sufrido cambios importantes. En los primeros siglos, hasta el VII, los papas llevaban mitra y una especie de gorro frigio. Desde el siglo VIII al XI el gorro iba adornado con una franja de oro y, algunas veces, con joyas. Sobre el gorro frigio iba una piedra preciosa. Desde el siglo XIII hasta el comienzo del siguiente, la franja de oro se convirtió en una verdadera corona dentada *(regnum)*. A partir de Bonifacio VIII (h. 1300), la corona fue doblada *(biregnum)* y el gorro perdió la punta y el bo-

El papa Gregorio VI
(1045-1046).

tón. Por último —no se sabe bien si con el propio Bonifacio VIII o con Clemente V (1314)— el *biregnum* se transformó en *triregnum:* es decir que se añadió una tercera corona rematada con una cruz. Históricamente podemos señalar que, en el Tarot de Carlos VI, el papa lleva una tiara en punta con una sola corona dentada. Por consiguiente, se supone que se inventó teniendo presente el período papal que va del 1200 al 1300 (aunque, en realidad, fue diseñado hacia el 1400). En el Tarot marsellés, el Papa suele llevar un *biregnum* y hay quien cree por ello que su invención fue muy anterior a su realización (h. el siglo XVII).

Por último, para concluir con el complicado tema de la figura papal, podemos recordar el detalle de los guantes. En el Tarot de Carlos VI el Papa no lleva guantes. En otros tarots sucesivos encontramos a los papas con guantes. La historia de los guantes papales es compleja, pero no parece remontarse a antes del siglo X: en éste aparece la primera mención de esta parte de la vestimenta litúrgica (en el año 915 se alude a los «vuanti» o «cuanti»). Pero es sólo desde el siglo siguiente y, sobre todo, a partir del XII cuando los guantes encuentran un uso concreto. Bajo Inocencio III los guantes también llevan un pequeño disco de oro y

El papa Benedicto XII
(1334-1342).

varios adornos. Esta plaquita de oro lleva en algunos casos una sencilla cruz de Malta, aunque después se adornará con otras formas según la moda de cada época.

El viaje al cielo de Alejandro Magno
(Catedral de San Marcos, en Venecia).

6. El Amor

Esta carta tiene dos tipos de representación: uno más antiguo, con un hombre entre dos mujeres y uno más reciente con la representación del matrimonio, más lógica aunque no necesariamente más exacta: hay un sacerdote que casa a un hombre y una mujer. En el primer caso hay una referencia clara a la opción que debe elegir el enamorado entre dos maneras distintas de vivir, que también pueden ser dos actitudes espirituales y morales. Es conocido el ejemplo de Pitágoras de la letra «Y» (que representa la vida), en la que el pie de la letra es la infancia, mientras que los dos brazos son los vicios y las virtudes. También en la encrucijada se encuentra socráticamente frente a un dilema entre virtud y vicio.

Ilustración de *El Sueño de Polifila* (1499).

En cambio, en la segunda representación, encontramos una escena de matrimonio parecida a la de *Los desposorios de la Virgen*, de Rafael: la unión física o mística entre dos personas. Curiosamente, el número seis también es un número sexual para los pitagóricos (según Clemente Alejandrino); por algo se le llamaba «el matrimonio».

7. El Carro

La imagen del dios o del héroe triunfante sobre un carro es bastante corriente. Court de Gebelin pensó que era Osiris; otros piensan que es Marte. Esta representación incluso se ha relacionado con la leyenda medieval que se refiere al vuelo de Alejandro Magno con dos grifos. En otra versión, Alejandro va subido en una especie de carro arrastrado por dos caballos alados. Es casi imposible dar una interpretación precisa a esta carta, que ha excitado la fantasía de los estudiosos.

Desde luego, una de las imágenes más recurrentes es la del triunfo del emperador de Roma o, por lo menos, del vencedor de alguna batalla. Pero nos parece más interesante el acercamiento al carro triunfal del Renacimiento cantado por los poetas (ver Petrarca) e ilustrado por artistas eminentes.

Viaje al cielo de Alejandro Magno (Catedral de Basilea).

8. La Justicia

En la época medieval, normalmente los atributos del arcángel San Miguel son la espada y la balanza. Hay una analogía clara con la figura de Osiris, que pesa las almas de los difuntos; nosotros creemos que es algo más sencillo: los platos de la balanza están en un equilibrio perfecto y, por lo tanto, en perfecta armonía. Desgraciadamente hay que señalar que en las cartas pasa lo mismo que en la vida: la Justicia es la misma para todos, pero no todos son iguales ante la Justicia.

9. El Ermitaño

La figura del fraile capuchino es, seguramente, más tardía. Es probable que el mendicante solitario no sea más que la representación de la sabiduría. En realidad, al sabio se le representa siempre como un solitario, que esquiva a la gente y vive aislado de todos; es un anacoreta y, generalmente, un misántropo. En algunas barajas se

La justicia en la *Iconología* de Ripa, sin balanza.

le representa como el Tiempo (o Cronos), con la guadaña y la clepsidra (ver la imagen de Ripa). Puede ser un ciego como Tiresias y, por lo tanto, también un adivino. En algunas barajas antiguas se encuentra el pie: «Diógenes». Es una analogía que habla por sí misma.

El Tiempo.

10. La Rueda de la Fortuna

Hoy día, la «rueda de la fortuna» no se corresponde con ninguna asociación visual ni se comprende fácilmente el hecho de que la Fortuna tenga que «dar vueltas». Sin embargo, los antiguos —y, sobre todo, en la iconografía medieval— tenían muy presente esta representación. De hecho, la Fortuna siempre se representaba como un enorme aro rodante, con diversas figuras humanas y animales. Lo mudable de la suerte siempre se ha representado por algo que simboliza un equilibrio precario: una pelota, una rueda, un globo, un eje. Además se la suele

La Rueda de la Fortuna (Carmina Burana).

representar como ciega o loca, para recalcar esta falta suya de equilibrio, no sólo físico sino también psíquico. Hay quien incluso ha visto analogías entre la rueda de la fortuna y los rosetones radiantes de las catedrales góticas o con algunas vidrieras de iglesias antiguas. Ni siquiera faltan los que han visto en ella una representación de la rueda del tormento.

La primera representación de la rueda —tal como se encuentra en muchas barajas de Tarot— parece ser de finales del siglo XII y está en un manuscrito en un convento de Estrasburgo. Hay cuatro figuras regias: junto a la que sube, está escrito *¡Spes regnabo!;* junto a la

La Rueda de la Fortuna, de una lámina popular (finales del siglo XV).

de arriba, *¡Gaudium, regno!;* junto a la que está bajando, *Timor regnari;* por último, junto a la de abajo, *Dolor, sum sine regno.* Se ha señalado que, en realidad, no son cuatro personajes distintos, sino uno solo en diferentes circunstancias de la vida. Están, además, las diversas edades de la vida y hasta la distinta condición social. Por último, en los animales simbólicos se ha visto no sólo la representación simbólica de algunos dioses de la antigüedad

La Rueda de la Fortuna, según Sebastian Brandt (1511).

sino también la propia condición del hombre, que casi se convierte en un animal si no consigue volver a subir hacia la luz.

11. La Fuerza

En el Antiguo Testamento la Fuerza está representada por Sansón, que derribó las columnas del templo de los filisteos o por David, que mató al león (como es, seguramente, el del Tarot Visconti-Sforza). En Grecia o en Roma, la Fuerza la representaba Hércules, que mató al león (ver al-

El dominio de uno mismo (*Iconología* de Cesare Ripa).

gunos juegos de tarot neoclásicos). También en algunos sellos sumerios hay representaciones de luchas entre hombres y leones. En el Tarot, la Fuerza suele representarla una mujer que doma un león o que derriba una columna (como en el Tarot de Carlos VI). Es la inteligencia humana que vence a la fuerza bruta.

12. El Colgado

La postura de esta figura se ha comparado con las descritas en las torturas infligidas a los primeros cristianos, como testimonia Eusebio de Cesarea en su *Historia Eclesiástica.* Pero la suspensión por un pie del Tarot es completamente distinta de la usada en las torturas. Generalmente, la persona aparece colgada por un pie y cargada con varios pesos (como en el Tarot de Carlos VI) o bien suspendida sobre el fuego (ver el *infierno* del pintor Giovanni de Módena, 1410, en el que puede verse a un condenado en la misma postura que el ahorcado, con una pierna doblada).

Desde luego que la pierna doblada recuerda el suplicio del que está colgado con una rodilla apretada por un aro de hierro; sin embargo, le falta la expresión de sufrimiento o terror en el rostro. La expresión es serena, como si estuviese meditando.

Por esto último, hay quien le ha comparado con la postura de yoga *Shirshasana* («sobre la cabeza»).

La Fuerza
(Tarot de Carlos VI).

Un tipo de suplicio (1591)
que recuerda al Colgado.

El Colgado
(Tarot de Carlos VI).

13. La Muerte

En el mundo cristiano se considera al número 13 como de mal agüero. Incluso hay quien piensa que, si se reúnen a comer 13 personas en una mesa, una de ellas va a morir antes de un año. Es posible que esta idea provenga de la Última Cena de Jesús y los Apóstoles, en la que participaron, precisamente, 13 personas. También era funesto el 13 en la antigua Grecia. Diodoro Sículo cuenta que Filipo de Macedonia hizo llevar en una procesión 12 estatuas de dioses más la suya. Y fue asesinado poco después. Esta carta (que, por superstición, no suele llevar nombre) en general tiene la efigie de la muerte como un esqueleto armado con una guadaña. Unas veces se la representa a caballo (como en el Tarot de Carlos

La Muerte
(*Iconología* de Cesare Ripa).

VI) y otras con hábito cardenalicio (como en el Tarot de Bartolomeo Colleoni). Es probable que pertenezca a la época del medievo tardío, porque no se encuentra en

La Muerte
(Tarot de Carlos VI).

el arte paleocristiano. En el cristianismo primitivo, la Muerte no se veía como algo terrible, sino como el remate feliz de esta vida provisional. A finales del siglo XIII aparecen las primeras representaciones de la muerte como esqueleto: las encontramos en los cementerios, en los conventos, en las iglesias. Hay quien incluso ha querido relacionar la Muerte del Tarot con las figuras de la Danza de la muerte, aunque no en el sentido correcto. Estas últimas son muy posteriores a las primeras representaciones de cartas; por ello, puede suponerse que, si no han copiado las imágenes, por lo menos han bebido en la misma fuente. Es posible que un juego ya famoso como el Tarot condicionara a los autores de las Danzas macabras a dibujar a la Muerte del mismo modo que el de las cartas del Tarot.

Lo único extraño que hay en las manos de la Muerte es la guadaña; extraño, porque no suele encontrarse en las representaciones normales de la muerte. De hecho, en las del medievo tardío, la muerte aparece con varios instrumentos en las manos: de la espada a las tijeras, pasando por las flechas. Las teorías ligadas al Antiguo Testamento o al Apocalipsis no nos parecen muy fundadas. En cambio, sí es interesante la comparación con Saturno (el griego Cronos). La figura alegórica del tiempo que devora a sus propios hijos y siega todo lo que ve, recuerda mucho a la Muerte del Tarot. Sin embargo, quizá sea posible, por el tipo de hoz, remontarse a la época en que se dibujaron, al ser la guadaña de mango largo posterior a la hoz.

14. La Templanza

En el mundo grecorromano, el vino no se bebía nunca puro; generalmente se mezclaba con agua y ésta iba en mayor cantidad. Quien era elegido para presidir el convite, tenía también que cuidar de que se respetaran exactamente las proporciones y las medidas (ver, en latín *tempus).* Es decir, que tenía que atemperar (dar a una cosa su medida) el vino, para que no pudiera emborrachar en el acto. Hay quien piensa que la imagen de una mujer que vierte un líquido de un jarro a otro está tomada de la narración evangélica de las Bodas de Canaan, en las que una sirvienta, por orden de Jesús, vierte el agua contenida en una vasija, en otra, donde se con-

La Templanza
(*Iconología* de Cesare Ripa).
Se consideraba que el elefante
era un animal sobrio.

vertirá en vino. Esta es una alegoría bastante corriente en la iconografía medieval, para representar, precisamente, la virtud de la templanza. También se la puede ver esculpida en uno de los bajorrelieves del sepulcro de Clemente en la catedral de Bamberg (1237).

En la imagen de esta mujer que trasvasa el líquido se ha llegado a ver una alegoría sexual ligada precisamente a los símbolos de los jarros (ver la casuística relacionada con la inseminación en el «vaso» natural).

15. El Diablo

Al principio, a Satanás (el enemigo) se le representaba como una serpiente o como un dragón.

Cuenta Giuseppe Flavio que, antes de la tentación, la serpiente también tenía manos y pies humanos. Pero la primera verdadera representación antropomórfica de Satanás

De la portada de la obra de Eliphas Levi,
Dogma y ritos de la alta magia
(París, 1855).

es mucho más tardía. Con el tiempo, todas las efigies con las que se representaba al Mal (Lucifer, Satanás, el Diablo —el tentador—, el Demonio, Belcebú...) se fueron centrando en una figura especialmente repugnante y de aspecto animal. Si se acentúan los aspectos monstruosos del sátiro, se va delineando una figura cada vez más terrible, con una densa pelambrera en el cuerpo, garras, alas de murciélago, cuernos de macho cabrío, pezuñas, cola, mamas... Este carácter bestial ya se ve en muchos manuscritos alemanes de los siglos X y XI. La carta del Diablo es muy parecida a las representaciones y suele recalcar su espíritu. También recuerda al Bafometo (*).

16. La Torre

«El abeto más alto es el más sacudido por el viento, las torres más elevadas caen con más fuerza y los rayos que caen prefieren la cima de los montes.» Así cantaba Horacio. La idea de la torre que se desploma es un símbolo antiguo del orgullo abatido del hombre. A este respecto se ha citado acertadamente el episodio de la torre de Babel, pero tampoco está tan lejos el episodio de

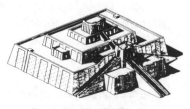

Zigurat asirio.

los titanes que, al tratar de escalar el Olimpo fueron abatidos por Zeus lanzándoles rayos. Puede ser curiosa la representación de lo que acompaña al rayo que sale de la nube: posiblemente, esferas de fuego. También encontramos en otras cartas un simbolismo parecido para lo que cae del cielo (ver arcanos números 18, 19 , 20). A la Torre también se la llama la «Casa de Dios». En este caso, la analogía con la caída de Adán es evidente. En el Tarot de Mitelli, el conjunto se sintetiza en la imagen de un hombre fulminado por un rayo.

17. La Estrella

Esta carta podría parecer que está en contradicción con la de la Templanza. En efecto, hay representada una mujer agradable que vierte en un río (o un lago o un estanque) el contenido de dos vasijas. Por ello, hay quien ha recordado a este respecto el dicho popular: es inútil llevar agua al mar. Pero es más fácil suponer que el vertido esté ligado directamente a las estrellas, es decir que las características astrales se vierten de forma aleatoria para todo el mundo y no tienen por qué condicionar la personalidad del que va a nacer (ver el refrán *astra inclinant non necessitant).* La analogía con la astrología puede resultar más clara si se compara esta carta con algunos calendarios miniados medievales en los que el signo de Acuario se suele representar por un hombre o una mujer desnudos que vierten el agua de

---

(*) Bafometo: estatuilla de color negro que presenta atributos de los dos sexos *(N. del T.)*

una vasija. Además, en la iconografía medieval se suelen representar los ríos y los arroyos como personas que vierten agua de una vasija.

Por último, como en la carta de la Templanza, hay una interpretación sexual: en este caso se trata de la libertad del coito *extra vasum*. De hecho, uno de los jarros está dibujado cerca del útero y parece que vierte precisamente el contenido humoral de aquél.

18. La Luna

Antiguamente, en la carta venían dibujados dos astrólogos que estudiaban la Luna en cuarto creciente (ver Tarot de Carlos VI). Después, se sustituyeron por dos perros ladrando y un cangrejo en una tina (o poza) situada entre dos torres (o casas). Court de Gebelin, apoyándose en una cita de Clemente Alessandrino, lo consideraba como un símbolo de los trópicos. Pero no hay necesidad de traer a colación a Anubis y Hermanubis ni al perro de Artemisa para ver lo que puede verse observando normalmente: no es extraño que los lobos o los perros aúllen por la noche (y, normalmente, hay luna). También se dice que el hombre-lobo se transforma en las noches de luna llena. Por otra parte, siempre se ha creído que la Luna tenía influencias extrañas y hasta infernales (ver la Luna como el «Sol de los muertos»). Además, al cangrejo siempre se le ha relacionado con la Luna

La Luna
(Tarot de Carlos VI).

porque, lo mismo que ella, va hacia delante y hacia atrás, es decir que hace el camino aparentemente hacia atrás, porque nace a poniente y se pone hacia oriente.

19. El Sol

Esta carta representa un sol radiante que ilumina a dos personas abrazadas (en los tarots más antiguos hay una sola persona) y no parece que haya notas iconográficas relativas a ellas. En todos los pueblos, el Sol ha sido siempre el símbolo de la vida y el que dispersa a los demonios de la noche. Los monstruos, los vampiros y las criaturas infernales temen a los rayos del Sol: los *íncubos* y los *súcubos* vuelven a dormirse en espera de una nueva revancha nocturna.

La Inconstancia (*Iconología,* de Cesare Ripa), en general suele relacionarse con la Luna.

El Juicio
(Tarot de Carlos VI).

20. El Juicio

La iconografía de la resurrección de los muertos se funda en los célebres versículos de San Mateo (XXV, 31; XXVII, 52) y de San Juan (XX, 12).

Entre los siglos XI y XIII los artistas se han afanado en interpretar a su modo esta visión y la han representado en iglesias y catedrales de toda Europa. En general, se ven cuerpos desnudos que salen de las tumbas ante la llamada de los ángeles que tocan las trompetas (ver el Tarot de Carlos VI). Y, en el fondo, el hombre nace desnudo y desnudo vuelve a la tierra. La desnudez es el símbolo del paraíso perdido, cuando el hombre y la mujer, inocentes y felices, no conocían aún sus cuerpos y naturalmente no se avergonzaban de ellos. En el Tarot suele haber un ángel situado en lugar de Cristo (en cambio, en muchas imágenes medievales, se ve a Cristo en el centro con un ángel a cada lado).

21. El Mundo

Esta carta se representa de dos maneras: una mujer desnuda en una guirnalda y un globo.

La mujer desnuda (con un velo sobre las partes pudendas) dentro de un óvalo se encuentra en muchas representaciones antiguas, desde las divinidades hindúes a las imágenes de Mitra.

El óvalo es, probablemente, el símbolo del huevo cósmico.

Hay muchas imágenes de santos y, sobre todo, de la Virgen que se representan dentro de un óvalo con forma de almendra.

Hay quien ha supuesto una analogía entre la forma de la almendra y el órgano sexual femenino (ver el mito de la «gran madre» Cibeles).

A esta figura femenina se la ha comparado con Venus, que nace de la espuma del mar.

Por último, los símbolos de los cuatro evangelistas, que están en las cuatro esquinas de la figura, podrían inclinar a una interpretación más religiosa de esta carta, aunque lo más probable es que se hayan añadido para ate-

Naturaleza
(*Iconología* de Cesare Ripa).

nuar el carácter sexual de la figura, más próxima a los ideales del Renacimiento (por otra parte, en algunas cartas, en vez de los evangelistas hay cabezas de ángeles que soplan, como símbolo de los vientos).

La segunda representación de la carta es un globo en el que suelen estar inscritos el Sol, la Luna o las estrellas o un cuadro en forma redonda con un paisaje, a veces con un niño sonriendo (como en el Tarot de Francesco Sforza).

Esta representación está más próxima a la denominación de la carta del Mundo. Y se la ha comparado, con razón, con el simbolismo concéntrico del escudo de Aquiles, en el que Vulcano esculpió: «la tierra, el mar, el cielo, el sol..., la Luna... y los astros...».

La Belleza
(*Iconología* de Cesare Ripa).

Afortunadamente, hay quien ha comparado la imagen esférica del Mundo con la de la Fortuna. De hecho, en algunas representaciones antiguas, esta última está desnuda sobre un globo, para representar lo voluble e inestable de la suerte. Pero una vez que se tiene la suerte a favor, ¿qué imagen mejor que la de una mujer (o un niño) gobernando el Mundo?

Alegoría de la Locura
(*Iconología,* de Cesare Ripa).

22. El Loco

Esta carta (que no suele llevar número) generalmente representa a un vagabundo que camina de manera despreocupada, pero antiguamente llevaba un demente. En la *Iconología* de Ripa, la Locura la representa un adulto a caballo de una caña, con un molinillo de papel en la mano derecha (un típico juego infantil en varias épocas). Era más una carta representando la enfermedad mental que la locura; esta última después también adquirió los significados de extravagancia y hasta de genio (como el juglar, al que solemos imaginar como una persona que quiere hacer reír, deliberadamente, con su torpeza e ignorancia). Lo cierto es que así lo imaginaban los artistas del Renacimiento. A su lado no iba el perro que intenta morderle (como en figuras más recientes), sino unos chiquillos que se burlan de él y se ríen de su desnudez (ver, por ejemplo, el Tarot de Hércules I d'Este). En otra imagen de Ripa (El Peligro), se puede ver a un joven a punto de ser mordido por una serpiente. Se apoya en una frágil caña y, al tratar de evitar la mordedura del reptil, no ve el precipicio que hay frente a él. Y, por si fuera poco, está a punto de ser fulminado por un rayo. Sólo un «loco» podría esperar salvarse. Por otra parte, toda la vida humana se concentra en esta esperanza. Con ella, el hombre es capaz de cruzar el abismo: es la cuerda que le sostiene o le ahoga. El que consigue pasar, ha logrado sublimar su locura y convertirse en un creador, un mago. Es el retrato eterno de las cartas, la vuelta al Uno, la primera carta. Ahora puede empezar el ciclo de nuevo.

El Peligro
(*Iconología* de Cesare Ripa).

La mujer en los arcanos mayores

Para poder comprender el ambiente histórico-filosófico en el que surgió y evolucionó el Tarot, nos parece importante analizar una de las figuras dominantes entre los veintitrés arcanos mayores: la mujer.

Es extraño que la mujer tenga un puesto tan preeminente en la estructura jerárquica de las cartas, en contraste con el que ocupa en la vida. Parece como si los autores del Tarot hubieran elegido deliberadamente, para los papeles que eran de absoluto dominio varonil, precisamente una mujer.

El poder religioso, representado por la figura del Papa (V), está compartida por su *alter ego* femenino: la Papisa (II). El poder civil, que se identifica con el Emperador (IV) tiene como contrafigura femenina a la Emperatriz (III). Como es lógico, en el Amor (VI), las figuras unidas en matrimonio son de sexos opuestos. La Justicia (VIII) es una mujer severa que administra la ley con equidad (la balanza), pero también con rigor (la espada). La Fuerza, el símbolo masculino por excelencia, está representado por una mujer que con un leve esfuerzo mantiene abiertas las fauces de un león furioso. La Templanza (XIV) es una mujer angelical que trasvasa, de un ánfora a otra, el agua de la vida. Con la Estrella (XVII) aparece la primera figura femenina completamente desnuda. Si en el Sol (XIX) la figura femenina está desvestida parcialmente, en el Juicio (XX), resurge, en

La Meditación, según Cesare Ripa.

la desnudez de su cuerpo, a la cumbre suprema de la Fe. Por último, el Mundo (XXI) cierra triunfalmente el desfile de mujeres, precisamente con una exaltación de la belleza femenina. Todo esto ha hecho suponer que las figuras del Tarot, aun habiendo surgido según los esquemas de la tradición pictórica medieval, han sufrido la influencia pagana y gnóstica de la época del Renacimiento. De hecho, aun siendo figuras típicamente medievales (reproducen escenas de guerra o del torneo feudal) se resienten de las influencias heréticas o, por lo menos, no muy ortodoxas.

El ejemplo típico es la Papisa, un arcano que escandaliza a los católicos, tanto que en la baraja de los Visconti será sustituida por la Fe (que, lógicamente, durante la Revolución

Las figuras femeninas en los arcanos mayores.

La Fortaleza,
según Cesare Ripa.

Francesa se convirtió en Juno). Recuerda históricamente la figura de la papisa Juana que, como ya se ha dicho, se dice que sucedió al papa León IV con el nombre de Juan VIII (la leyenda se difundió en el siglo XIII). Es curioso que, para identificar la época en que se gestó la Papisa, está el tocado de cabeza que lleva: la tiara. Ya hemos recordado que, antes del siglo XIII, los papas usaban una especie de gorro frigio con un cordoncillo de oro y una piedra preciosa engastada en la punta (posteriormente, el aro fue sustituido por una especie de corona con el borde superior dentado). A los papas del siglo XIII se les representa con tiara (la Papisa suele venir dibujada con esta prenda; curiosamente, en la *Biblia* alemana de 1533, la «Gran Prostituta» del Apocalipsis lleva una tiara papal). A partir de Bonifacio VIII (aunque la fecha es incierta) los papas siempre llevan la *triregnum* (tiara con tres coronas).

Al llegar aquí, nos parece interesante hacer una pequeña digresión sobre la función sacerdotal de la mujer en el mundo católico: servirá para probar que es un aspecto típico del mundo herético.

En el cristianismo primitivo, la mujer no está en el grupo privilegiado de los testigos de la resurrección de Cristo.

No hay mujeres entre los apóstoles y, entre las que siguen a Jesús, ninguna ejerce funciones directivas en la comunidad. La única función religiosa que han realizado las mujeres es el diaconado, pero sobre todo en Oriente (ver Basilio y Epifanio). En realidad, en Occidente los intentos de introducir el diaconado (siglos IV y V d. C.) —aun a título honorífico— no tuvieron éxito.

En el cristianismo primitivo, aparte de alguna profetisa (Amnia de Filadelfia, siglo II d. C.), no hay mujeres que bauticen (excepto en caso de absoluta necesidad) ni que distribuyan la Eucaristía. Sólo en algunas sectas he-

La Gloria,
según Cesare Ripa.

La Melancolía,
según Cesare Ripa.

réticas (por ejemplo, los montanistas) se encuentran mujeres que enseñan, bautizan y dan la comunión, mujeres con funciones de presbítero o de obispo.

A continuación, la Iglesia se ha puesto a combatir el sacerdocio femenino, precisamente porque venía propuesto por estas sectas. Por otra parte, la ordenación de sacerdotisas se considera una aberración típica del paganismo.

Pero, probablemente, la verdadera razón del rechazo está en el hecho de que Jesucristo no llamó nunca a ninguna mujer para predicar, bautizar o celebrar la Eucaristía, aunque muchísimas le siguieron.

«En las asambleas, las mujeres se callan», dice un versículo de la I a los Corintios (Pablo de Tarso, I Epístola a los Corintios, 14, 34).

Pero la idea de la superioridad del hombre sobre la mujer surge en todo el Antiguo Testamento.

«Te dirigirás a tu hombre y él será tu señor», dice un versículo del *Génesis (Gen. 3, 16);* o «la cabeza de la mujer es el hombre», le replica nuevamente Pablo de Tarso (*op. cit.,* 11, 3). Con estas bases era difícil que la mujer pudiera alcanzar una dignidad igual a la del hombre, porque precisamente le faltaba la función de unión con «lo sagrado», teniendo que depender del hombre en esto.

Sin embargo, en el Tarot parece que todas estas limitaciones han desaparecido y hasta han sido subvertidas.

Por ejemplo, se ha hablado del origen hebreo del Tarot; pero es seguro que un cabalístico hebreo jamás habría aceptado que se atribuyese la función sacerdotal a una mujer ni que el mundo estuviera representado simbólicamente por una mujer desnuda; ni la Fuerza, como ya hemos dicho, por una mujer joven y sonriente.

Cesare Ripa representa a la Fuerza
en la figura de una mujer mientras
doma a un toro.

La representación femenina en las figuras de las cartas: las cuatro reinas con el símbolo de su palo, todas sentadas, excepto la Reina de Oros.

La Fuerza sobrepuesta a la Justicia
según Cesare Ripa.

Lo más probable es que, como bien dice el Alejandrino, el Tarot haya surgido en el ambiente del Renacimiento, inventado por «un humanista italiano impregnado de cultura gnóstica» *(Storia della Filosofia Occulta*, Milán, 1984).

Nada nos impide pensar que incluso haya sido una mujer. Si bien es cierto que en la Edad Media hay poquísimos textos escritos por una mujer (a excepción de las «cartas de amor» de Eloísa, las efusiones místicas de algunas santas y algún escrito de poca monta de alguna monja. La poetisa trovadora Beatriz di Die y la poetisa conocida como María de Francia en sus *Lais* se atienen a las convenciones poéticas de su tiempo), ya hacia finales del siglo XIV comienzan a aflorar las primeras reacciones contra la supremacía masculina; incluso hay mujeres que defienden su sexo con la espada en la mano (ver Cristina de Pisán).

Pero es en el Tarot donde, en los feudos típicos de la virilidad y la fuerza masculinas, se instala la tierna dulzura de la mujer. En el mundo de los hados de las cartas, la mujer trasciende la figura de Eva para convertirse en el símbolo universal del hombre y su mundo.

ARCANO I - EL MAGO

Sombrero = infinito

Varita mágica

Patas de la mesa

Objetos

Nombre

El Mago, el Malabarista, el artesano, Pagad, el Prestidigitador. En italiano, el Bagatto, que es un prestidigitador que puede convertirse en mago. Se considera, generalmente, la carta del que consulta (ver también Papus).

Descripción

Un joven mago o prestidigitador delante de su mesa de trabajo, sobre la que hay revueltos algunos objetos que pueden tener cierta analogía con los palos de la baraja: unas cajitas (copas), un cuchillo (espadas), un martillo (bastos), unas monedas (oros). Sostiene una varita mágica en la mano izquierda alzada. Es un hombre seguro de lo que hace. Las patas de la mesa son rectas y están bien apoyadas en tierra. La forma del sombrero (oo) recuerda vagamente el símbolo del infinito.

Simbolismo

Es la misma vida que requiere habilidad e inteligencia. Generalmente se la considera una carta masculina, en el sentido de principio activo. El hombre creador. El principio de todas las cosas. Adam Kadmon. Mercurio. Hermes Trismegisto. El conocimiento de la Ley de las Analogías («lo que está arriba es como lo que está abajo»).

Referencias históricas e iconográficas

Los charlatanes y el prestidigitador en las ferias y mercados medievales.

Significados generales

Como «artífice de su propia fortuna» el mago es voluntad creadora, capacidad, intuición y elocuencia, pero también filosofía. Representa a aquellos que «llegan» por méritos propios. Es el adepto en la religión de los misterios.

Carta derecha

En general, es una carta favorable. Indica fecundidad en todos los sentidos.
☞ Aprovecha tus dotes naturales.

Carta invertida

Representa todos los significados generales en negativo: poca confianza en sí mismo y en los demás, indecisión, arribismo, «ilusión metafísica» (Marco Daffi).
El hombre que no ha conseguido dominar a la naturaleza (Del Bello).
✂ Eres pasivo.

Curiosidades y analogías

Aspectos esotéricos
ALQUIMIA: extracción (Del Bello).
ASTROLOGÍA: el Sol en Leo (en general).
CÁBALA: letra A (en hebreo, *aleph).*
I CHING: afinidad con el hexagrama 1, *Lo Creativo,* y con el III, *La Dificultad inicial,* en el que los nombres se explican por sí mismos (M. Daffi).
MAGIA: la preparación física y mental necesaria para actuar debidamente en el terreno mágico.

Aspectos personales
FAMILIA: favorable a la procreación (fecundidad potencial en la mujer, virilidad potencial en el hombre).
MEDICINA: aviso de posibles problemas en los ojos o en el corazón (Del Bello).
PROFESIONES: artesano, empresario, abogado, comerciante, político, mafioso.

COMBINACIONES POSITIVAS

La tercera carta puede ser una cualquiera de oros, copas o bastos

♀♂
Prosperidad consolidada
El que actúa a la luz del sol no tiene miedo de nada: todos sus actos son rentables y no sólo en el terreno sentimental

La tercera carta puede ser una cualquiera de oros, copas o bastos

♀♂
El amor es creativo
Los enamorados son capaces de todo: hasta de volar

♂
Felicidad conyugal
El amor te ha transformado totalmente

COMBINACIONES NEGATIVAS

♀
Muy malas amistades
Estás yendo por mal camino

♂
Maldiciones y ofensas
Las malas acciones pesan gravemente sobre la conciencia

♀
Derrotas amorosas
(si buscas un gran amor, renuncia)

♂
Debilidad amorosa
Si tu amor no es lo bastante fuerte, te dejarán fuera

IMÁGENES DE OTROS TAROTS

Esta figura *(Le Bateleur)* es bastante parecida, tanto en el Tarot marsellés como en el de Court de Gebelin como en el de Wirth-Knapp (en este último, sólo está de más la copa). Todos siguen conservando la imagen original de prestidigitador de feria.

Tarot marsellés

Tarot de Wirth-Knapp

En el Tarot de Papus —y, sobre todo, en el Rider-Waite— el personaje ya se ha convertido en un mago. Los dos tienen, muy claramente, el símbolo del infinito. En el Gran Etteilla hay una figura parecida (la carta de la Tristeza, núm. 15), pero sólo desde el punto de vista iconográfico (de hecho, es la carta de la salud física y moral).

Tarot de Papus

Tarot de Rider-Waite

ARCANO II - LA PAPISA

La tiara

El velo

La mano derecha

La mano izquierda

Nombre

La Papisa, la bella Papisa, la Gran Sacerdotisa, Juno, la Primavera, el Orgullo, Iris-Urania, la puerta del santuario oculto. Se suele considerar como carta del que consulta (ver también a Papus).

Descripción

Una mujer de aspecto imponente y rostro hierático tiene sobre las rodillas el libro de la Sabiduría. En la cabeza lleva la tiara pontificia y está circundada por un velo (parecido a un pergamino medio abierto). Con la mano derecha parece indicar un punto importante del libro de la Sabiduría. Con la izquierda va pasando las páginas delicadamente. Está sentada y mira fijamente al frente, como si no tuviera necesidad de consultar el libro. Su vestido, amplio y bordado, le tapa completamente los pies (pero no en todos los tarots).

Simbolismo

El principio femenino de la vida. La madre antigua que infunde sabiduría. La gnosis (Del Bello). La sacerdotisa de Isis (para Papus) o la misma Isis. Atenea. Casiopea. La esposa divina. Todo lo que está oculto en la Naturaleza. La materia santificada. La Naturaleza que el hombre tiene que saber interpretar si quiere triunfar. El pensamiento creador. La dualidad. La luz astral.

Referencias históricas e iconográficas

La papisa Juana.

Significados generales

Indica la fidelidad, la esposa, la Naturaleza, la pasividad (como principio femenino). También puede representar la receptividad en la adivinación. Y a quien detenta el saber con absoluta serenidad y lo difunde con amor.

Carta derecha

Suele ser una carta positiva. Consejos morales. Resuelve los problemas (pero no indica las respuestas). Vale el principio: «ayúdate y Dios te ayudará».
☞ Desarrolla tu intuición.

Carta invertida

Lo contrario de los significados generales: inmoralidad, superficialidad, ignorancia, hipocresía, gazmoñería. Es una carga (para todo lo que hay alrededor).
✂ No tienes un objetivo ni una meta.

Curiosidades y analogías

Aspectos esotéricos
ALQUIMIA: la atracción (Del Bello).
ASTROLOGÍA: la Luna en Cáncer (en general).
CÁBALA: letra B (en hebreo, *beth*)
I CHING: tiene analogías con el hexagrama 5, *La Espera,* que indica un avance lleno de peligros, que hay que resguardarse del peligro; y con el 44, *El Ir al Encuentro,* el resurgir del principio oscuro y sombrío —y, por ello, peligroso— que parecía haber desaparecido (M. Daffi).
MAGIA: el conocimiento de lo que hace falta para actuar bien.

Aspectos personales
FAMILIA: matrimonio logrado (sobre todo para una mujer).
MEDICINA: anuncia pequeñas molestias en el sistema linfático (Del Bello).
PROFESIONES: psiquiatra, psicóloga, profesora, religiosa, cartomántica.

COMBINACIONES POSITIVAS

Si la tercera carta es el as de copas: vienen hijos (no deseados)

♀♂
Amor (tibio) pero duradero
Matrimonio religioso entre personas que se respetan mucho, pero se quieren sin grandes arrebatos

Si la tercera carta es el dos de copas: buena relación de pareja

♂
Amor creciente
Con el tiempo, una mujer reflexiva y pacata se encandilará

♀
Felicidad de la pareja
El amor te vuelve radiante

COMBINACIONES NEGATIVAS

♀
Debilidad física
Es típica de los estados febriles. Aconsejable un mayor reposo

El cinco de espadas al revés nos indica sobre la posible duración

♀
Aborto (no deseado)
Depende de las malas condiciones de salud

♂
Para el hombre: indica la situación vivida por su mujer (o su amante)

IMÁGENES DE OTROS TAROTS

Esta figura (La Papisa) es bastante parecida tanto en el Tarot marsellés como en el de Court de Gebelin. En el de Wirth-Knapp el libro está medio cerrado y se ven impresos en él los símbolos del *Ying* y el *Yang*. Se ven dos columnas (masónicas). Además, la papisa tiene en la mano izquierda dos llaves «que abren el interior de las cosas».

Tarot marsellés

Tarot de Wirth-Knapp

En el Tarot de Rider-Waite se ven mucho mejor las dos columnas masónicas, pero no se diferencia mucho del de Papus.

En el Gran Etteilla hay una figura parecida (la carta núm. 37), pero sólo desde el punto de vista iconográfico: se trata de una reina «irreprochable».

Tarot de Papus

Tarot de Rider-Waite

ARCANO III - LA EMPERATRIZ

El cetro = poder

El escudo = protección

La mirada

El respaldo

Nombre

La Emperatriz, Madre Celestial.

Descripción

Es una mujer regia, juvenil, coronada, de mirada impasible pero serena. Se sienta en un trono y sostiene firmemente el cetro, símbolo del poder creador (que puede fijar las fuerzas espirituales en la materia); en la otra mano sostiene con fuerza el escudo (símbolo de protección) sobre el que hay dibujado un águila (símbolo de las fuerzas espirituales). Tiene los pies tapados por el amplio vestido (no en todos los tarots). El asiento con un respaldo muy alto indica gran estabilidad.

Las tres imágenes de los arcanos III, IV y V —es decir, la Emperatriz, el Emperador y el Papa— no tienen características especiales: son las figuras históricas normales que hay representadas en los códices, los cuadros y las láminas.

Simbolismo

Es la fecundidad universal. La naturaleza que actúa (Papus). Venus Urania (Eliphas Levi). La inteligencia creadora (Wirth). Las fuerzas ocultas de la vida (considerada como la energía escondida que anima el universo). La fuerza motriz de la Naturaleza.

Referencias históricas e iconográficas

La emperatriz bizantina Teodora Comnena, mujer de Justiniano.

Significados generales

Representa la abundancia y la inteligencia juntas. Como es lógico, hay implícito un notable sentido práctico y no falta la ambición. Indica el que, con su capacidad y su fuerza de voluntad, da vida a todas las cosas. Reflexión, erudición.

Carta derecha

Influencia positivamente las cartas próximas. Acontecimientos favorables que maduran.
☞ Puedes conseguirlo.

Carta invertida

Es la esterilidad, el despilfarro, la vanidad. Negativa, sobre todo para una mujer.
✂ Estás vacía.

Curiosidades y analogías

Aspectos esotéricos

ALQUIMIA: calcinación (Del Bello).
ASTROLOGÍA: Mercurio en Géminis (Muchery); bajo Venus (para otros).
CÁBALA: letra G (en hebreo, *gimel*).
I CHING: en general, preparación para la acción y, por tanto, correspondencia con el hexagrama 64, *Después de la consumación* (M. Daffi).
MAGIA: la acción mágica en sus efectos.

Aspectos personales

FAMILIA: una administradora perfecta de la casa. Favorable para los hijos.
MEDICINA: indica un temperamento débil y nervioso; en compensación, una gran vitalidad (Del Bello).
PROFESIONES: maestra, comadrona, enfermera.

COMBINACIONES POSITIVAS

La tercera carta: copas (afectos), bastos (trabajo)

♀
Gran capacidad de adaptación
Para la mujer que sabe combinar energía y dulzura al mismo tiempo

La tercera carta puede ser una cualquiera de oros o bastos

♀
Estabilidad financiera
Requiere autoridad y capacidad empresarial

♂
Seguridad
Has encontrado la persona que necesitabas para tus negocios

COMBINACIONES NEGATIVAS

♀
Posibles contrariedades
Para dominar el mundo, la belleza no es suficiente

♂
Trabajo en peligro
Una mujer rival trata de obstaculizarte

♀
La edad crítica
Una mujer madura no compite en belleza con una más joven

♂
Inestabilidad
Una mujer autoritaria pone en peligro la armonía de tu mundo

IMÁGENES DE OTROS TAROTS

Esta figura (La Emperatriz) es bastante parecida tanto en el Tarot marsellés como en el de Court de Gebelin y en el de Wirth-Knapp. En este último, el respaldo del trono se convierte en un par de alas. Además, bajo el pie izquierdo aparece el símbolo de la Luna.

Tarot de Court de Gebelin

Tarot de Wirth-Knapp

En el Tarot de Papus el personaje es un ángel, mientras que en el de Rider-Waite *(The Empress)* vuelve a ser una mujer, pero sin vestiduras reales. En los de Papus y Wirth tienen junto al pie (o debajo) la media luna. En el Gran Etteilla, las cuatro reinas se parecen a la Emperatriz o a la Papisa.

Tarot de Papus

Tarot de Rider-Waite

ARCANO IV - EL EMPERADOR

El cetro

El puño = firmeza

Las piernas cruzadas

El escudo

Nombre

El Emperador, la Piedra Cúbica, el Dominador.

Descripción

Es un soberano (pero no un déspota) de edad avanzada, con una gran barba gris, sentado en el trono. En la mano derecha sostiene el cetro, coronado por una bola con la cruz. La bola del mundo es un signo de dominación universal (Wirth). El macizo cetro recuerda un arma o quizás la «clava» de Hércules. Tiene el puño izquierdo cerrado, como si quisiera indicar su firmeza. Al lado hay un escudo con un águila. La figura está de perfil y mira fijamente el cetro. Las piernas están levemente cruzadas (si quisiera, podría levantarse de golpe). El asiento tiene un respaldo alto terminado en pico (como el escudo).

Simbolismo

Es el poder terrenal, la voluntad (Papus), la luz creadora, el principio animador. Por ello es una potencia activa de materia e inteligencia equilibradas. Pero es energía material, que hay que saber controlar y dominar. Plutón (Del Bello). Para otros, Atlas; para otros, también Júpiter, el padre de todos los dioses. Azufre de los alquimistas (Wirth).

Referencias históricas e iconográficas

Alejandro Magno y Carlomagno. En el cuarto día, nació Caín.

Significados generales

Es la seguridad, el carácter, la autoridad, la virilidad, la constancia, la riqueza. Energía. Voluntad. El que es consciente de su fuerza y su poder, que le permiten dominar a todos. Es la realización suprema en este mundo.

Carta derecha

Buena influencia sobre las cartas vecinas: las encamina a mejor. Es una carta de aportes prácticos y eficaces. Influye sin dejarse influir.
☞ Confía en tu energía.

Carta invertida

El poder, que se convierte en esclavo de sí mismo: la tiranía repentina o infinita. Denota inmadurez. Anuncia dificultades. Indica resultados contrarios. Conversión en déspota.
✂ Eres un inmaduro.

Curiosidades y analogías

Aspectos esotéricos

ALQUIMIA: la purificación (Del Bello).
ASTROLOGÍA: Venus en Tauro (Muchery); otros lo asignan a Júpiter.
CÁBALA: letra D (en hebreo, *daleth*).
I CHING: desde luego el hexagrama correspondiente es el 53, *Después de la consumación* y también el 18 que es *El trabajo en lo echado a perder* (Marco Daffi).
MAGIA: dominio de todo lo que se ha evocado.

Aspectos personales

FAMILIA: padre de familia, bondadoso pero autoritario. Carta favorable al matrimonio.
MEDICINA: evidencia pequeños problemas sexuales. Eyaculación precoz.
PROFESIONES: arquitecto, ingeniero, constructor (de casas).

COMBINACIONES POSITIVAS

La tercera carta puede ser una cualquiera de oros o bastos

♀♂
Sorpresa favorable
De un conocido al que no veías hacía mucho tiempo (sobre todo en el trabajo)

La tercera carta puede ser una cualquiera de bastos, aunque esté invertida

♂
Usa una gran energía
(y podrás superar cualquier obstáculo)

El as de bastos también puede salir invertido

COMBINACIONES NEGATIVAS

♀
Probable infidelidad
Controla a tu hombre
Si la carta siguiente es la Luna: son sólo habladurías

♂
Infidelidad mental
Una mujer fascinante te va a volver loco

♀
Indiferencia
Tu opinión ya no cuenta. Es un amor que ya se ha terminado

♂
Conformismo
Poco original en tu elección. Eres maduro sólo en apariencia

IMÁGENES DE OTROS TAROTS

Esta figura *(L'Empereur),* al igual que la anterior, es bastante parecida en los tarots marsellés, de Court de Gebelin y de Wirth-Knapp (en todos se ve el águila imperial). Como ya hemos subrayado en el texto, las piernas están cruzadas simbólicamente. Además, el cetro termina en una flor de lis (Wirth-Knapp).

Tarot marsellés y Gebelin

Tarot de Wirth-Knapp

En el Tarot de Papus la figura es la de un faraón de pie, pero con las piernas cruzadas. En el de Rider-Waite *(The Emperor)* el personaje parece un rey sajón, con un cetro en la mano parecido a la llave de la vida *(anke)* egipcia. En el Gran Etteilla los cuatro reyes son parecidos al Emperador.

Tarot de Papus

Tarot de Rider-Waite

ARCANO V - EL PAPA

La tiara

El báculo

La mano que bendice

Clérigos

Nombre

El Papa, el Pontífice, Júpiter, El Gran Hierofante, el Invierno, el Maestro de los arcanos.

Descripción

Un gran sacerdote barbudo (el papa) imparte su bendición a dos de sus ministros (clérigos). La profusa barba blanca indica una edad en la que, ya aplacadas las pasiones, es posible dar paso a la inteligencia (Wirth). Está sentado en el solio pontificio, que tiene un respaldo alto rematado con una especie de columna (que algunos comparan, muy libremente, con las columnas del Templo de Salomón). Con la mano izquierda se apoya en una especie de báculo rematado en una bola y una cruz (de San Andrés). Su imponente figura (que la tiara hace aún más alta) hace parecer todavía más pequeñas las figuras de los dos ministros. En el Tarot de Besançon se le ha sustituido por la figura de Júpiter.

Simbolismo

Es la Ley Sagrada, la inspiración divina (Papus), la manifestación de lo Sagrado. La potencia espiritual que transmite los principios más sagrados. El gran secreto desvelado (sólo a los adeptos, ver los dos clérigos arrodillados). El deber de someterse a las leyes sagradas. La encarnación de lo divino. El Pensamiento Creador, el Verbo (Wirth).

Referencias históricas e iconográficas

El Hierofante de los Grandes Misterios. Moisés. Un papa barbado (ver «Historia de las imágenes de los arcanos mayores»). En el quinto día, nació Abel.

Significados generales

Indica la lealtad, la franqueza, el buen consejo, el respeto, la vocación en todos sus aspectos espirituales y materiales. De hecho, representa al que, impulsado por una verdadera vocación, inicia a los discípulos en los misterios de la vida. Arcano de la filosofía (Del Bello)

Carta derecha

El equilibrio preciso. Es la enseñanza ejemplar que nos viene de las cartas anteriores. Discreción, reserva, meditación (Wirth).
☞ Busca un maestro.

Carta invertida

Evidencia los aspectos grotescos y la exasperación de lo sagrado. Por lo tanto, se convierte en el símbolo de la moralina, de la gazmoñería, de la intolerancia. El Maestro se inventa un falso profeta. «Las fuerzas infernales desencadenadas» (M. Daffi). Lo que se abandona al instinto. Es una carta potencialmente negativa. Influencia pasiva de Saturno (Wirth).
☞ Eres intolerante.

Curiosidades y analogías

Aspectos esotéricos
ASTROLOGÍA: Júpiter (Muchery); algunos le asignan a Mercurio, otros a Marte en Aries.
CÁBALA: letra E (en hebreo, *HE*).
I CHING: correspondencia con el hexagrama 4, *La Necedad juvenil* (M. Daffi).
MAGIA: antes de actuar, expresión sincera. El 5 es el número del Hombre.

Aspectos personales
FAMILIA: religiosidad.
MEDICINA: tendencia a la obesidad y a la calvicie. Cálculos.
PROFESIONES: profesor, militar, religioso, bibliotecario, verdugo.

COMBINACIONES POSITIVAS

La tercera carta puede ser una cualquiera de oros, copas o bastos

♂
El equilibrio preciso
Has conseguido un buen equilibrio entre tus ideas espirituales o religiosas y el deseo de obtener lo que quieres (que, sin embargo, nunca está en contra de la justicia)

La tercera carta puede ser una cualquiera de copas o bastos

♂
La vocación
Has vencido tus pasiones. Ahora estás preparado para lo que siempre has deseado.

El as de espadas puede salir también invertido

COMBINACIONES NEGATIVAS

♀
Frigidez
El hombre que amas no consigue despertar tu pasión dormida

♂
Sacrificios inútiles
El exceso de moralidad y poca flexibilidad mental te hacen odioso

♂
Separación
Con tu rigidez, estás echando a perder tu relación de pareja.

Si la carta del Amor está invertida, quiere decir que la relación está ya rota

IMÁGENES DE OTROS TAROTS

Esta figura (el Papa) es bastante parecida en los tarots marsellés, de Court de Gebelin y de Wirth-Knapp (en este último se ven los guantes blancos con la cruz). Los monaguillos del Tarot de Gebelin se convierten en clérigos con tonsura en los otros dos.

Tarot marsellés y Gebelin

Tarot de Wirth-Knapp

En el Tarot de Papus, la figura es la de un Sacerdote egipcio. En el de Rider-Waite *(The Hierophant),* el personaje es un joven papa imberbe (los otros papas son todos barbados). Todos los papas tienen una especie de báculo (de forma similar). En el Gran Etteilla no hay figuras que se parezcan a la del Papa.

Tarot de Papus

Tarot de Rider-Waite

ARCANO VI - EL AMOR

Cupido

La flecha del amor

Las manos que se
buscan

Pies = estabilidad

Nombre

El Amor, los Amantes, el Enamorado, el Matrimonio, las Dos calles, Libertad.

Descripción

Dos jóvenes están a punto de quedar unidos por un sagrado vínculo. El Amor (a través de Cupido), los consagra definitivamente, disparando su flecha. El arco y las flechas recuerdan (para Wirth) las armas que dibuja en el cielo la constelación de Sagitario. Una tercera persona (en algunos tarots está representada por un religioso) favorece su encuentro e invita a los enamorados a unir sus manos. Sus pies están fijos sólidamente en el suelo, índice de fuerte voluntad y seguridad en el valor de lo que representa.

Simbolismo

La unión entre dos seres, pero también el antagonismo (entre los dos sexos). La calma después de la tempestad. La prueba. Eros, el Amor (Papus). Adonis. Orfeo. El contraste entre el vicio y la virtud (Eliphas Levi). El amor físico que se transforma en amor espiritual. El Libre albedrío (Wirth). Concentración (Del Bello).

Referencias históricas e iconográficas

Cupido y los enamorados de los jarrones y los frescos de la época grecorromana. Ver también *Los desposorios de la Virgen,* de Rafael.

Significados generales

El optimismo y los buenos sentimientos, los deseos, los augurios, pero también las tentaciones. Son aquellos que saben que el amor es la fuerza más poderosa del universo. La atracción.

Carta derecha

Carta de doble significado. Puede tener una evolución positiva o negativa, según las cartas que precedan o que sigan. Simpatía o antipatía. La elección.
☞ ¡En guardia! (¿Una historia de amor?).

Carta invertida

Las dudas y las debilidades que cada uno tiene escondidas en su corazón salen a la luz. Esto puede ser causa de separaciones. Deseos no realizados (Wirth).
✂ ¿Es la separación definitiva?

Curiosidades y analogías:

Aspectos esotéricos
ALQUIMIA: animación (Del Bello).
ASTROLOGÍA: para algunos, Mercurio en Virgo; para otros, Luna en Tauro.
CÁBALA: letras U y V (hebreo, *vau).*
I CHING: hay dos hexagramas que encajan: el 31, *La Atracción,* es decir, una unión en sentido positivo, y el 54, *La muchacha que se casa,* más bien una concubina y amante que una esposa; y esto, naturalmente, en todos los sentidos y no sólo matrimoniales o amorosos (M. Daffi).
MAGIA: la tentación (en sentido místico), pero también la unión sagrada.

Aspectos personales
FAMILIA: buena boda con prole (en general). Aunque no siempre es fecundo.
MEDICINA: posibles dolores de hígado. Tendencia a la depresión psicofísica.
PROFESIONES: médico, psicólogo, pedagogo, prostituto.

COMBINACIONES POSITIVAS

La tercera carta puede ser una cualquiera de copas (también invertida)

♀♂
Amor correspondido
Si existe una sola posibilidad de encontrar a la persona adecuada, la has encontrado

Si la tercera carta es el 3 de copas: llegada de hijos (también sirve invertida)

♀♂
Amor fructífero
De este amor nacerán frutos espirituales y materiales (por ejemplo, un escritor encontrará la inspiración precisa...)

COMBINACIONES NEGATIVAS

♀♂
Traiciones (pasadas) saldrán a la luz
Una persona que creíamos amiga revelará viejas relaciones amorosas que han perturbado nuestra vida. Desgraciadamente, quedarán rastros

♀
Amor inseguro
El hombre con que soñabas no te está destinado

♂
Amor inseguro
Busca en otro sitio la mujer de tus sueños

IMÁGENES DE OTROS TAROTS

Esta figura (*L'Amoureux)* se parece en esencia pero no en la forma: en el tarot marsellés hay un joven entre un rey y una mujer de la realeza; en el de Wirth-Knapp el joven está ante una encrucijada, entre dos mujeres (una reina y una bacante). En otros tarots se ve una especie de sacerdote que oficia una boda.

Tarot de Marsella

Tarot de Wirth-Knapp

En el tarot de Papus, la ambientación sigue siendo egipcia. En el de Rider-Waite *(The Lovers),* están representados Adán y Eva en el jardín del Edén. En el Gran Etteilla, en la carta núm. 13 *(Mariage)* se ve un sacerdote que bendice las manos de los dos amantes.

Tarot de Papus

Tarot de Rider-Waite

ARCANO VII - EL CARRO

Las 4 columnas

El cetro y el arma

Caballos unidos

La misma dirección

Nombre

El Carro, el Triunfo, el Déspota, Osiris triunfante, el Carro de Osiris, el Carro de guerra, el Carruaje.

Descripción

Un carro (trapezoidal) con cuatro columnas, conducido por un rey triunfador. Los dos caballos que tiran de él están unidos por el bajo vientre: uno tira hacia la derecha, el otro hacia la izquierda, pero ambos se dirigen a la misma meta (la de su auriga). Los caballos, en apariencia, van sin riendas: en realidad van conducidos por la voluntad magnética del auriga. El rey, aunque sin espada, tiene su cetro, capaz de transformarse en un arma arrojadiza.

Simbolismo

El triunfo del espíritu sobre la naturaleza. Es la fuerza que supera cualquier discordia. Triunfo (Papus y Del Bello). Analogías con el Carro de Osiris. Fedón. La biga alada de Platón.

Referencias históricas e iconográficas

Los triunfos renacentistas (ver Durero). También el carro del faraón.

Significados generales

Representa la fidelidad y el equilibrio; pero también, claro está, la gloria. Pero lleva implícitas la prudencia y la pericia de quien debe conducir un vehículo entre posibles obstáculos, porque quien sabe valorar siempre los factores contrarios, triunfará en todo. La travesía peligrosa del hombre como materia para llegar al mundo espiritual.

Carta derecha

Carta bastante favorable. Tira siempre de lo que la precede.
☞ ¿Estás preparado para el gran paso?

Carta invertida

Quien demuestra una falsa destreza, está condenado al fracaso. También es una advertencia para no abusar del organismo de uno mismo. Seguramente hay una analogía con el mito platónico de la biga alada.
✄ Vas hacia el abismo.

Curiosidades y analogías

Aspectos esotéricos

ALQUIMIA: la sublimación (Del Bello).

ASTROLOGÍA: Venus en Libra (Muchery); para algunos, Sol en Géminis; otros lo atribuyen a Sagitario.

CÁBALA: letra Z (en hebreo, *zain*).

I CHING: le corresponden tres hexagramas de claro significado: el 7, *El Ejército*, que puede avanzar, pero también perder la batalla; el 24, *El Progreso*, que también puede ser mínimo, como un ratón campestre; y el 33, *La Retirada*, más o menos ordenada (M. Daffi).

MAGIA: dominio sobre los elementos.

Aspectos personales

FAMILIA: estabilidad económica sólo para quien sabe conducir con pericia.

MEDICINA: salud conseguida, pero no cierta.

PROFESIONES: representante, chófer, agente de viajes, piloto, mercenario.

COMBINACIONES POSITIVAS

La tercera carta puede ser una cualquiera de bastos (incluso invertida)

♀♂
Viajes propicios
Sobre todo por motivos de trabajo. También posibilidad de profundizar en los estudios y mejorar la experiencia profesional

La tercera carta puede ser una cualquier de bastos (incluso invertida)

♀♂
Éxito
Sobre todo en el arte y el comercio. Llevaréis a puerto todas vuestras iniciativas.

Si la tercera carta es de copas: implicaciones sentimentales

COMBINACIONES NEGATIVAS

♀♂
Noticias desagradables
Un amigo (?) será portador de noticias muy desagradables que te herirán profundamente.

Si la tercera carta es la Muerte: luto

La tercera carta determina sólo el tipo de fracaso

♀♂
Fracaso total

Sentimental, si siguen copas; profesional, si siguen bastos; financiero, si siguen oros; existencial, si siguen espadas

IMÁGENES DE OTROS TAROTS

También esta figura *(Le Chariot)* es parecida en esencia pero no en la forma. En el Tarot marsellés y en el de Court de Gebelin son los caballos los que tiran del carro; en el de Wirth-Knapp, son dos esfinges (una blanca y otra negra, como los caballos de Platón). Es el *Carro triunfal de Antimonio* (1671), de Basilio Valentino.

Tarot de Court de Gebelin

Tarot de Wirth-Knapp

En el Tarot de Papus y en el de Rider-Waite *(The Chariot)* los animales se han transformado en dos leones con cabeza de esfinge. Además no van unidos por la cintura, como los anteriores. En el Gran Etteilla, hay una figura parecida (la carta núm. 21, Procès): un carruaje conducido por un rey.

Tarot de Papus

Tarot de Rider-Waite

ARCANO VIII - LA JUSTICIA

La espada

La balanza

El pico del respaldo

La capucha

Nombre

La Justicia, Balanza y Gladio, Temis.

Descripción

Una mujer severa pero imparcial administra justicia. No hay ni rastro de venganza. La mirada está fija, de frente, como si no le interesara ninguna otra cosa sino aquello que le ha sido encargado. La capucha y el respaldo alto (parece un escudo) la separan más de todo lo que la rodea, para hacerla completamente independiente e imparcial. Sentada, blande la espada de la fatalidad en la derecha (ninguna violación de la ley quedará impune) y con la izquierda sostiene la balanza, en perfecto equilibrio. El respaldo tiene dos puntales que se parecen a la espada que blande.

Simbolismo

Es la ley suprema, incorruptible. La Justicia (Papus). Se la ha comparado con Temis (la diosa griega del Derecho). Hera. Astarté. Astrológicamente es Astrea. La inteligencia cósmica que administra el mundo. El poder conservador de las cosas.

Referencias históricas e iconográficas

El Arcángel San Miguel. También recuerda el peso y el castigo del alma después de la muerte, típica de la iconografía egipcia.

Significados generales

Armonía, equidad, honor y virtud. Es una protección para el hombre justo y también representa el completo restablecimiento de quien ha sabido encontrar el justo equilibrio. Quien respeta la ley, no sufrirá ningún castigo.

Carta derecha

Carta favorable sólo para la persona recta. Quien es escrupuloso no tiene nada que temer. Arcano de protección y de amenaza (Del Bello).
☞ No traspasar nunca los límites.

Carta invertida

El equilibrio interrumpido lleva a la enfermedad; la injusticia triunfa; será difícil ganar cualquier causa. Ingratitud. Disputas desfavorables.
✂ No podrás ganar.

Curiosidades y analogías:

Aspectos esotéricos

ALQUIMIA: la descomposición (Del Bello).

ASTROLOGÍA: Marte en Escorpión (Muchery); otros, Venus en Cáncer; otros lo asignan a Libra.

CÁBALA: letra H (en hebreo, *eth).

I CHING: correspondencia con el hexagrama 6, *La Justicia* cuyo significado habla por sí mismo. También con el 60, *La Restricción* porque la ley pone límites a las pretensiones de las partes; y con el 43, *La Decisión* que habla de decisiones proclamadas (M. Daffi).

MAGIA: el equilibrio mágico.

Aspectos personales

FAMILIA: boda equilibrada.

MEDICINA: aviso de fiebre, cuidar los bronquios. También enfermedades crónicas.

PROFESIONES: abogado, policía, juez, terrorista.

COMBINACIONES POSITIVAS

La tercera carta puede ser una cualquiera de copas (incluso invertida)

♀♂
Matrimonio
Bueno y equilibrado, coronación de un gran amor contrariado (sobre todo por los familiares)

La tercera carta puede ser una cualquiera de bastos (también invertida)

♀♂
Pleito resuelto
Sin embargo, ha exigido renuncias. No se puede ser severo con las personas a las que se quiere.
Si la tercera carta es de copas: implicaciones sentimentales

COMBINACIONES NEGATIVAS

♀♂
Pleitos desagradables
Tus pleitos tendrán malas consecuencias. Cuando no se tiene razón, la espada de la Justicia no perdona. Si la tercera carta es el 10 de espadas, condena

La tercera carta determina sólo el ámbito del castigo

♀♂
Justo castigo:
Tu comportamiento no podía tener distintas consecuencias. Ya se te había advertido. Si la tercera carta es el 10 de espadas: condena

IMÁGENES DE OTROS TAROTS

Esta figura *(La Justice)* está en el Tarot marsellés, en el de Court de Gebelin y en el de Wirth-Knapp. En todas, está sentada sobre un trono de respaldo alto y tiene la espada y la balanza. Se parecen a las columnas —masónicas— del templo de Salomón.

Tarot de Marsella

Tarot de Wirth-Knapp

En el tarot de Papus y en el de Rider-Waite *(Justice)*, en vez del respaldo se ven dos columnas altas. Además, en el tarot de Waite también es distinta la numeración: en el núm. 8 está La Fuerza, y en el núm. 11, La Justicia. En el Gran Etteilla hay una figura similar (la carta núm. 9, Justicia).

Tarot de Papus

Tarot de Rider-Waite

ARCANO IX - EL ERMITAÑO

La barba blanca

La linterna

El cíngulo de cuerda

El bastón

Nombre

El Ermitaño, el Viejo, el Sabio, Diógenes, el Capuchino, el Pobre, el Tiempo, el Jorobado, la Lámpara velada.

Descripción

Un viejo sabio con una larga barba blanca, camina lentamente apoyado en su bastón. En su mano derecha, un candil que ilumina el camino. Mira fijo hacia delante sin mirar el camino. Tiene el sayo típico de un monje mendicante (capuchino) o de un peregrino. La capucha le cubre la cabeza, un cordón le ciñe la cintura. En algunos tarots (por ejemplo, en el de Mitelli) es un ángel viejo apoyado en dos muletas; en otros (por ejemplo, los de Carlos VI), en vez del candil tiene en la mano una clepsidra.

Simbolismo

El gran maestro que ayuda a los que se han perdido. La Prudencia (Papus). La verdad velada. El ser que está por llegar. El cuerpo astral (en el ocultismo). El místico que ha invocado en su corazón a la divinidad.

Referencias históricas e iconográficas

Diógenes con su linterna. Matusalén. Apolonio de Tiana.

Significados generales

Sabiduría y misticismo, pero también cautela y prudencia (Eliphas Levi). El aislamiento también puede ser síntoma de misantropía. Por otra parte, quien está dedicado a la eterna búsqueda de la verdad, debe vivir aislado del mundo. Experiencia (Wirth).

Carta derecha

Carta que indica prudencia. Examinar las cartas próximas. Ilumina a las precedentes, evita a las siguientes. Silencio. Patrimonio imperecedero del pasado (Wirth).
☞ Reflexionar sobre lo que se está haciendo.

Carta invertida

Carta que indica, evidentemente, imprudencia, hipocresía y, naturalmente, egoísmo (Marco Daffi). Indica oscuridad y todo aquello que supone falta de luz (espiritual y material). Escepticismo, desánimo, avaricia, pobreza (Wirth).
✂ Has perdido el camino.

Curiosidades y analogías

Aspectos esotéricos

ALQUIMIA: putrefacción (Del Bello).
ASTROLOGÍA: Júpiter en Sagitario (Muchery); para otros, Júpiter en Leo; algunos otros lo asignan a Neptuno.
CÁBALA: letra Th (en hebreo, *teth).*
I CHING: correspondencia con el el hexagrama 61, *La verdad interior,* elaboración de elementos, acuerdos ocultos como los de una gallina que empolla y el pollito; y, en sentido negativo, con el 36, *El oscurecimiento de la luz* (M. Daffi).
MAGIA: misticismo mágico, pero también un secreto que mantener.

Aspectos personales

FAMILIA: poco favorable al matrimonio y a las relaciones sentimentales.
MEDICINA: reumatismo pero, en compensación, longevidad. Manía persecutoria.
PROFESIONES: Científico, filósofo, médico, tocólogo, espía.

COMBINACIONES POSITIVAS

La tercera carta aclara el tipo de engaño (copas = sentimientos, etc.)

♀♂
Desenmascaramiento de un engaño
Los amigos no siempre dan buenos consejos. Desconfía de los hombres solos

La tercera carta aclara el tipo de renacimiento (copas = sentimientos, etc.)

♂
Renacimiento
Una mujer joven transformará tu vida solitaria.

No se trata necesariamente de un problema sexual; puede ser una nuera, etc.

COMBINACIONES NEGATIVAS

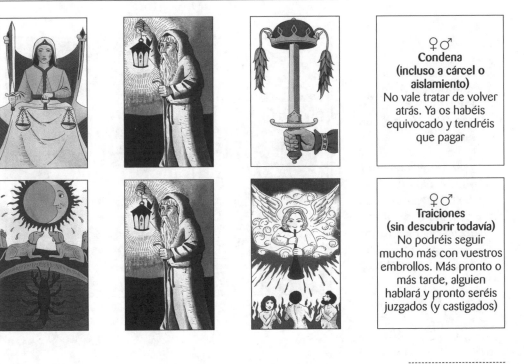

♀♂
**Condena
(incluso a cárcel o aislamiento)**
No vale tratar de volver atrás. Ya os habéis equivocado y tendréis que pagar

♀♂
**Traiciones
(sin descubrir todavía)**
No podréis seguir mucho más con vuestros embrollos. Más pronto o más tarde, alguien hablará y pronto seréis juzgados (y castigados)

IMÁGENES DE OTROS TAROTS

Esta figura *(L'Hermite)* es parecida en los tarots marsellés, de Court de Gebelin y de Wirth-Knapp (sólo que en el último hay, además, una especie de serpiente «de los deseos egoístas»). Además, la caña de bambú tiene 7 nudos místicos.

Court de Gebelin

Tarot de Wirth-Knapp

Tampoco son muy distintos de los anteriores el Tarot de Papus y el de Rider-Waite *(The Hermit)*: un viejo caminante con linterna y bastón. En el Gran Etteilla hay una figura parecida (la carta núm. 18, *Trahison),* pero tiene la cabeza descubierta. En todos los demás está encapuchada.

Tarot de Papus

Tarot de Rider-Waite

ARCANO X - LA FORTUNA

El afortunado

El infortunado

El animal

La rueda

Nombre

La Rueda de la Fortuna, la Fortuna, la Rueda de Ezequiel, la Esfinge, la Rueda del Devenir o del Destino.

Descripción

Una gran rueda, parada y en equilibrio. Dos extrañas criaturas agarradas a ella: una humana y otra animal. Encima, una figura regia parece haber interrumpido momentáneamente la rotación. Pero el equilibrio puede cambiar de nuevo. Es el sentido de la rueda de la fortuna: nadie puede vivir seguro y tranquilo. Basta un pequeño movimiento, una oscilación, y la suerte cambia de nuevo. Los reyes muerden el polvo y los vencidos vuelven como vencedores. La manivela indica que es posible hacerla girar en los dos sentidos.

Simbolismo

La vida en su justo equilibrio. La energía que fecunda. El Destino (Papus). El ser y el no ser. La involución y la evolución (Daffi). Las tres fases: evolución (subir o volver a subir), involución (caída), equilibrio (pasividad). La degradación del hombre a la bestia y su rescate sucesivo. La muerte y el renacimiento del hombre y del universo.

Referencias históricas e iconográficas

La diosa Fortuna. Una antigua tortura medieval. Analogías con la rueda de la lotería.

Significados generales

Felicidad y progreso. Los dos polos: activo y pasivo. Norte y Sur. La inventiva puede llevar a vencer. Prudencia: la rueda puede girar en sentido contrario.

Carta derecha

Carta que indica un equilibrio precario, pero no es negativa por eso. El hombre que sabe dominar un destino adverso. Probabilidades (Del Bello).
☞ Aprovecha el momento favorable.

Carta invertida

Mala suerte, fracasos, especulaciones desafortunadas. El triunfo de la bestia sobre el hombre (es la bestia, en un cierto sentido, la que hace girar la rueda). Involución. Inconstancia.
✂ No tienes un objetivo ni una meta.

Curiosidades y analogías

Aspectos esotéricos
ALQUIMIA: regeneración (Del Bello).
ASTROLOGÍA: Marte en Escorpión (Muchery); otros, Mercurio en Virgo; y para otros más, el dominio de Capricornio.
CÁBALA: letras I, J, Y (en hebreo *yod*).
I CHING: correspondencias con el hexagrama 25, *Lo Inesperado,* y con el hexagrama 24, *El Regreso* (el tiempo de la vuelta). La idea de un movimiento incesante, constructivo o destructivo, o, más aún, cambio de formas que la liga al hexagrama 32, *La Duración,* es decir, *El Movimiento continuo* (M. Daffi).
MAGIA: evolución y karma.

Aspectos personales
FAMILIA: una elección difícil.
MEDICINA: atención a los movimientos bruscos, peligro de ciática.
PROFESIONES: comerciante, prestidigitador, equilibrista, artificiero.

COMBINACIONES POSITIVAS

Si la tercera carta es el as de copas, boda a la vista

♀♂
Sorpresas agradables (en amor)
La rueda gira a tu favor. Quizá se acerca el momento de formar una familia

Si la tercera carta es el as de copas, boda a la vista

♀
Amor repentino
No te dará ni tiempo a pensar

♂
Amor arrollador
Una mujer fascinante te volverá loco, embriagándote con su amor

COMBINACIONES NEGATIVAS

♀♂
Ruina económica
Vuestra fuerza no basta para hacer girar la rueda a vuestro favor. Todavía tenéis dos posibilidades de salvaros. Pero hay que tener cuidado de no empeorar la situación

La tercera carta determina el tipo y el ámbito del peligro

♀♂
Peligro
Aviso repentino desfavorable (pero no necesariamente mortal). La Muerte y la Rueda están inmóviles. Basta un pequeño movimiento y la rueda gira, la guadaña siega

IMÁGENES DE OTROS TAROTS

Esta figura *(la Roue de Fortune)* es bastante parecida en su contenido en el Tarot marsellés, en el de Court de Gebelin y en el de Wirth-Knapp. Sólo cambian los personajes: en uno, hay una especie de mono que baja; en otro, un monstruo destructivo; en otro, una especie de perro o un Anubis, subiendo.

Tarot de Court de Gebelin

Tarot de Wirth-Knapp

El tarot de Papus se parece más al de Wirth (ver la esfinge y las serpientes entrecruzadas). En el de Rider-Waite *(Wheel of fortune),* la figura que baja es una serpiente. Además, los cuatro animales de los ángulos recuerdan las cartas del Mundo. En el Gran Etteilla hay una figura parecida (la carta núm. 20, *Fortune);* en vez de la rueda, hay un círculo de cuerda.

Tarot de Papus

Tarot de Rider-Waite

ARCANO XI - LA FUERZA

Sombrero: el infinito

El león

Las garras

La boca abierta

Nombre

La Fuerza, la Fortaleza, León con bozal, León domado.

Descripción

Una mujer joven y bella, sin ningún esfuerzo aparente, agarra por las fauces abiertas de par en par a un león enfurecido. El sombrero es parecido al del Mago (recuerda el símbolo del infinito). En esta carta no se exalta la fuerza bruta (representada generalmente por Hércules que derriba a un león), sino un poder sutil, femenino (que debe representar a la delicadeza) y, por lo tanto, no ostentoso. No hay músculos forzados: todo ocurre casi por arte de magia. El león, a pesar de su ferocidad, no es un animal dañino. Es él quien representa la fuerza bruta, vencida por la inteligencia y por la astucia. En algún tarot (por ejemplo, el de Carlos VI), la Fuerza está representada por una mujer que rompe una columna.

Simbolismo

Es la fuerza misteriosa de la mente que domina la materia. Lo consciente y lo inconsciente. La Fuerza (Papus). La voluntad de vencer. El pensamiento que se irradia. La virtud. Energía psíquica. Triunfo de la inteligencia sobre la brutalidad (Wirth).

Referencias históricas e iconográficas

Sansón y el león. Hércules en Nemea.

Significados generales

Heroísmo y desafío, pero también coraje. Autocontrol de la energía vital. Es la demostración de que no hacen falta los músculos para ganar (efectivamente, no está representado un hombre forzudo, sino una mujer). La rueda de la fatalidad y de la generación. Indica que es posible superar cualquier adversidad con la razón.

Carta derecha

Carta de buen augurio, especialmente si hay que superar obstáculos. Coraje.
☞ Vence tu dolor y tu rabia.

Carta invertida

Arrogancia, enfermedad y, naturalmente, impotencia en todas las acepciones. Pero también la fuerza bruta que triunfa. Falta de armonía entre el cuerpo y la mente.
✂ Nunca lo conseguirás.

Curiosidades y analogías

Aspectos esotéricos
ALQUIMIA: ablución (Del Bello).
ASTROLOGÍA: Marte en Aries (Muchery); para algunos, en cambio, está bajo Leo y para algunos más, bajo Marte.
CÁBALA: letras C y K (en hebreo *khaf*).
I CHING: correspondencia con el hexagrama 9, *La Pequeña fuerza domesticadora,* el 26, *La Gran fuerza domesticadora,* además de con el hexagrama 21, *La Mordedura que despedaza,* pero en este caso entendido al revés (M. Daffi).
MAGIA: sometimiento de las fuerzas inferiores.

Aspectos personales
FAMILIA: matriarcado.
MEDICINA: buena salud, aunque hay riesgo de enfermedades repentinas, sobre todo de naturaleza psíquica. Operaciones quirúrgicas.
PROFESIONES: mozo de cuerda, albañil, boxeador, luchador, contrabandista.

COMBINACIONES POSITIVAS

La tercera carta puede ser una cualquiera de oros, copas o bastos

♀♂
Larga vida y salud
Sólo para quien es muy fuerte y sabe superar su soledad

El as de copas anuncia un gran amor; el 2, armonía de pareja; el 3, hijos

La tercera carta puede ser una cualquiera de oros, copas o bastos

♀
Embarazo
Un parto difícil, pero con buen término

♂
Respeto
No hay que forzar la voluntad de las personas que se estiman

COMBINACIONES NEGATIVAS

♀♂
Noticias desagradables
Es mejor no tomar ninguna iniciativa. Cualquier esfuerzo será inútil

♀♂
Obstáculos
Obstáculos insalvables penden sobre vuestras cabezas. Si se usa la fuerza, se logran resultados contrarios

IMÁGENES DE OTROS TAROTS

Esta figura *(La Force)* es parecida tanto en el tarot marsellés como en el de Court de Gebelin y en el de Wirth-Knapp: están el león con la boca abierta a la fuerza y el sombrero que recuerda vagamente el símbolo del infinito.

Tarot de Court de Gebelin

Tarot de Wirth-Knapp

En el tarot de Papus y en el de Rider-Waite *(Strength),* la mujer está destocada y lleva sobre la cabeza, como una aureola, el símbolo del infinito. Además el tarot de Waite tiene una numeración diferente: la Fuerza es el núm. 8. En el Gran Etteilla hay una figura parecida (la carta núm. 11, Fuerza): una reina sentada, apoyada sobre la cabeza de un león.

Tarot de Papus

Tarot de Rider-Waite

ARCANO XII - EL COLGADO

La horca

El pie atado

La rodilla doblada

El rostro

Nombre

El Colgado, el Ahorcado, la Prudencia, el Sacrificio, el Traidor, Judas.

Descripción

Un hombre barbudo colgado de un pie, con las manos atadas detrás de la espalda. Las piernas están simbólicamente cruzadas y tiene los ojos abiertos. El Colgado parece tener el cuerpo inactivo e impotente, pero no es así. Los ocultistas creen que en esa posición, aunque recuerda un suplicio, está concentrando todas las fuerzas mentales, preparándose para usarlas cuando en su interior haya acumulado suficiente energía. Es la fuerza del sacrificio, de la renuncia. Puede actuar sobre las cosas a distancia, a través del pensamiento. Pero la historia de las imágenes del Colgado no alimenta esta sugestiva tesis. Es el traidor que reconoce su culpa y se castiga.

Simbolismo

El símbolo del sacrificio y de la renovación. La Prueba (Papus). Abnegación. Pausa en la actividad evolutiva del hombre. Sacrificio latente que redime. El Cristo boca abajo.

Referencias históricas e iconográficas

Tortura y suplicio medieval. Judas ahorcado. En la iconografía aparece frecuentemente con dos bolsas llenas de dinero, seguramente fruto de su traición (analogía, precisamente, de la muerte de Judas). Una posición de yoga.

Significados generales

La disciplina y el esfuerzo aportan cambios significativos, cuando no un verdadero y auténtico cambio interior. Sólo quien es capaz de superar las pruebas más duras puede aspirar a cambiarse a sí mismo. Analogía con las técnicas de los chamanes.

Carta derecha

La carta del cambio, sea en bien o en mal (según la carta anterior o posterior). Sacrificio redentor (Wirth). La obra realizada. La iniciación (pasiva).
☞ Abandónate a tus propios deseos.

Carta invertida

El egocentrismo excesivo exaspera al máximo la propia capacidad, genera ilusiones e impulsa a sacrificios inútiles. Proyectos irrealizables. Amor no correspondido (Wirth).
✂ Esfuerzo inútil.

Curiosidades y analogías

Aspectos esotéricos

ALQUIMIA: la vegetación (Del Bello).

ASTROLOGÍA: Júpiter en Piscis (Muchery); para algunos: Luna en Libra; otros se lo atribuyen a Urano.

CÁBALA: letra L (en hebreo, lamed).

I CHING: analogía con el hexagrama 20, La Contemplación, en sentido de realización productiva o positiva; contemplación, es decir, examen de obra realizada. Además, en negativo, con el signo 47, La Adversidad (El Agotamiento) (M. Daffi).

MAGIA: el altruismo, el desinterés, lo que no es venal.

Aspectos personales

FAMILIA: poca inclinación al matrimonio.

MEDICINA: enfermedad renal o de la vejiga.

PROFESIONES: empleado, mozo, portero, trapecista, empleado de discoteca.

COMBINACIONES POSITIVAS

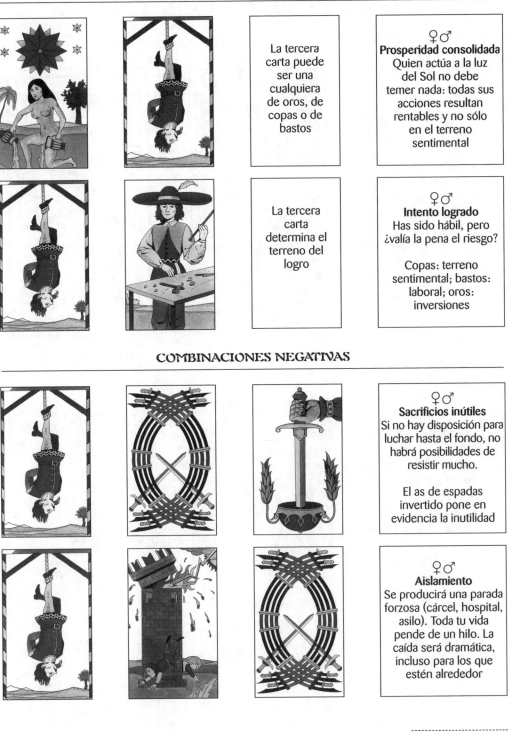

La tercera carta puede ser una cualquiera de oros, de copas o de bastos

♀♂
Prosperidad consolidada
Quien actúa a la luz del Sol no debe temer nada: todas sus acciones resultan rentables y no sólo en el terreno sentimental

La tercera carta determina el terreno del logro

♀♂
Intento logrado
Has sido hábil, pero ¿valía la pena el riesgo?

Copas: terreno sentimental; bastos: laboral; oros: inversiones

COMBINACIONES NEGATIVAS

♀♂
Sacrificios inútiles
Si no hay disposición para luchar hasta el fondo, no habrá posibilidades de resistir mucho.

El as de espadas invertido pone en evidencia la inutilidad

♀♂
Aislamiento
Se producirá una parada forzosa (cárcel, hospital, asilo). Toda tu vida pende de un hilo. La caída será dramática, incluso para los que estén alrededor

IMÁGENES DE OTROS TAROTS

Esta figura *(Le Pendu)* es parecida tanto en el tarot marsellés. como en el de Court de Gebelin y en el de Wirth-Knapp (en este último, hay, además, unas monedas que caen). Los dos árboles recordarían las columnas del templo (masónico) de Salomón.

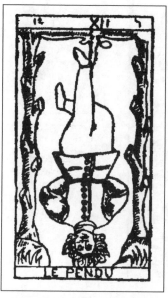

Tarot de Marsella

Tarot de Wirth-Knapp

También el Tarot de Papus y el de Rider-Waite *(The Hanged Man)* reproducen la imagen de un hombre colgado por un pie: sólo cambia la pierna (en el de Waite es la derecha y en los otros es la izquierda). En el Gran Etteilla no existe una figura que se corresponda con ésta.

Tarot de Papus

Tarot de Rider-Waite

ARCANO XIII - LA MUERTE

La calavera
encapuchada

La hoja de la guadaña

El rey

Los árboles
esqueléticos

Nombre

La Muerte, el Esqueleto de la guadaña, la Guadaña, la Carta innombrable (efectivamente, hay quien, por superstición, no le pone nombre).

Descripción

Un esqueleto encapuchado con una guadaña grande amenaza a las cabezas y manos que brotan de la tierra. Nadie puede evitar su hoja: ni el rico (el rey) ni el pobre. El cielo es negro como su capa y los árboles parecen otros tantos esqueletos. El desafío a la Muerte es un tema antiquísimo, que no siempre se resolvía trágicamente (véase el mito de los Dioscuros, de Perséfone, etc.). Por otra parte, la muerte no extingue nada: libera las energías y las hace renacer. En el invierno, toda la vegetación parece muerta, los árboles están esqueléticos, como en la imagen de la carta. Pero, en primavera, renacen las flores y las hojas. Y la vida vuelve a empezar.

Simbolismo

Es el símbolo de la transformación, del renacimiento y de la liberación. La muerte física (Papus). Sin embargo, no simboliza forzosamente la muerte natural, sino más bien el fin de un ciclo. La inevitable necesidad. La muerte iniciática. La victoria sobre la nada.

Referencias históricas e iconográficas

Saturno (o Cronos) con la guadaña. Las danzas macabras medievales.

Significados generales

Esta carta tiene un doble significado. Indica el fin de una situación determinada (sea positiva o negativa). Puesto que cada muerte supone un renacimiento, también puede ser una carta «favorable», según el contexto en que vaya colocada. Indica, casi con seguridad, muerte física cuando va acompañada por otras cartas negativas y desfavorables (por ejemplo, la Torre, el Diablo, el palo de espadas en general).

Carta derecha

Es la carta de la renovación. También indica prudencia en cualquier actuación que presuponga un cambio cualquiera. El camino fatal de la evolución (Wirth).
☞ Arroja todo lo que te impide vivir.

Carta invertida

Muerte, enfermedad, deshonor, suicidio, desilusión, corrupción. Sin embargo, hay que averiguar si esta carta se refiere a un agravamiento o, en cambio, a una liberación.
✂ Estás en grave peligro.

Curiosidades y analogías

Aspectos esotéricos
ALQUIMIA: la floración (Del Bello).
ASTROLOGÍA: Saturno en Acuario (en general); para otros, la Luna en Libra.
CÁBALA: letra M (en hebreo *mem.*).
I CHING: analogías con el hexagrama 2, *Lo Receptivo* y con el 11, *La Paz,* que habla de roturación y de arrancar de maleza. En cambio, en sentido negativo se corresponde con el hexagrama 49, *La Revolución* (M. Daffi).
MAGIA: el plano astral.

Aspectos personales
FAMILIA: poco favorable para la formación de una familia.
MEDICINA: insomnio, posibles trastornos psíquicos, enfermedades venéreas.
PROFESIONES: campesino, florista, sepulturero, actor, médium, sicario.

COMBINACIONES POSITIVAS

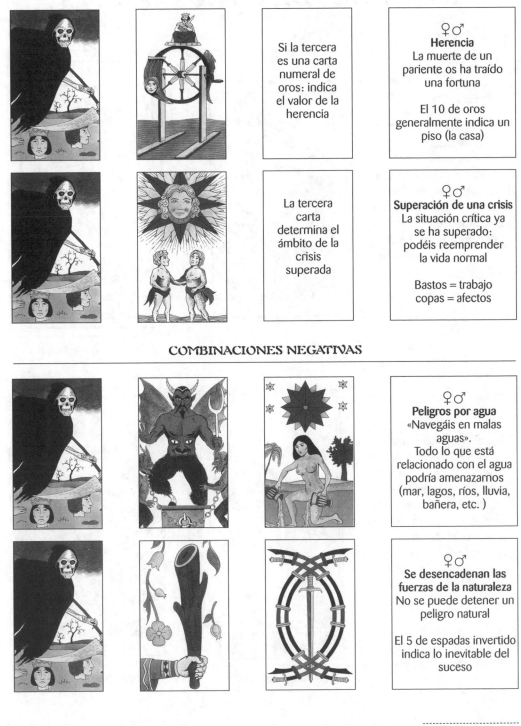

Si la tercera es una carta numeral de oros: indica el valor de la herencia

♀♂
Herencia
La muerte de un pariente os ha traído una fortuna

El 10 de oros generalmente indica un piso (la casa)

La tercera carta determina el ámbito de la crisis superada

♀♂
Superación de una crisis
La situación crítica ya se ha superado: podéis reemprender la vida normal

Bastos = trabajo
copas = afectos

COMBINACIONES NEGATIVAS

♀♂
Peligros por agua
«Navegáis en malas aguas».
Todo lo que está relacionado con el agua podría amenazarnos (mar, lagos, ríos, lluvia, bañera, etc.)

♀♂
Se desencadenan las fuerzas de la naturaleza
No se puede detener un peligro natural

El 5 de espadas invertido indica lo inevitable del suceso

IMÁGENES DE OTROS TAROTS

Esta figura *(La Mort)* es parecida en el tarot marsellés, en el de Court de Gebelin y en el de Wirth-Knapp. Llevan todas únicamente el número: en efecto, es la «carta sin nombre».

Tarot de Marsella

Tarot de Wirth-Knapp

En el Tarot de Papus y en el de Rider-Waite *(Death)* falta el número y, por el contrario, se ve el nombre. El último la representa como en el llamado Tarot de Carlos VI: a caballo. En el Gran Etteilla hay una figura parecida (la carta núm. 17, *Decès).*

Tarot de Papus

Tarot de Rider-Waite

ARCANO XIV - LA TEMPLANZA

Las alas

La estrella

El recipiente

El agua

Nombre

La Templanza, las Dos urnas, el Genio solar.

Descripción

Una mujer alada (¿un ángel?) en pie, de frente, trasvasa de un ánfora a otra el agua de la vida. Templa un licor con otro. Una estrella adorna su frente. En la teología católica la Templanza es una de las cuatro virtudes cardinales y precisamente la que modera los apetitos de los sentidos.

Simbolismo

Es el símbolo del equilibrio vital alcanzado precisamente con el autodominio y la autodisciplina. La Economía (Papus). «El concepto esencial de la carta es el de la permanencia del espíritu o, si se quiere, del alma, a través de varias transformaciones» (Daffi). La fuente de la juventud. La Alquimia. El Arcángel Rafael.

Referencias históricas e iconográficas

Las bodas de Canaan (el agua transformada en vino por Jesús).

Significados generales

Moderación, reflexión, serenidad, autodominio, disciplina, todo aquello que es símbolo de calma absoluta. Trasvase. Traspaso (S. de Guaita). Sólo quien es capaz de trasvasar el agua sin verterla posee la calma necesaria. Aún más: la educación (moral e intelectual), la transmigración de las almas (en Grecia, el acto de verter un líquido de un vaso a otro se considera sinónimo de metempsicosis).

Carta derecha

La carta del justo equilibrio. Endulza las otras cartas. Un freno.

☞ Mira en tu interior: encontrarás la solución a tus problemas.

Carta invertida

Frustraciones, falta de armonía, desorden. Quien se deja llevar por los nervios, por la ansiedad, por los temores está destinado a desperdiciar inútilmente sus energías vitales. Exceso.

✀ Estás desperdiciando tu vida.

Curiosidades y analogías

Aspectos esotéricos

ALQUIMIA: el fruto (Del Bello).

ASTROLOGÍA: Saturno en Capricornio (Muchery); para otros: Sol en Escorpión; y para otros, Acuario.

CÁBALA: letra N (en hebreo *nun*).

I CHING: Analogías con el hexagrama 53, *La Evolución,* un cambio gradual de situación, una llegada a puerto a vista de pájaro (M. Daffi).

MAGIA: la iniciativa del Mago.

Aspectos personales

FAMILIA: mujeres o maridos modelo, hijos ideales.

MEDICINA: indica pequeños trastornos del sistema linfático (Del Bello).

PROFESIONES: socióloga, profesora, curandera, pintora, ladrona.

COMBINACIONES POSITIVAS

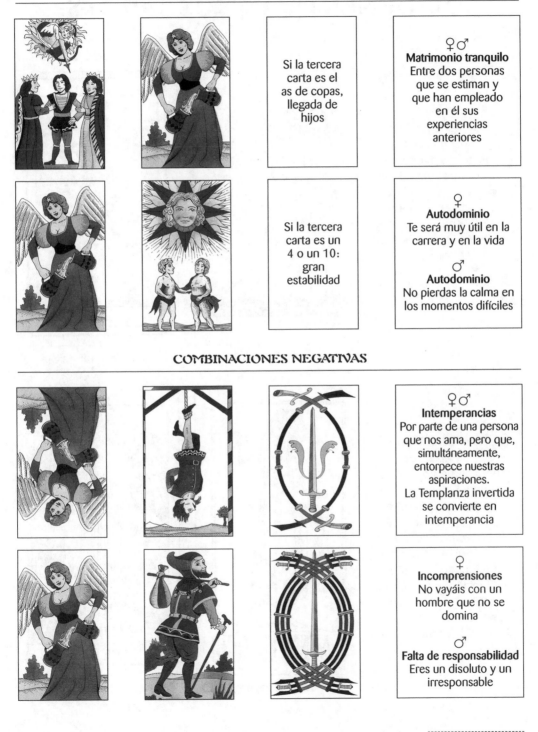

Si la tercera carta es el as de copas, llegada de hijos

♀♂
Matrimonio tranquilo
Entre dos personas que se estiman y que han empleado en él sus experiencias anteriores

Si la tercera carta es un 4 o un 10: gran estabilidad

♀
Autodominio
Te será muy útil en la carrera y en la vida

♂
Autodominio
No pierdas la calma en los momentos difíciles

COMBINACIONES NEGATIVAS

♀♂
Intemperancias
Por parte de una persona que nos ama, pero que, simultáneamente, entorpece nuestras aspiraciones.
La Templanza invertida se convierte en intemperancia

♀
Incomprensiones
No vayáis con un hombre que no se domina

♂
Falta de responsabilidad
Eres un disoluto y un irresponsable

IMÁGENES DE OTROS TAROTS

Esta figura *(La Tempèrance)* es bastante similar tanto en el Tarot marsellés, como en el de Court de Gebelin y en el de Wirth-Knapp. En este último, las copas son una de oro y una de plata.

Tarot de Court de Gebelin

Tarot de Wirth-Knapp

El único que se diferencia es el Tarot de Papus: es una muchacha egipcia y no un ángel, como en los otros. En el Tarot de Rider-Waite *(Temperance)* se ve también un paisaje montañoso con el Sol en la lejanía. En el Gran Etteilla hay una figura parecida (la carta núm. 10, *Tempèrance).*

Tarot de Papus

Tarot de Rider-Waite

ARCANO XV - EL DIABLO

Los cuernos

La pata de cabra

Las alas del murciélago

Los demonios
encadenados

Nombre

El Diablo, Tifón, Plutón, los Demonios, la Mona de Dios.

Descripción

Un demonio cornudo con alas de murciélago y patas de cabra, sobre una especie de altar, parece amonestar a todo el mundo (la mano abierta y la horqueta). El rostro dibujado sobre el estómago nos dice que está dominado por los instintos inferiores. A sus pies, están encadenadas dos figuras diabólicas. El término Diablo se deriva del griego *diabállo,* que quiere decir separo. El *diábolos* es el calumniador, el enemigo y, en hebreo, el adversario (*Satán).* La figura del diablo está representada, en general, recurriendo a la tradición grecorromana o a la medieval. Efectivamente, es una mezcla entre el dios Pan, con patas de cabra, y las figuras monstruosas que se ven en algunas miniaturas anglosajonas de los siglos x y xi.

Simbolismo

Es la degeneración y la ruina. La Fuerza mayor (Papus), la enfermedad, la tentación diabólica. La disipación. El hombre esclavo de la materia. La luz astral (según el ocultismo). El alma del mundo (Wirth). La brujería.

Referencias históricas e iconográficas

El dios Pan (en el arte griego). Satanás (en la iconografía cristiana). El Bafometo de los Templarios (estatuilla negra con los atributos de los dos sexos).

Significados generales

Magnetismo, voluntad imperiosa, pasión desenfrenada. Pero es también la carta del genio: el que puede permitirse todo y para el que no existen ni el bien ni el mal. Fuerzas ocultas ligadas a la animalidad (Wirth). Las ciencias ocultas.

Carta derecha

Carta negativa: advierte de un peligro (ver las cartas que siguen). Puede influir negativamente sobre las cartas próximas. Nos recuerda nuestra fragilidad.
☞ Desarrolla hasta el más recóndito de tus deseos.

Carta invertida

Con otras cartas negativas, aumenta el significado desfavorable. En cambio, suele tener un sentido positivo, es señal de liberación de un peligro, de allanamiento de una dificultad. Es una especie de aquelarre, en el que todo se desencadena.
✂ Arriésgate.

Curiosidades y analogías

Aspectos esotéricos

ALQUIMIA: la preparación del fermento (Del Bello).

ASTROLOGÍA: está regido por Venus en Libra (Muchery); para otros indica a Marte y para otros, Saturno en Sagitario.

CÁBALA: letra S (en hebreo *samekh*).

I CHING: en sentido negativo analogías con el hexagrama 60, *La Disolución,* señal de oscurecimiento y con el 29, *Lo Abismal* (M. Daffi).

MAGIA: misticismo y magia sexual.

Aspectos personales

FAMILIA: El vigor sexual lleva a una sexualidad desenfrenada que incluso puede necesitar salidas extraconyugales.

MEDICINA: satiriasis, enfermedades venéreas, peligro de sida.

PROFESIONES: empleado de banco, agente de bolsa, cambista, usurero.

COMBINACIONES POSITIVAS

Si la tercera carta es de copas: ayuda por parte de un amigo sincero

♀♂
Victoria sobre el mal
Las fuerzas del mal no prevalecerán. El mundo que te ofrece el demonio suele ser una ilusión

Si la tercera carta es el Sol: estás definitivamente curado

♀♂
Amor omnia vincit
Una boda feliz pone fin a una vida disoluta. Sólo el amor es capaz de vencer al mal

COMBINACIONES NEGATIVAS

♀
Soledad
Tienes muy mal carácter
♂
Peligros
Por parte de una mujer pérfida. En vez de defenderte, te herirá profundamente

♀♂
Posible desgracia
En familia o entre los conocidos

Para la cábala fonética: vender el alma al diablo

IMÁGENES DE OTROS TAROTS

Esta figura *(Le Diable)* es bastante parecida tanto en el tarot marsellés como en el de Court de Gebelin y en el de Wirth-Knapp, (pero en este último las figuras son monstruosas y más de acuerdo con el aspecto diabólico).

Tarot de Court de Gebelin

Tarot de Wirth-Knapp

El Tarot de Papus se diferencia de los otros en que la figura diabólica es un bafometo y las figuras encadenadas son las de un hombre y una mujer desnudos. El de Rider-Waite *(The Devil)* es parecido al de Wirth. En el Gran Etteilla hay una figura parecida (la carta núm. 14, La Violencia).

Tarot de Papus

Tarot de Rider-Waite

ARCANO XVI - LA TORRE

El rayo

Las chispas

Primer caído

Segundo caído

Nombre

La Torre, la Casa de Dios, el Fuego Celeste, el Hospital, la Torre de Babel, el Rayo, la Torre derribada por el rayo, el Castillo o la Casa de Plutón, la Casa, el Fuego, la Casa del Condenado, el Infierno, la Casa del Diablo.

Descripción

Una torre alcanzada por un rayo se desmorona. Dos personas se precipitan al vacío. Por el aire vuelan chispas y piedras. El sol está oscurecido por las nubes. La figura de la Torre tiene dos referencias, ambas bíblicas. La primera es el episodio de la torre de Babel (Dios castigó la arrogancia de los hombres destruyendo la torre y confundiendo las lenguas); el segundo, sólo se puede comprender si se analiza uno de los nombres originales de esta carta: la Casa de Dios, es decir el Edén. En este caso representaría la expulsión de Adán y Eva del Paraíso, su caída.

Simbolismo

Es una advertencia a la presunción humana y a la ambición desenfrenada. La caída, el engaño (Papus). La ruina. La falsa omnipotencia. Egoísmo radical. Analogías con la caída de Lucifer y la expulsión de Adán y Eva del Edén.

Referencias históricas e iconográficas

La destrucción de la torre de Babel, del Antiguo Testamento. La destrucción de Sodoma. Zeus y el rayo. El fin de los titanes, sepultados en el infierno.

Significados generales

Indica el desplome imprevisto de una situación que se fundaba en nuestra presunta capacidad intelectual o material. Orgullo, presunción, megalomanía. Es peligroso ensalzarse demasiado (Wirth).

Carta derecha

Carta desfavorable para cualquier empresa. Riesgo desproporcionado. Error. Herejía.
☞ Deja que ocurra lo que sea: sólo así podrás volver a empezar desde el principio.

Carta invertida

Aumentan los aspectos negativos. Crisis. Cataclismos y desgracias en cantidad. Revueltas, subversión, terrorismo, amenazas, castigos, contusiones, lesiones, enfermedades.
✂ Has echado a perder tu vida.

Curiosidades y analogías

Aspectos esotéricos

ALQUIMIA: la fermentación (Del Bello).

ASTROLOGÍA: Venus en Tauro (Muchery); para otros, Júpiter en Capricornio; para otros, Aries.

CÁBALA: letra O (en hebreo *ayin*).

I CHING: en sentido negativo, hay analogía con el hexagrama 23, *La Desintegración.* En un sentido menos desfavorable, con el 58, *Lo Sereno,* que también significa ruina. En cambio, en sentido positivo hay analogías con el 28, *El Exceso,* que representa una viga que amenaza con desplomarse (M. Daffi).

MAGIA: la terapéutica ocultista.

Aspectos personales

FAMILIA: disgregación del núcleo familiar, separación, divorcio.

MEDICINA: para las mujeres, maternidad clandestina, pero también aborto; para el hombre, enfermedad repentina (ataque epiléptico, infarto, parálisis...).

PROFESIONES: actor, periodista, coreógrafo, músico, mendigo.

COMBINACIONES POSITIVAS

La tercera carta puede ser una cualquiera de oros o de bastos

♀
Mejoría
Te estás recuperando de una mala caída (o enfermedad). Hasta de las peores situaciones se puede sacar algo bueno

♂
Ayuda
Una mujer te salvará

Si la tercera carta es el as de copas: situación muy favorable

♀♂
El remedio universal
El amor es la única medicina para el que ha sufrido demasiado. Incluso el que ha tocado fondo tiene la posibilidad de recuperarse a través del amor

COMBINACIONES NEGATIVAS

♀♂
Probable accidente
Peligro de accidente (en coche, en el mar, en avión, etc.)
Si es posible y sólo por hoy, evita salir de casa

♀♂
Desgracia
Hoy es mejor no quedarse en casa. La Muerte se esconde en cada rincón.

La carta invertida nos dice que el peligro se limita a la casa

IMÁGENES DE OTROS TAROTS

Esta figura *(La Maison Dieu)* es parecida tanto en el Tarot marsellés como en el de Court de Gebelin y en el de Wirth-Knapp (en este último, la figura que cae es la del rey «que sigue con corona incluso en la caída»).

Tarot de Gebelin

Tarot de Wirth-Knapp

En el Tarot de Papus el rayo ocupa casi media carta. En el de Rider-Waite *(The Tower)* la torre está en la cima de una montaña. En el de Gran Etteilla la única carta parecida es la núm. 19 *(Misère):* a lo lejos se ve una torre que se está derrumbando. Faltan por completo las figuras humanas.

Tarot de Papus

Tarot de Rider-Waite

ARCANO XVII - LA ESTRELLA

La estrella

Los árboles

La mano derecha

La mano izquierda

Nombre

Las Estrellas, la Estrella, Estrella de los Magos, Estrella brillante.

Descripción

Una muchacha vierte el agua de la vida de dos ánforas. La mujer está completamente desnuda: no tiene secretos para quien sabe beber de su fuente. En el cielo, las estrellas derraman su influjo benévolo. Alrededor, el terreno fértil favorece el crecimiento de la vegetación (los dos árboles). A menudo nos sentimos abandonados, hundidos en una noche profunda. Pero si levantamos la mirada y miramos al cielo, veremos las estrellas que nos iluminan y nos recuerdan que no estamos solos. Los dioses velan por nosotros y nos guían para cumplir nuestro destino. La estrella más grande y más luminosa —nos recuerda Wirth— es Lucifer (el portador de la luz), esto es, Venus, en su imagen de estrella de la mañana o lucero del alba.

Simbolismo

Indica el favor del cielo hacia la empresa que estamos realizando. La esperanza (Papus). La religión de la vida. Istar. Predestinación. La Naturaleza en actividad (Wirth). Arcano esclarecedor por excelencia. Inmortalidad (Del Bello).

Referencias históricas e iconográficas

El signo zodiacal de Acuario (suele estar representado por un hombre desnudo que vierte agua de una jarra). El mito de Pandora y su caja «fatal».

Significados generales

Éxito en los negocios y en la carrera. Esperanzas de prosperidad, optimismo. Quien actúa con pureza tiene que ser bien aceptado por el cielo. El sueño y sus revelaciones. El ideal que la vida tiende a realizar (Wirth).

Carta derecha

Carta muy favorable para los acontecimientos. Inocencia, ingenuidad, candor, buen humor, sensibilidad por todo lo que es hermoso; ternura y afecto.
☞ Es el momento de llevar a cabo tus ideas.

Carta invertida

Mala suerte, pesimismo, malicia. Ruina para los malvados (Del Bello).
✂ Eres desgraciado.

Curiosidades y analogías

Aspectos esotéricos

ALQUIMIA: el alimento (Del Bello).

ASTROLOGÍA: Mercurio en Géminis (Muchery); para algunos, está bajo Venus; para otros, Mercurio.

CÁBALA: letras P, F, Ph (en hebreo *phe).*

I CHING: analogía con el hexagrama 59, *La Disolución,* es decir, resolución de situaciones, modos o fecundación de cosas y de ideas. Analogía también con el 22, *La Belleza,* esto es, la armonía (M. Daffi).

MAGIA: la astrología mágica.

Aspectos personales

FAMILIA: favorable para los encuentros duraderos. Serenidad.

MEDICINA: buena salud, bienestar general.

PROFESIONES: Florista, poetisa, arquitecto, astróloga, estafadora.

COMBINACIONES POSITIVAS

La tercera carta puede ser una cualquiera de oros, de copas o de bastos

♀♂
Buena suerte
En este momento, la fortuna está a vuestro favor. No la estropeéis con acciones aventuradas.

Si la tercera carta es el Loco, cuidado

Si la tercera carta es el as de copas: hijos

♀♂
El gran amor
El hombre o la mujer de vuestro destino.

El 10 de oros nos dice que iréis a vivir en una bonita casa; el 10 de bastos, que haréis carrera

COMBINACIONES NEGATIVAS

♀
Enfermedades
Peligro de enfermedades graves: vigila la sangre y el sistema linfático

♂
Accidente
Estás arriesgando demasiado. No hay que bromear con la vida

♀♂
Pérdidas
La sed de dinero es mala consejera. No jugar: las estrellas no os son favorables.

Lo mismo si la carta de espadas es un 5 o un 6

IMÁGENES DE OTROS TAROTS

También esta figura *(Les Etoiles)* es bastante similar tanto en el Tarot marsellés como en el de Court de Gebelin y en el de Wirth-Knapp. En todos, una mujer desnuda vierte agua con dos jarras. También el número de las estrellas (7 pequeñas y una grande) es idéntico. En el de Wirth hay una mariposa y una acacia (símbolo masónico).

Tarot de Court de Gebelin

Tarot de Wirth-Knapp

El Tarot de Papus *(L'Etoile)* y el de Rider-Waite *(The Star)* no se diferencian de los otros tarots tradicionales. En el Gran Etteilla hay una figura parecida: es también una mujer desnuda, que echa agua con dos jarras (la carta núm. 4, *Révélation).*

Tarot de Papus

Tarot de Rider-Waite

ARCANO XVIII - LA LUNA

La Luna

Una de las dos torres

Los dos perros

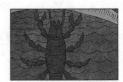
El cangrejo

Nombre

La Luna, el Crepúsculo.

Descripción

La Luna vierte rocío, ilumina pálidamente a dos perros que aúllan. En una charca de agua, espera un gran cangrejo. A lo lejos se vislumbran dos torres. La Luna no deja distinguir los colores y por esto las cosas a veces parecen distintas de la realidad: los amigos se vuelven enemigos, las palabras de afecto se convierten en calumnias, todo parece alterado. Lo que nos ofrece la luz de la Luna suele ser un campo accidentado, donde hay que saber poner los pies con cuidado y donde hay que distinguir las charcas de los pozos profundos. El cangrejo nos recuerda nuestro pasado (el camino de atrás), mientras que los perros son, probablemente, los que custodian nuestro futuro.

Simbolismo

Es la vida cotidiana con todos sus peligros. Enemigos ocultos (Papus). «Perro: servilismo; cangrejo: caída en la materia» (Papus). La gran ilusión. La quimera. Lo contingente, lo relativo. Las dos torres son las columnas de Hércules y los perros, los símbolos de los Trópicos (Court de Gebelin). La carta se podría dividir en tres partes: plano astral o del éter (la Luna), plano terrestre (los perros), plano acuático (el cangrejo). El teatro en que se representa la vida humana.

Referencias históricas e iconográficas

Los perros de Artemisa (o de Hécate), la divina cazadora lunar. Cerbero. Lilith.

Significados generales

Nos amenazan peligros y calumnias. A nuestro alrededor, cosas poco claras, secretas. También son poco agradables los sueños. La luz de la Luna es engañosa, no se divisan eventuales peligros. Es carta favorable a los maleficios y sortilegios de los nigromantes (Del Bello).

Carta derecha

Carta negativa porque oculta posibles engaños. Cuidado. Enemigos ocultos o disfrazados. Reflexiones tardías o malos pensamientos (Del Bello).
☞ Analiza tus sueños.

Carta invertida

Aumentan los aspectos negativos y desfavorables. Lo que parecía inseguro se vuelve abiertamente negativo. Calumnias que encuentran terreno fértil.
✂ Hablan mal de ti. ¿Tienen razón?

Curiosidades y analogías:

Aspectos esotéricos
ALQUIMIA: la exaltación (Del Bello).
ASTROLOGÍA: La Luna en Cáncer; para otros corresponde a Venus en Acuario.
CÁBALA: letras TS (en hebreo *tsade).*
I CHING: analogía con el hexagrama 41, *La Merma*, y el 42, *El Aumento* (Daffi).
MAGIA: sortilegios y baja magia (negra).

Aspectos personales
FAMILIA: traiciones e incomprensiones.
MEDICINA: neurastenia, enfermedades renales, pleuritis, pérdida de energía, también agotamiento que puede conducir a la muerte. Para las mujeres, embarazos difíciles.
PROFESIONES: bailarina, actriz, cantante, prostituta (de apartamento, no callejera).

COMBINACIONES POSITIVAS

La tercera carta puede ser una cualquiera de copas (incluso invertida)

♀♂
Aclaraciones
Hay situaciones poco claras que se van esclareciendo poco a poco.

Para la cábala fonética: las calumnias han desaparecido por sí solas

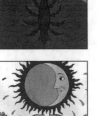 

Si la tercera carta es el 3 de copas: llegada de hijos (también si está invertida)

♀♂
Amor en evidencia
Un amor oculto sale a la luz. La situación sólo es favorable si eres el objeto del amor.

Si se refiere a la pareja: peligro de adulterio

COMBINACIONES NEGATIVAS

♀♂
Viaje peligroso (sobre todo, de noche)
Quien viaja en coche que tenga cuidado con los golpes de sueño.

Si la tercera carta es la Torre: accidente

♀♂
Difamación
Por parte de viejos amigos o conocidos. Tratad de aclarar su amistad. Probablemente, quedaréis desilusionados

IMÁGENES DE OTROS TAROTS

Esta figura *(La Lune)* es similar tanto en el Tarot marsellés como en el de Court de Gebelin y en el de Wirth-Knapp: dos perros aullando a la Luna, entre dos torres. En el agua, en primer plano, un cangrejo.

Tarot de Court de Gebelin

Tarot de Wirth-Knapp

El Tarot de Papus y el de Rider-Waite *(The Moon)* no se diferencian de los otros. En el Gran Etteilla hay una figura bastante parecida (la carta núm. 3, *Discussion).*

Tarot de Papus

Tarot de Rider-Waite

ARCANO XIX - EL SOL

El sol

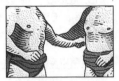

El abrazo

El muchacho de la izquierda

El muchacho de la derecha

Nombre

El Sol, Luz resplandeciente

Descripción

Un Sol radiante ilumina a dos niños medio vestidos en actitud afectuosa, en general un niño y una niña. Al Sol se llega después de un período de tinieblas y de claridad de Luna. Al fin todas nuestras dudas desaparecen con el poder de la luz solar que, por fin, nos ilumina el camino. Ahora todo está claro a nuestro alrededor: los enemigos son fácilmente identificables y también los amigos. Una vez liberados por los rayos del Sol, los hombres encuentran, al fin, el Paraíso en la Tierra y pueden llevar a buen fin todos sus ideales. Es un retorno a la sabiduría original, capaz de vencer la superstición y el fanatismo. Para Wirth, «los jóvenes que se hermanan bajo el Sol se corresponden con Géminis, porque esta constelación del Zodíaco nos da los días más largos».

Simbolismo

Es la felicidad que se deriva del amor y de la tranquilidad. Felicidad material (Papus). Realización. El triunfo del hombre sobre la materia mediante la iluminación divina. Apolo que vence a la serpiente Pitón. La luz primordial, coordinadora del caos (Wirth). «El Sol es su padre; la Luna, su madre; el viento lo ha llevado en su seno, la tierra es su nodriza» *(Mesa Esmeralda)*.

Referencias históricas e iconográficas

El signo astrológico de Géminis. Los Dioscuros (Cástor y Pólux) y Helios.

Significados generales

Bienestar, salud y buen humor hacen la vida tranquila. Existen las premisas para llegar a una boda feliz, también desde el punto de vista sexual. El que actúa a la luz del Sol tendrá la felicidad como premio. Hermandad.

Carta derecha

Es la carta más favorable: lo máximo que se puede desear en una mano de cartas.
☞ Tus proyectos se realizarán.

Carta invertida

Insatisfacción, soledad, ruptura de amores o amistades. Como en un eclipse de sol, todo se pone tenebroso y oscuro. La suerte en contra. Falta de sentido práctico.
✂ Estás ciego.

Curiosidades y analogías

Aspectos esotéricos
ALQUIMIA: la impregnación (Del Bello).
ASTROLOGÍA: Sol en Leo (Muchery); para otros, Júpiter en Piscis; y para otros, Géminis.
CÁBALA: letra Q (en hebreo *kof*).
I CHING: analogía con los hexagramas 30, *Lo Adherente;* el 50, *El Caldero;* y el 14, *La posesión de lo grande,* que tiene por imagen el Sol que brilla alto en el cielo (M. Daffi).
MAGIA: la profecía.

Aspectos personales
FAMILIA: despilfarro (por generosidad). Prodigalidad excesiva.
MEDICINA: enfermedades de los ojos y del corazón.
PROFESIONES: químico, físico, astronauta, técnico eléctrico, falsificador.

COMBINACIONES POSITIVAS

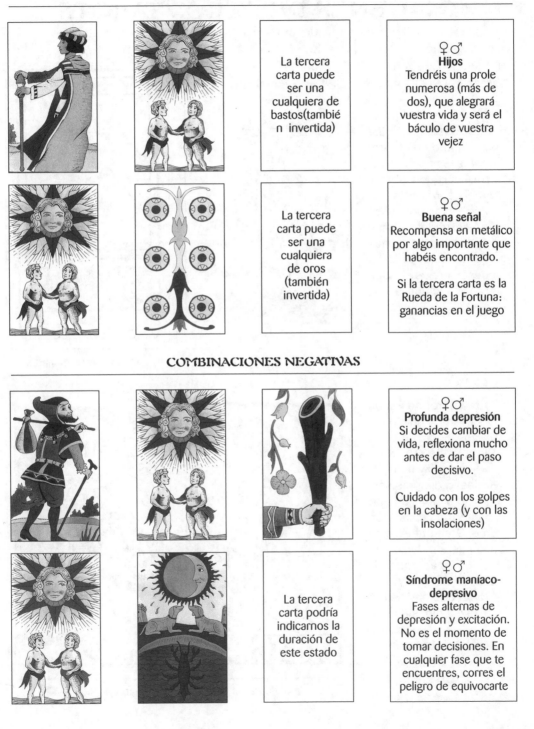

La tercera carta puede ser una cualquiera de bastos(también invertida)

♀♂
Hijos
Tendréis una prole numerosa (más de dos), que alegrará vuestra vida y será el báculo de vuestra vejez

La tercera carta puede ser una cualquiera de oros (también invertida)

♀♂
Buena señal
Recompensa en metálico por algo importante que habéis encontrado.

Si la tercera carta es la Rueda de la Fortuna: ganancias en el juego

COMBINACIONES NEGATIVAS

♀♂
Profunda depresión
Si decides cambiar de vida, reflexiona mucho antes de dar el paso decisivo.

Cuidado con los golpes en la cabeza (y con las insolaciones)

La tercera carta podría indicarnos la duración de este estado

♀♂
Síndrome maníaco-depresivo
Fases alternas de depresión y excitación. No es el momento de tomar decisiones. En cualquier fase que te encuentres, corres el peligro de equivocarte

IMÁGENES DE OTROS TAROTS

Esta figura *(Le Soleil)* es bastante similar tanto en el Tarot marsellés como en el de Court de Gebelin. En el de Wirth-Knapp, los dos niños (asexuados) se han convertido en dos jóvenes de sexo opuesto, el nuevo Adán y la nueva Eva.

Tarot de Court de Gebelin

Tarot de Wirth-Knapp

En el Tarot de Papus se ven de nuevo los dos niños. En el de Rider-Waite *(The Sun)* sólo hay un niño. Rodeado de girasoles, un niño a caballo tiene un enorme estandarte. En el Gran Etteilla, hay una figura parecida (la carta núm. 2, *Eclaircissement);* pero el muro que hay detrás de los niños es una especie de construcción de ladrillos.

Tarot de Papus

Tarot de Rider-Waite

ARCANO XX - EL JUICIO

La trompeta

El ángel

La mujer

Los dos hombres

Nombre

El Juicio, el Ángel, el Juicio final, la Creación, la Tumba, la Resurrección de los muertos.

Descripción

Un ángel, a través de las nubes, anuncia el juicio con la trompeta. A su alrededor, todo es fuego y llamas. De las tumbas (?) salen un hombre, una mujer y un joven. Rezan mientras esperan. El Juicio nos recuerda, por una parte, nuestra condición de mortales, ligados a la tierra; por otra, nuestros lazos espirituales con la divinidad. En el juicio universal los muertos no resucitarán en un «cuerpo de miseria y de carne», sino en un «cuerpo de gloria y espíritu». Así, en la carta del Juicio se nos invita a la resurrección de nuestro espíritu, vivificado por la luz del Sol. El hombre «nuevo» debe quitarse su vieja «vestidura» y abrir los ojos a la nueva vida.

Simbolismo

Es la última posibilidad del hombre para salir de la cárcel de la materia. La mutación. Cambio de posición (Papus). Éxtasis dionisíaco. El reclamo de lo divino. El despertar del sueño de la ignorancia. El ave fénix. La sublimación alquimista. La resurrección de Hiram. El Espíritu Santo (Wirth).

Referencias históricas e iconográficas

El *Apocalipsis* de San Juan. El juicio universal en la iconografía medieval y del Renacimiento.

Significados generales

El entusiasmo del que ya está convaleciente. En esta mejoría hay casi un milagro. Esto también lleva a un despertar de la espiritualidad. Sólo quien escucha la llamada del espíritu puede cambiarse a sí mismo y renacer a una nueva vida. Curación. Apostolado.

Carta derecha

Carta favorable a los limpios de espíritu. Liberación de todos los lazos.
☞ Libérate de tus inhibiciones.

Carta invertida

Las falsas amistades traen desilusiones. Anuncio de un posible divorcio (de un ser querido, de amigos, de parientes...). Exaltación. Pérdida de la realidad.
✂ Te dejará.

Curiosidades y analogías

Aspectos esotéricos

ALQUIMIA: la perfección (Del Bello).

ASTROLOGÍA: Mercurio en Virgo (Muchery); para algunos, Júpiter en Piscis; para otros, sigue bajo Piscis.

CÁBALA: letra R (en hebreo *resh).*

I CHING: analogía con el hexagrama 46, *La Subida,* y con el 40, *La Liberación* (del alma). En sentido negativo, con el 16, *El Entusiasmo,* que da más bien una idea de vibración estacionaria (M. Daffi).

MAGIA: renovación.

Aspectos personales

FAMILIA: revelaciones (positivas o negativas).

MEDICINA: favorece la salud. Si hay enfermedad, significa curación.

PROFESIONES: músico, juez predicador, bailarín, atracador.

COMBINACIONES POSITIVAS

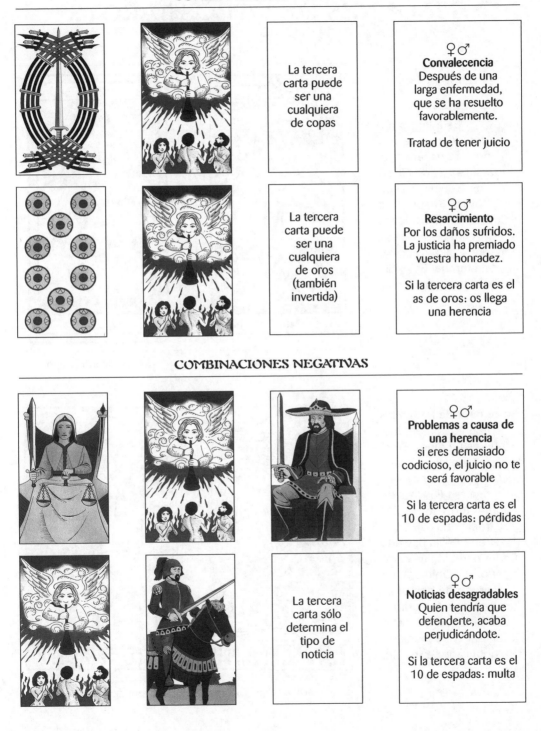

La tercera carta puede ser una cualquiera de copas

♀♂
Convalecencia
Después de una larga enfermedad, que se ha resuelto favorablemente.

Tratad de tener juicio

La tercera carta puede ser una cualquiera de oros (también invertida)

♀♂
Resarcimiento
Por los daños sufridos. La justicia ha premiado vuestra honradez.

Si la tercera carta es el as de oros: os llega una herencia

COMBINACIONES NEGATIVAS

♀♂
Problemas a causa de una herencia
si eres demasiado codicioso, el juicio no te será favorable

Si la tercera carta es el 10 de espadas: pérdidas

La tercera carta sólo determina el tipo de noticia

♀♂
Noticias desagradables
Quien tendría que defenderte, acaba perjudicándote.

Si la tercera carta es el 10 de espadas: multa

IMÁGENES DE OTROS TAROTS

Esta figura *(Le Jugement)* es parecida en los tres tarots, el marsellés, el de Court de Gebelin y el de Wirth-Knapp. Tres figuras humanas (para Wirth, son padre, madre e hijo) salen de una tumba. Es el día del juicio universal.

Tarot de Marsella

Tarot de Wirth-Knapp

En el Tarot de Papus las figuras son enteras (una es un niño). En el de Rider-Waite *(Judgement)* hay seis figuras (las tres en primer término son las tradicionales). En el Gran Etteilla hay una figura parecida (la carta núm. 16, Opinión): un grupo de personas (tres mujeres en primer término) da gracias a un ángel después de un milagro evidente.

Tarot de Papus

Tarot de Rider-Waite

ARCANO XXI - EL MUNDO

El ángel

El toro

El águila

El león

Nombre

El Mundo, el Tiempo, el Universo, el Paraíso, la Corona de los magos.

Descripción

Una mujer semidesnuda (el velo le cubre el sexo) en el centro de una corona ovalada. En las cuatro esquinas de la carta, los símbolos de los cuatro evangelistas (el Ángel, Mateo; el Águila, Marcos, el Toro; Lucas; el León, Juan). Papus piensa que esta carta debe ser numerada como 22 y no como 21. En su puesto coloca al Loco (como Eliphas Levi). Algunos consideran al óvalo símbolo del órgano femenino (en griego *cteis* significa peine o vagina). En muchos tarots la muchacha maneja una o dos varitas mágicas, que E. Levi relaciona con la «acción magnética alternada en su polarización». Pero nos parece una interpretación muy ocultista, lejana de las imágenes primitivas de esta carta.

Simbolismo

Es el logro de todos los proyectos. La síntesis última. El éxito. Éxito asegurado (Papus). La acción magnética del Cosmos (Eliphas Levi). El reino de Dios. Templo ideal acabado. Amor por la humanidad. Démeter. Ciencia integral.

Referencias históricas e iconográficas

Venus en la concha. La Virgen en una aureola en forma de guirnalda (iconografía medieval).

Significados generales

Fortuna, integridad, lealtad, seguridad, perfección, vida eterna. Sólo quien posee todas las virtudes puede llegar a la meta: se hace «mundo», es decir, puro (*mundus*).

Carta derecha

Junto con el Sol, es la carta más favorable. Éxito total en cualquier cosa que se haga.
☞ Ahora puedes hacer todo lo que quieras.

Carta invertida

Quiebra, obstáculos, imperfección, deslealtad, infierno. Lo que era puro (mundo), se vuelve inmundo. Ambiente hostil (Del Bello). Obstáculos insalvables.
✂ Estás perdiendo todo lo que tienes (o has conquistado).

Curiosidades y analogías

Aspectos esotéricos
ALQUIMIA: la proyección (Del Bello).
ASTROLOGÍA: Sol (Muchery); para otros, está bajo Tauro.
CÁBALA: letra T (en hebreo, *tau*).
I CHING: en sentido positivo, analogía con el hexagrama 27, *El Alimento*. En sentido negativo, con el 13, *La Comunidad de los hombres,* que habla de reuniones clandestinas, de dificultades para reunirse, para atacar... y, por lo tanto, también derrota en una acción demasiado al descubierto, llevada sin cumplir las reglas de la prudencia (M. Daffi).
MAGIA: la sabiduría suprema y la adquisición de todos los poderes.

Aspectos personales
FAMILIA: larga vida y felicidad de todos los parientes (así como de los amigos).
MEDICINA: salud conseguida, por fin. Bienestar y tranquilidad.
PROFESIONES: actriz, modelo, atleta, actriz porno.

COMBINACIONES POSITIVAS

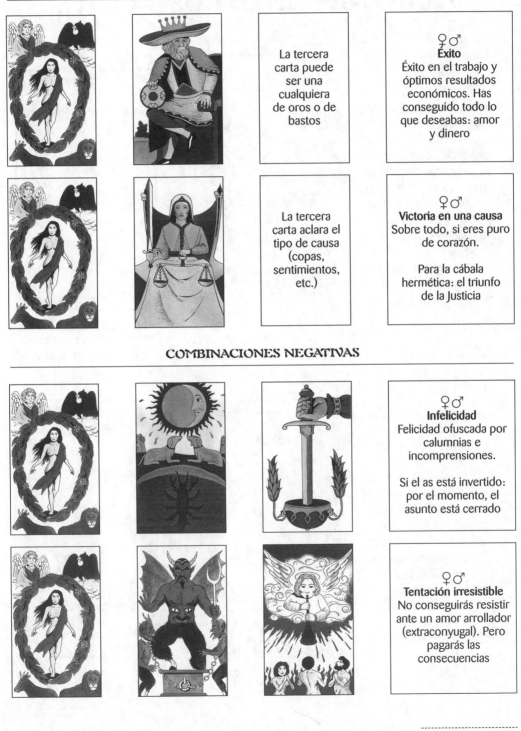

La tercera carta puede ser una cualquiera de oros o de bastos

♀♂
Éxito
Éxito en el trabajo y óptimos resultados económicos. Has conseguido todo lo que deseabas: amor y dinero

La tercera carta aclara el tipo de causa (copas, sentimientos, etc.)

♀♂
Victoria en una causa
Sobre todo, si eres puro de corazón.

Para la cábala hermética: el triunfo de la Justicia

COMBINACIONES NEGATIVAS

♀♂
Infelicidad
Felicidad ofuscada por calumnias e incomprensiones.

Si el as está invertido: por el momento, el asunto está cerrado

♀♂
Tentación irresistible
No conseguirás resistir ante un amor arrollador (extraconyugal). Pero pagarás las consecuencias

IMÁGENES DE OTROS TAROTS

También esta figura *(Le Monde)* es parecida tanto en el tarot marsellés como en el de Court de Gebelin y en el de Wirth-Knapp (en este último, la corona no es ovalada, sino casi redonda y las dos varitas mágicas están sostenidas en una sola mano).

Tarot de Court de Gebelin

Tarot de Wirth-Knapp

En el Tarot de Papus, la corona se ha transformado en una serpiente que se muerde la cola *(Ouroboros)*. El de Rider-Waite *(The World)* sigue la estela de la tradición. En el Gran Etteilla hay una figura parecida (la carta núm. 5, *Voyage):* la mujer está metida en un *Ouroboros* perfectamente circular.

Tarot de Papus

Tarot de Rider-Waite

ARCANO 0 - EL LOCO

El zurrón

La capucha

El perro que muerde

El bastón

Nombre

El Loco, el Demente, el Mísero, el Cocodrilo.

Descripción

Un vagabundo (¿un juglar?) recorre impasible su camino, sin hacer caso de un perro que le ataca. Lleva un modesto zurrón y un bastón. La hipótesis ocultista (tomada
también de Waite) que hace del Loco un sabio-loco-iluminado no guarda relación con
las cartas primitivas. Esta carta, efectivamente, está representada en los tarots renacentistas por un «demente», del que se burlan un grupo de chiquillos. En este caso
parece más apropiada la interpretación de Wirth: «inconsciente e irresponsable, va
por la vida como un abúlico que no sabe adónde va y se deja llevar por impulsos irra-
cionales». No es dueño de sí, está como poseído, casi un obseso (término medieval
que indicaba a los que estaban «poseídos» —*obsesos*— por el demonio).

Simbolismo

Es la parte irracional del hombre, que puede llevarle tanto al bien como al mal. El Caos, la Locura (Papus). El abismo sin fondo. El loco de Dios. Dionisos. Ouroboros (la serpiente que se muerde la cola). Analogía con el peón del ajedrez (sólo puede moverse hacia delante, dejándose todo detrás, a la conquista de una identidad perdida).

Referencias históricas e iconográficas

Analogía con los *Clérigos errantes* del medievo. Los cínicos griegos.

Significados generales

Ineptitud para gobernarse a sí mismo (Wirth). También lo imprevisible y la extravagancia, características del entusiasmo juvenil. Seguramente hay impulsividad pero también síntomas evidentes de «genio». Puede indicar tanto la aventura como la acción irresponsable. Mediocridad, pero también astucia. Vejez, pero también locura inspirada.

Carta derecha

Carta doble: genio y locura. Sin embargo, muchos la consideran sólo negativa.
☞ Sigue la voz de tu corazón.

Carta invertida

Falta de responsabilidad, inmadurez, exhibicionismo, nulidad, esclavitud, sumisión, pérdida del libre albedrío (Wirth), resignación nociva (Del Bello).
✂ No consigues vencer tu miedo.

Curiosidades y analogías

Aspectos esotéricos
ALQUIMIA: la multiplicación (Del Bello).
ASTROLOGÍA: para algunos, está bajo Escorpión; para otros es el Sol en Piscis; para Muchery, bajo la Luna.
CÁBALA: letra S (en hebreo, *shin*).
I CHING: analogía con el hexagrama 56, *El Caminante,* y sus vicisitudes (M. Daffi).
MAGIA: subconsciente (Del Bello).

Aspectos personales
FAMILIA: negado para una vida familiar.
MEDICINA: los desarreglos sexuales pueden causar algunos trastornos. Para las mujeres, posibilidad de aborto.
PROFESIONES: pintor, poeta, aviador, alpinista, mendigo.

COMBINACIONES POSITIVAS

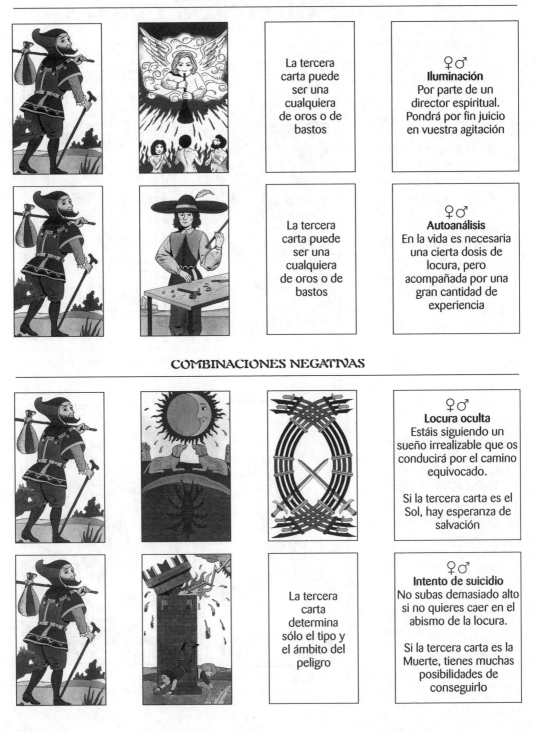

La tercera carta puede ser una cualquiera de oros o de bastos

♀♂
Iluminación
Por parte de un director espiritual. Pondrá por fin juicio en vuestra agitación

La tercera carta puede ser una cualquiera de oros o de bastos

♀♂
Autoanálisis
En la vida es necesaria una cierta dosis de locura, pero acompañada por una gran cantidad de experiencia

COMBINACIONES NEGATIVAS

♀♂
Locura oculta
Estáis siguiendo un sueño irrealizable que os conducirá por el camino equivocado.

Si la tercera carta es el Sol, hay esperanza de salvación

La tercera carta determina sólo el tipo y el ámbito del peligro

♀♂
Intento de suicidio
No subas demasiado alto si no quieres caer en el abismo de la locura.

Si la tercera carta es la Muerte, tienes muchas posibilidades de conseguirlo

IMÁGENES DE OTROS TAROTS

Esta figura *(Le Mat)* es bastante similar tanto en el Tarot marsellés como en el de Court de Gebelin y en el de Wirth-Knapp *(Le Fou)*. En este último, el animal que ataca no es un perro ni un gato, sino un lince blanco. Además, el rostro refleja más la locura.

Tarot de Marsella

Tarot de Wirth-Knapp

En el Tarot de Papus, el perro muerde el bastón. En el de Rider-Waite *(The Fool)*, han desaparecido las huellas evidentes de la locura y aparece claramente en la sublime duplicidad de loco y de iluminado. En el Gran Etteilla hay una figura parecida (la carta núm. 78, *Folie).*

Tarot de Papus

Tarot de Rider-Waite

ARCANOS MENORES SEGÚN LA TRADICIÓN

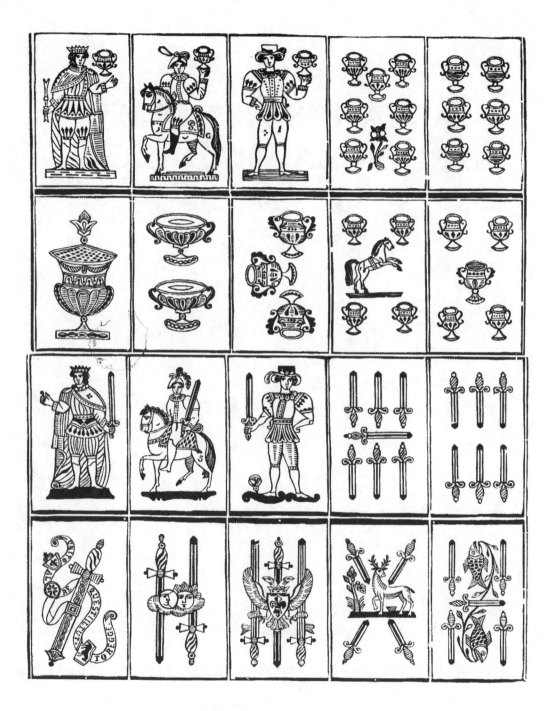

Baraja napolitana del siglo XVIII.

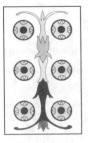

Guía de los arcanos menores

A) Los palos

Los arcanos menores (56 cartas) se dividen en cuatro palos de 14 cartas cada uno. Los palos son:

BASTOS　　　　COPAS　　　　ESPADAS　　　　OROS

Las cartas de cada palo son:

Rey　Reina　Caballero　Sota　Diez　Nueve
Ocho　Siete　Seis　Cinco　Cuatro　Tres　Dos　As

El palo de BASTOS —que corresponde al palo de tréboles en las cartas francesas modernas— representa en general la iniciativa, tanto desde el punto de vista de la invención como de la energía verdadera. Casi siempre indica progreso, desarrollo, dinamismo. Es el palo propio de los trabajadores y de los operarios (con la madera se construye, se apuntala). Hasta se ha hecho la hipótesis de que el término inglés *maçons* (albañiles) deriva precisamente de la palabra *masue* (mazo, porra). También la palabra *club* (círculo de personas) se dice que se deriva del inglés *club* (palo, mazo).

Simbólicamente, el basto es la fuerza que defiende (en sentido pasivo), que ataca (en sentido activo), sobre el que uno se puede apoyar (el apoyo), es el árbol que crece, el falo, la materia que arde (la madera). Se le ha atribuido el símbolo del fuego (el fuego que asciende) y, por otra parte, los bastones están hechos de madera. Los bastos sugieren, efectivamente, tanto todo lo que puede hacerse de madera (arma o apoyo), como lo que crece naturalmente de madera (árboles y arbustos) y lo que por analogía puede parecerse a la estructura de un basto (el órgano masculino de la procreación). Efectivamente, algunos han hecho de él el emblema de la potencia generadora masculina y, por lo tanto, lo identifican con la figura del padre. Otros, por último, lo acercan al bastón de augurio o a la varita mágica (Papus). Por lo que se refiere a la iconografía, los bastos italianos son cetros rectos, mientras que los españoles son clavas con nudos.

El análisis de la carta invertida puede proporcionar deducciones interesantes: en general, se presenta con matices negativos. En efecto, si falta el apoyo, se puede caer; del mismo modo, si se derrumban las defensas, es posible ser atacados y, en fin, es posible ser obstaculizados (por ejemplo, en Italia hay un dicho que, traducido sería «poner el bastón entre las ruedas»).

El palo de COPAS (correspondiente al de Corazones) representa generalmente el amor y la alegría y por eso indica pasiones y sentimientos. Es el palo propio de las personas humanitarias. Simbólicamente, la copa es un contenedor de líquidos vitales, es el útero, la fuente de la vida, la fertilidad, los recuerdos, la memoria.

Se les atribuye el símbolo del agua. Las copas sugieren, efectivamente recipientes de líquidos y, por lo tanto, el órgano femenino de la reproducción o el

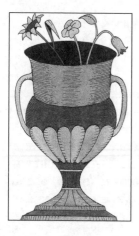

seno (las mamas) y recuerdan la figura de la madre. Para Papus es la copa adivinatoria, la receptividad femenina, intelectual o física.

Pueden ser interesantes las comparaciones entre los distintos modos de usar una copa y los correspondientes significados de la carta. En efecto, si se levanta, puede ser para brindar o para bendecir (en la Misa) y es, generalmente, de buen auspicio o favorable. Se escancia para beber, lo que puede ser positivo; pero puede volverse negativo cuando se escancian demasiadas copas (es decir, cuando uno se emborracha). Además, la copa también puede ser invertida por equivocación (por mala suerte) o voluntariamente (por ira) o tener fisuras (por una pérdida). Así como se puede tirar si está vacía o si no se quiere llenar. Todos estos aspectos corresponden, analógicamente, a situaciones adivinatorias que se dan en el propio juego. También son curiosas las consideraciones que pueden resultar de la carta invertida. Una copa invertida sugiere gráficamente una especie de tapadera; por lo tanto, algo que se cubre y que, por consiguiente, queda sin luz. La oscuridad, para terminar, puede hacer surgir temores y miedos. Y he aquí, explicados, los posibles significados de la carta invertida.

El palo de ESPADAS (correspondiente al de Picas) representa, en general, la autoridad, el valor, la agresión, la ambición. Es el palo correspondiente a los jefes y los guerreros. Simboliza todas aquellas actividades que presuponen arrojo, sea positivo o negativo, y que, por lo tanto, también pueden ser portadores de mala suerte y ruina.

Se les atribuye el símbolo del aire (una cuña que quiere salir); por algo la espada da vueltas en el aire.

La espada sugiere arma, metal, potencia, valor, pero también traición. Para Papus es la espada del evocador (recuerda una cruz), la unión fecunda de dos principios masculinos y femeninos, la cooperación de los contrarios. Por lo que se refiere a la iconografía, las espadas italianas son parecidas a hojas de cimitarra, las españolas son rectas, cortas y nunca se cruzan. La espada es un arma ofensiva, ancha, larga, con dos filos y bien puntiaguda. De manera que representa simbólicamente tanto lo que sirve para defender como lo que sirve para atacar (la espada levantada). Muchas espadas pueden ser una ayuda, pero también una jaula. La espada invertida indica un arma depuesta (por victoria o por derrota); clavada en la tierra recuerda también una cruz y, tras una batalla, un cementerio. Precisamente porque las espadas son portadoras de muerte, se derivan de ella, por analogía, los significados negativos en la interpretación de las cartas en algunas secuencias. Sin embargo, hay que evitar el considerar las cartas de espadas en bloque como negativas o desfavorables; en realidad, como ya hemos dicho muchas veces, ninguna carta es positiva ni negativa en términos absolutos.

El palo de OROS (corresponde al de Diamantes), generalmente representa cosas materiales y económicas, todo aquello que se manifiesta en forma de dinero, ganancias, negocios. Es el palo propio de los mercaderes y de los comerciantes. Representa todo aquello que es concreto y material, lo que satisface, lo que se echa de menos (carta invertida). Se le atribuye el símbolo de la Tierra (una cuña hincada en la tierra). El dinero recuerda los metales (de los que está hecho), el Sol, la perfección, el escudo, el oro, la rueda de la fortuna, el círculo, lo que se compra y puede ser comprado, la potencia, pero también la traición. Puesto que con el dinero se

puede comprar cualquier cosa, el palo incluye el sentido de la corrupción. Además, como en las copas, existe una analogía con el órgano genital femenino. Para Papus los oros representan el disco del talismán, la materia que condensa las acciones espirituales, la síntesis que conduce la trinidad a la unidad (trinidad = tres unidades). Los oros se representan a sí mismos simbólicamente, sin que por otra parte tengan el problema de presentarse, como los otros palos, invertidos. En realidad, el sentido negativo no procede necesariamente del hecho de estar invertida la carta sino del modo en que se utiliza; y el sentido positivo o negativo de la carta está determinado, no sólo por el modo en que se presenta en la secuencia, sino también por la intención del consultante o de la persona a la que se refiere la consulta.

Esta ilustración siempre se ha relacionado con la adivinación,
pero no todos están de acuerdo en esta interpretación.

B) Las figuras (las cartas de Corte)

Las figuras están representadas en orden decreciente de importancia.

| REY | REINA | CABALLERO | SOTA |

Se ha seguido el mismo esquema que en los arcanos mayores, simplificando y aligerando la parte relacionada con las curiosidades y analogías. Tampoco hemos considerado la necesidad de mostrar ejemplos ilustrados de otras barajas; en este caso son inútiles, ya que son prácticamente idénticas.

Las figuras representan generalmente personas físicas, pero no son completamente absurdas las posibles referencias a tipos o personajes ideales.

El REY es, en general, el padre, el señor, el amo, el anciano.

La REINA, la madre, la señora de la casa.

El CABALLERO es el que defiende la propiedad y el honor del Rey y de la Reina.

La SOTA es el hijo, el siervo, el empleado, el joven.

C) Las cartas numerales

Las cartas numerales se exponen en orden decreciente del as al diez (aunque no siguen el orden de importancia como debería ser: as, diez, nueve, ocho, siete, seis, cinco, cuatro, tres, dos).

Se ha seguido el mismo esquema simplificado de las figuras. También éstas son idénticas a las cartas corrientes. Generalmente representan situaciones.

Los ases son el símbolo de «lo que genera» una determinada situación que el palo aclara; son el punto de partida de lo que se estabiliza (en sentido positivo o negativo) en la carta número diez. El diez simboliza, efectivamente, «lo que se ha estabilizado» para bien o para mal; por lo tanto, representa la casa, el trabajo, el comercio, la familia, la patria, el amor y la amistad consolidados, pero también (en sentido negativo) el cementerio, el más allá, la paz eterna.

Notas de cábala fonética

Quien quiera aprovechar las técnicas propias de la cábala fonética puede utilizar las siguientes etimologías e indicaciones. Recordemos, sin embargo, que las etimologías siguen las modernas reglas lingüísticas: las palabras se aproximan a veces por asonancia, según los dictados de la Cábala hermética. Aunque muchas indicaciones son lingüísticamente correctas, no hay que verlas en su aspecto gramatical, sino en el de la imaginación creativa.

El basto (de la raíz *bast* —que significa sostener, llevar), en latín es *baculum* (en el bajo latín *bastum* = palo). En griego encontramos *baktron* (v. *bao*, andar, me apoyo para caminar) y *bastazein* (sostener). En francés, *bâton*. Son curiosas las analogías de sonido y de significado: basto (yugo), batacazo (porrazo, golpe), batalla (pelea), báculo (palo), ballesta (dardo, virote), bastón (palo), basto (burdo, rústico, chabacano), batir (pegar), bastardo (mestizo), bastión (de una ciudad fortificada), empalizada (muchos palos o bastones, en un fuerte).

La copa (del latín *cupa o cuppa*, cuba o taza) deriva quizá del sánscrito *kupas* que indica cavidad. También en griego encontramos el verbo *kypto*, me curvo, y el término *kymbos*, vasija cóncava. Por analogías de sonido y significado: concubina, cubo, cúpula, cubierta, codo, copular, copulativo (término gramatical), copioso (abundancia), cornucopia, copia (remedo), copar (capturar), copete (colmo, cima, altanería).

La espada (del latín *spatha)* quizá se deriva de la raíz sánscrita *spha,* que indica extensión, espacio. En francés encontramos *epée;* en italiano, *spada.* Por analogía de sonido y/o significado: espadachín, espina, áspid (serpiente), espolón, espalda (dorso), espaldar, espetón, espetar.

La palabra oros viene del latín *aurus.* En las cartas italianas los oros son los *denari,* del latín *denarius,* un tipo de moneda romana. En francés se dice *denier* y en español dinero. Analogías de sonido o significado: oro, ornar, ornato, orondo (hinchado, esponjado), oropel (relumbrón), orografía (montañas), oriente, orientar, orientación.

Por lo que se refiere a las figuras:

Rey (del latín *rex,* el que gobierna); en francés, *roi;* en italiano *re.*

Reina, la mujer o la viuda del rey; Reina del Cielo = María; en el ajedrez, la pieza más importante, después del rey.

Caballero, en francés *chevalier,* el que cabalga; en italiano *cavalliere;* en el ajedrez, se mueve en diagonal.

As (*as,* moneda romana; en latín *aes;* por analogía, ver en latín *axis,* eje en torno al que gira algo; (en sánscrito, *aksha,* rueda, carro).

❖ REY DE BASTOS ❖

Nombre: Rey de Bastos.

Descripción: un rey sentado en el trono, serio y respetable. En la mano derecha sostiene el símbolo de su palo, pero en posición de reposo. Recuerda al Emperador.

Simbolismo: es el poder adquirido con el trabajo y la actividad. Inteligencia.

Significados generales: persona inteligente y cortés. Es un hombre maduro. Ha tenido suerte y éxito en todas sus actividades y, por lo tanto, tiene mucha experiencia. Es el que ha prosperado por méritos propios.

Carta derecha: es carta positiva (sobre todo para el trabajo).

Carta invertida: representa a un hombre rígido y severo, demasiado dogmático, un déspota, un jefe de oficina meticuloso, una persona poco fiable en general.

Curiosidades y analogías: en general, la carta es positiva para el comercio, los inventos, el estudio y, sobre todo, para el arte. Anuncio de posible mal de amores. El marido. El rival. Un embustero. Hombre de campo (Papus).

COMBINACIONES POSITIVAS

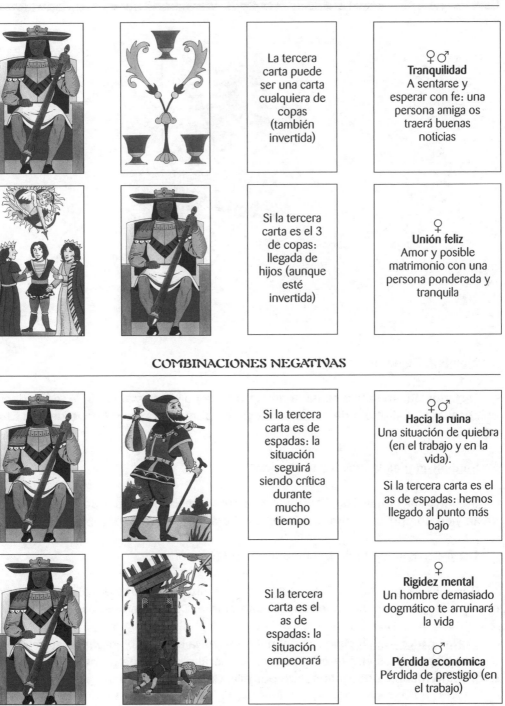

La tercera carta puede ser una carta cualquiera de copas (también invertida)

♀♂
Tranquilidad
A sentarse y esperar con fe: una persona amiga os traerá buenas noticias

Si la tercera carta es el 3 de copas: llegada de hijos (aunque esté invertida)

♀
Unión feliz
Amor y posible matrimonio con una persona ponderada y tranquila

COMBINACIONES NEGATIVAS

Si la tercera carta es de espadas: la situación seguirá siendo crítica durante mucho tiempo

♀♂
Hacia la ruina
Una situación de quiebra (en el trabajo y en la vida).

Si la tercera carta es el as de espadas: hemos llegado al punto más bajo

Si la tercera carta es el as de espadas: la situación empeorará

♀
Rigidez mental
Un hombre demasiado dogmático te arruinará la vida

♂
Pérdida económica
Pérdida de prestigio (en el trabajo)

REINA DE BASTOS

Nombre: Reina de bastos.

Descripción: una reina sentada en el trono, seria y respetable. En la mano derecha sostiene el símbolo de su palo, apoyado sobre el hombro. Recuerda a la Emperatriz.

Simbolismo: es la amistad que se da.

Significados generales: una mujer madura, amable, fiable y comprensiva. Es casta y se comporta siempre con honor. Será, por lo tanto, una buena esposa.

Carta derecha: carta de buen augurio. Buenos consejos.

Carta invertida: mujer infiel, celosa, siempre dispuesta a hacer cálculos, incluso en aquello que le es más querido. Amiga traidora. Compañera celosa.

Curiosidades y analogías: es una mujer instintiva que también puede ser muy independiente, pero siempre con cerebro. Generalmente, tiene un marido impotente o, por lo menos, poco interesado por ella. Campesina (Papus).

COMBINACIONES POSITIVAS

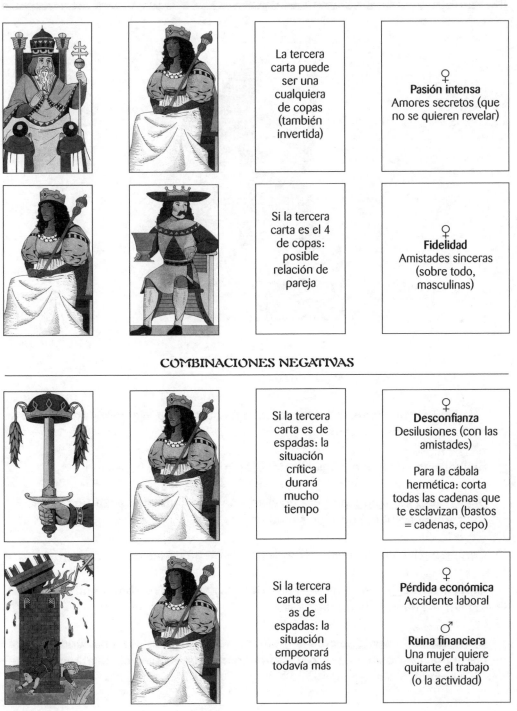

La tercera carta puede ser una cualquiera de copas (también invertida)

♀
Pasión intensa
Amores secretos (que no se quieren revelar)

Si la tercera carta es el 4 de copas: posible relación de pareja

♀
Fidelidad
Amistades sinceras (sobre todo, masculinas)

COMBINACIONES NEGATIVAS

Si la tercera carta es de espadas: la situación crítica durará mucho tiempo

♀
Desconfianza
Desilusiones (con las amistades)

Para la cábala hermética: corta todas las cadenas que te esclavizan (bastos = cadenas, cepo)

Si la tercera carta es el as de espadas: la situación empeorará todavía más

♀
Pérdida económica
Accidente laboral

♂
Ruina financiera
Una mujer quiere quitarte el trabajo (o la actividad)

⋙ CABALLERO DE BASTOS ⋙

Nombre: Caballo o caballero de bastos.

Descripción: un jinete sobre su corcel. En la izquierda, blande el símbolo de su palo, como un arma. Recuerda al Carro.

Simbolismo: es el conocimiento del propio valor. Indica transición.

Significados generales: anuncia un viaje, una salida, una mudanza, un cambio imprevisto. Es un hombre superior, sin miedo.

Carta derecha: carta positiva. En general, protege de las cartas negativas.

Carta invertida: anuncia un desacuerdo, una separación. Hombre que da miedo. Puede ser el anuncio de un despido.

Curiosidades y analogías: es el hombre adulto que ejerce una función puramente activa. Un posible novio o un admirador. Artistas. Actores célebres. Inventores. Financieros. Viaje (Papus).

COMBINACIONES POSITIVAS

La tercera carta puede ser una cualquiera de oros (incluso invertida)

♀♂
Esperanzas realizadas
Buenas noticias
(¿dinero que llega?)

Si la tercera carta es el 6 de copas: unión estable

♀
Llega un amor
Un hombre sexualmente atractivo te proporcionará sensaciones inolvidables.

Para la cábala fonética:
en amor, vas a caballo

COMBINACIONES NEGATIVAS

Si la tercera carta es el diez de espadas: hospital

♀♂
Mala suerte
Recibiréis noticias de hechos desagradables
(¿una caída?)

Si la tercera carta es la Luna: calumnias y maledicencia

♀
Malas noticias
Es un momento muy negativo

♂
Disgustos
Hubiera sido mejor no saber nada

❧ SOTA DE BASTOS ❧

Nombre: Sota de bastos.

Descripción: un joven paje en actitud respetuosa apoya el basto en el suelo.

Simbolismo: es la juventud que espera madurar. Primeros estudios.

Significados generales: un amigo de confianza, un colaborador, un hijo. Indica una situación concreta que depende de una principal.

Carta derecha: carta positiva (pero que puede mejorar aún más). Es una carta de apoyo, aunque no sea fundamental.

Carta invertida: persona perjudicial, poco fiable, falaz. Ladrón.

Curiosidades y analogías: es el joven que respeta la jerarquía y está en espera de ocupar su puesto en la vida. Un sirviente, un administrador, un empleado. Extranjero (Papus).

COMBINACIONES POSITIVAS

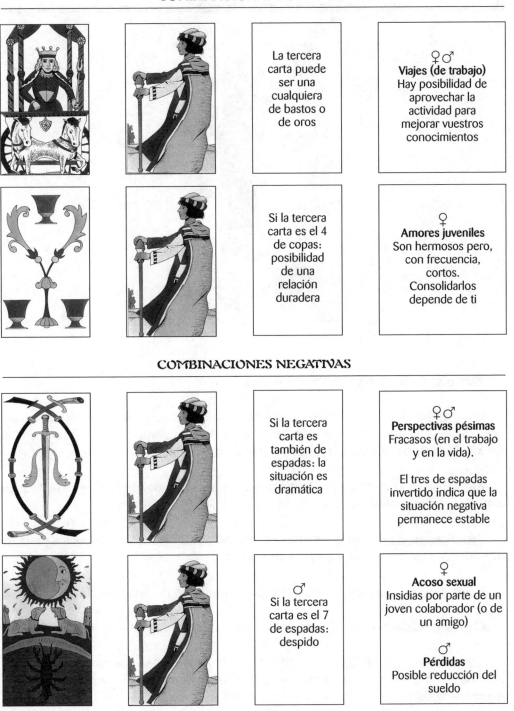

La tercera carta puede ser una cualquiera de bastos o de oros

♀♂
Viajes (de trabajo)
Hay posibilidad de aprovechar la actividad para mejorar vuestros conocimientos

Si la tercera carta es el 4 de copas: posibilidad de una relación duradera

♀
Amores juveniles
Son hermosos pero, con frecuencia, cortos. Consolidarlos depende de ti

COMBINACIONES NEGATIVAS

Si la tercera carta es también de espadas: la situación es dramática

♀♂
Perspectivas pésimas
Fracasos (en el trabajo y en la vida).

El tres de espadas invertido indica que la situación negativa permanece estable

♂
Si la tercera carta es el 7 de espadas: despido

♀
Acoso sexual
Insidias por parte de un joven colaborador (o de un amigo)

♂
Pérdidas
Posible reducción del sueldo

Nombre: As de bastos, brazo de fuerza.

Descripción: una mano empuña un palo grueso y nudoso. Caen desde arriba flores y hojas. La mano da una idea de acción y de cumplimiento de la voluntad (Del Bello). Es el Uno inmutable del que se deriva lo múltiple.

Simbolismo: la unidad es el principio de la acción y del poder. La fertilidad. Es evidente el símbolo fálico. El culto de Príapo. La verga de Arión.

Significados generales: creación, germinación, nuevas ideas, beneficios, correspondencia, mando, poder. Es señal de acción.

Carta derecha: carta de acontecimiento. Comienzo de una historia.

Carta invertida: errores, metas no alcanzadas, decadencia, ocaso.

Curiosidades y analogías: carta desfavorable a las uniones sentimentales. Amor racional. Impotencia (sobre todo, sexual). Carta de negocios, decreto ley. Nacimiento (Papus).

COMBINACIONES POSITIVAS

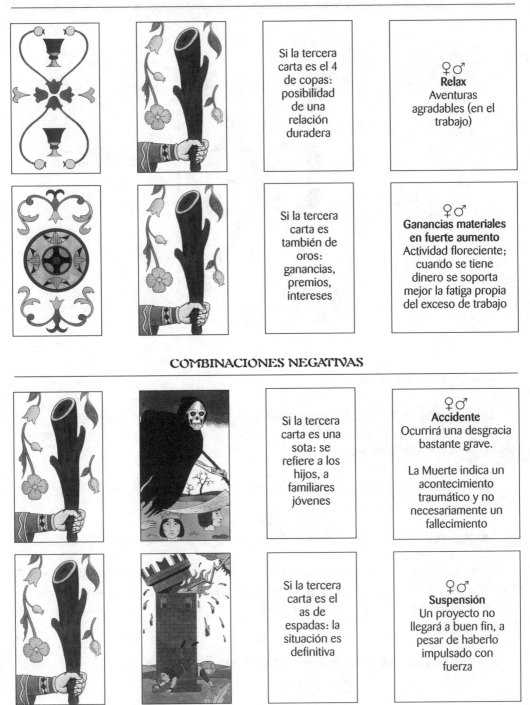

Si la tercera carta es el 4 de copas: posibilidad de una relación duradera

♀♂
Relax
Aventuras agradables (en el trabajo)

Si la tercera carta es también de oros: ganancias, premios, intereses

♀♂
Ganancias materiales en fuerte aumento
Actividad floreciente; cuando se tiene dinero se soporta mejor la fatiga propia del exceso de trabajo

COMBINACIONES NEGATIVAS

Si la tercera carta es una sota: se refiere a los hijos, a familiares jóvenes

♀♂
Accidente
Ocurrirá una desgracia bastante grave.

La Muerte indica un acontecimiento traumático y no necesariamente un fallecimiento

Si la tercera carta es el as de espadas: la situación es definitiva

♀♂
Suspensión
Un proyecto no llegará a buen fin, a pesar de haberlo impulsado con fuerza

✣ DOS DE BASTOS ✣

Nombre: Dos de bastos.

Simbolismo: la unión de dos fuerzas activas y complementarias frente a una meta elevada. Es el número de la pareja. Los dos bastos en aspa parecen excluir de la alianza a todos los demás.

Significados generales: colaboración, pureza, sociedad, alianza, pero también dudas.

Carta derecha: carta de doble significación. Ver las otras.

Carta invertida: desacuerdo, rivalidad, remordimientos, divorcio, obstáculos. El rechazo de un proyecto de trabajo. Pero algunos creen que la situación tiene aspectos positivos y que los dos bastos invertidos se convierten en una especie de liberación.

Curiosidades y analogías: socios de negocios. Pesar (Papus).

COMBINACIONES POSITIVAS

| | | Si la tercera carta es el as de oros: ayuda económica | ♂ **Serenidad** Amistad (desinteresada) con una mujer adinerada |
| | | Si la tercera carta es el as de oros: ayuda económica | ♀ **Serenidad** Amistad (desinteresada) con un joven adinerado |

COMBINACIONES NEGATIVAS

| | | Si la tercera carta es de espadas: consecuencias enojosas | ♀♂ **Miedo (real o inconsciente)** Inseguridad en el trabajo o en la profesión |
| | | Si la tercera carta es el as de espadas: ruptura segura | ♀♂ **Calumnias** Los cotilleos podrían arruinar una profunda amistad |

TRES DE BASTOS

Nombre: Tres de bastos.

Simbolismo: se han superado los obstáculos. Es señal de realización. El tercer basto parece reforzar más a la pareja cruzada.

Significados generales: ingenio, esmero, fecundidad de ideas en el trabajo, buenos negocios, innovaciones.

Carta derecha: carta positiva y favorable (aunque invite a la reflexión). Es posible realizar con beneficios cualquier actividad, pero con sensatez.

Carta invertida: engaños, desconfianzas, dudas intensas. Otros piensan que es una situación favorable, o sea, el cese de una situación negativa.

Curiosidades y analogías: amistades y relaciones. Empresa (Papus).

COMBINACIONES POSITIVAS

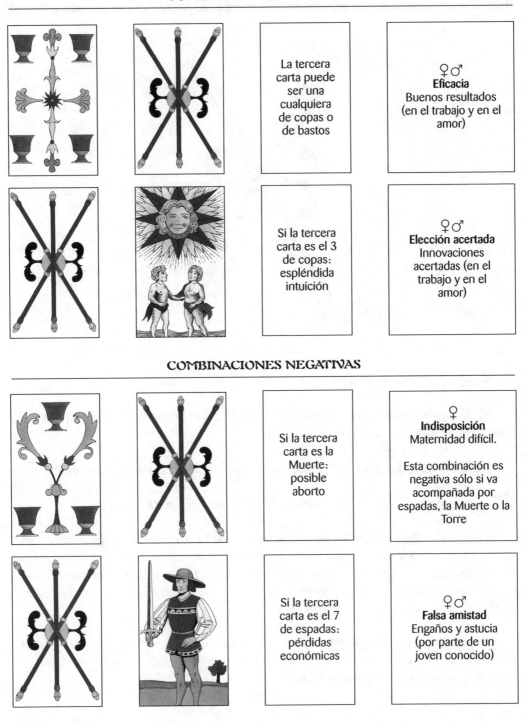

La tercera carta puede ser una cualquiera de copas o de bastos

♀♂
Eficacia
Buenos resultados (en el trabajo y en el amor)

Si la tercera carta es el 3 de copas: espléndida intuición

♀♂
Elección acertada
Innovaciones acertadas (en el trabajo y en el amor)

COMBINACIONES NEGATIVAS

Si la tercera carta es la Muerte: posible aborto

♀
Indisposición
Maternidad difícil.

Esta combinación es negativa sólo si va acompañada por espadas, la Muerte o la Torre

Si la tercera carta es el 7 de espadas: pérdidas económicas

♀♂
Falsa amistad
Engaños y astucia (por parte de un joven conocido)

❧ CUATRO DE BASTOS ❧

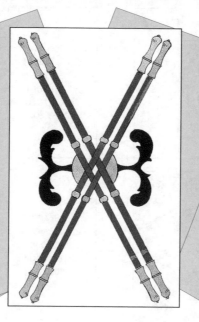

Nombre: Cuatro de bastos.

Simbolismo: realización de obras de ingenio. Es el número del cuadrado. Indica solidez y estabilidad. La mesa. El banquete.

Significados generales: negocios, prosperidad, éxitos, armonía, descanso.

Carta derecha: carta de estabilidad, para el trabajo y para la familia.

Carta invertida: hay que analizar dos aspectos: uno, psicológico y moral; el otro, físico. Según el primero, la carta cabeza abajo indica preocupación e inseguridad. Es lo opuesto a la idea de estabilidad. En el segundo, la carta no ha cambiado ni de forma ni de solidez y, por lo tanto, seguiría siendo positiva. Con cartas negativas, vuelve a tomar su aspecto desfavorable.

Curiosidades y analogías: Del Bello la considera poco favorable sentimentalmente, al ser carta de asociación más que de unión. Incita a invertir en bienes inmuebles y terrenos. Compañía (Papus).

COMBINACIONES POSITIVAS

La tercera carta puede ser una cualquiera de bastos

♀♂
Ayuda inesperada
La seriedad en el trabajo será premiada

Si la tercera carta es el 4 de copas: serenidad total

♀♂
Buenos negocios
La capacidad y la eficacia darán buenos resultados en todo lo que estés haciendo

COMBINACIONES NEGATIVAS

Si la tercera carta es el as de espadas: la amenaza es real

♀♂
Peligros
Amenaza de un poderoso (de cualquier forma, de una persona a la que teméis)

Si la tercera carta es el as de espadas: la amenaza es real

♀♂
Peligro
Amenaza de una mujer (muy agresiva)

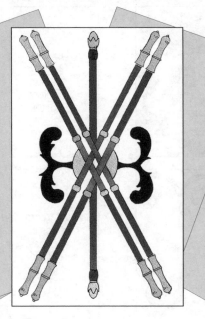

Nombre: Cinco de bastos.

Simbolismo: el pentagrama. Actividad material excesiva.

Significados generales: carta muy dinámica y dual. Riqueza, buena suerte, ambición, alegría, amor, pero también intrigas, cólera, deseos excesivos en los límites de la honradez.

Carta derecha: carta favorable en un contexto favorable. Interrupción de la estabilidad: en sentido positivo (mejoría), en sentido negativo (empeoramiento). Recuerda a la Rueda de la fortuna.

Carta invertida: discordia, pérdida de dinero, contradicciones. Se pone en evidencia y se refuerza el lado negativo de la carta derecha.

Curiosidades y analogías: inclinación a la bebida (Del Bello). Persona irritable. Oro (Papus).

COMBINACIONES POSITIVAS

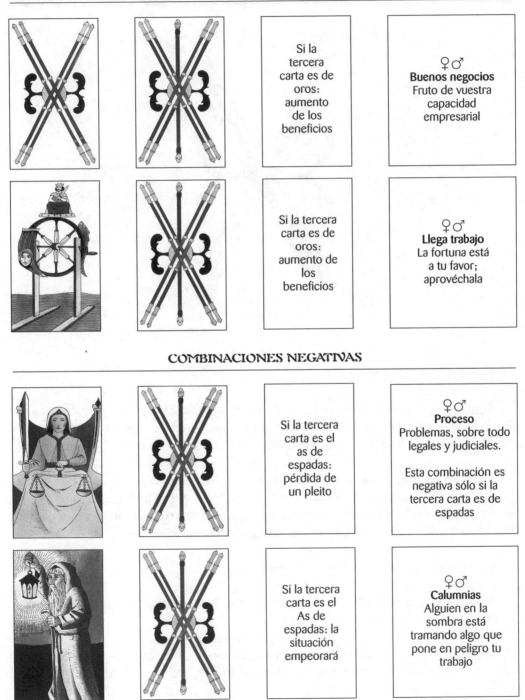

Si la tercera carta es de oros: aumento de los beneficios

♀♂
Buenos negocios
Fruto de vuestra capacidad empresarial

Si la tercera carta es de oros: aumento de los beneficios

♀♂
Llega trabajo
La fortuna está a tu favor; aprovéchala

COMBINACIONES NEGATIVAS

Si la tercera carta es el as de espadas: pérdida de un pleito

♀♂
Proceso
Problemas, sobre todo legales y judiciales.

Esta combinación es negativa sólo si la tercera carta es de espadas

Si la tercera carta es el As de espadas: la situación empeorará

♀♂
Calumnias
Alguien en la sombra está tramando algo que pone en peligro tu trabajo

SEIS DE BASTOS

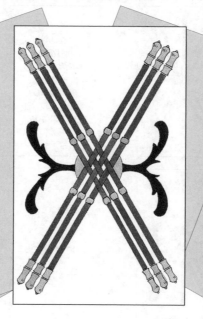

Nombre: Seis de bastos.

Simbolismo: es el número del equilibrio, pero en un contexto dinámico y activo. También puede indicar la lucha entre dos principios activos opuestos: el que mata y el que vivifica (Del Bello). El Amor (arcano VI) al trabajo de uno.

Significados generales: en el contexto de un palo muy activo, indica, no obstante, pasividad. Se ha alcanzado un resultado discreto (buen trabajo, familia tranquila, amistades, etc.), pero, precisamente por esto, es oportuno tener mucha cautela y prudencia, aunque haya buenas perspectivas de mejoría.

Carta derecha: carta de limitación y de espera.

Carta invertida: temores, obstáculos, apuros. Pero se pueden decir las mismas cosas que del 4 de bastos boca abajo.

Curiosidades y analogías: amores inseguros por estar compartidos con otras personas. Pereza y actividad mezcladas en el trabajo. Doméstico (Papus).

COMBINACIONES POSITIVAS

Si la tercera carta es el 8 de bastos: armonía y tranquilidad

♀♂
Paz familiar
La mejoría en el trabajo os ha traído la paz familiar

Si la tercera carta es el 10 de bastos: casa nueva

♀
Buenas perspectivas
El trabajo va bien y la situación mejora a ojos vista

COMBINACIONES NEGATIVAS

Si la tercera carta es de espadas: la situación empeorará

♀♂
Negocio ruinoso
Rivales fuertes: si no eres hábil, lo perderás todo

Si la tercera carta es el as de espadas: despido, fracaso

♀♂
Obstáculos (en el trabajo)
Encontrarás notables dificultades en tu actividad

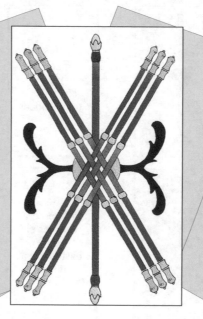

Nombre: Siete de bastos.

Simbolismo: carta de la realización y de la perfección. Es el número de las 7 virtudes, de los 7 pecados capitales, de las 7 notas, de los 7 planetas, de los 7 días de la semana, de los 7 colores del arco iris, de las 7 bellas artes, etc. Indica la superación de todas las dificultades materiales. El desbloqueo de las limitaciones y de los obstáculos.

Significados generales: inventos, honores, logros, incluso en grandes empresas. Tienen preferencia los trabajos en los que es necesario ser buen orador: abogado, profesor, político, etc. Recuerda algunos aspectos del Carro.

Carta derecha: carta de buen augurio. Favorable en todo.

Carta invertida: ansiedad, dudas, incertidumbre, cotilleos. Los pensamientos tan positivos en la carta derecha, se vuelven tortuosos y llenos de temores.

Curiosidades y analogías: sentimentalmente estéril (Del Bello). Viajes beneficiosos. Entrevistas (Papus).

COMBINACIONES POSITIVAS

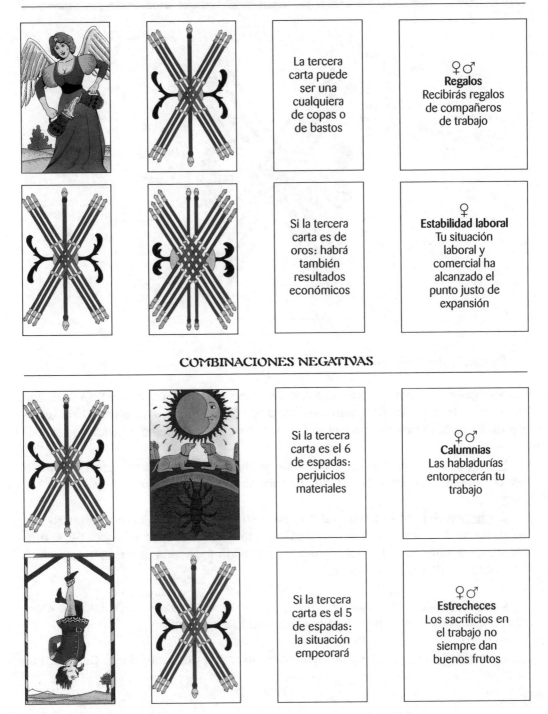

La tercera carta puede ser una cualquiera de copas o de bastos

♀♂
Regalos
Recibirás regalos de compañeros de trabajo

Si la tercera carta es de oros: habrá también resultados económicos

♀
Estabilidad laboral
Tu situación laboral y comercial ha alcanzado el punto justo de expansión

COMBINACIONES NEGATIVAS

Si la tercera carta es el 6 de espadas: perjuicios materiales

♀♂
Calumnias
Las habladurías entorpecerán tu trabajo

Si la tercera carta es el 5 de espadas: la situación empeorará

♀♂
Estrecheces
Los sacrificios en el trabajo no siempre dan buenos frutos

OCHO DE BASTOS

Nombre: Ocho de bastos.

Simbolismo: el genio gobernado por la razón. El número de la Justicia (VIII) unido al palo de la actividad (bastos) es portador de progreso y de placer. Una especie de estrella. El bosque encantado con todos sus personajes legendarios.

Significados generales: es la carta de la Naturaleza. Vida campestre, actividad agrícola, desplazamiento agradable, negocios, intercambios favorables.

Carta derecha: en el plano del trabajo: carta de equilibrio (como el cuatro y el seis). Se ha alcanzado una buena posición, también en lo económico. Es el momento de sacar provecho del bienestar, utilizando todos los recursos que se han capitalizado. Disfrutar de la vida.

Carta invertida: celos, retrasos, reflujo. El bosque se vuelve selva llena de espíritus malignos. Sin embargo, queda algún residuo positivo.

Curiosidades y analogías: preocupación excesiva que entorpece. Campo (Papus).

COMBINACIONES POSITIVAS

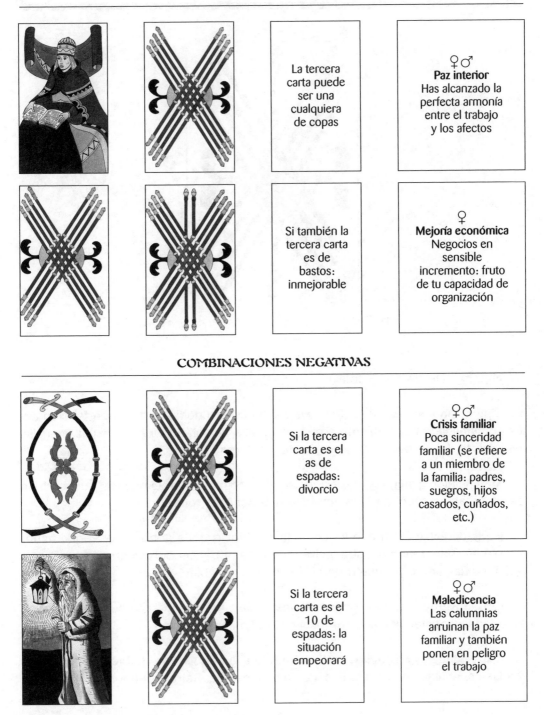

La tercera carta puede ser una cualquiera de copas

♀♂
Paz interior
Has alcanzado la perfecta armonía entre el trabajo y los afectos

Si también la tercera carta es de bastos: inmejorable

♀
Mejoría económica
Negocios en sensible incremento: fruto de tu capacidad de organización

COMBINACIONES NEGATIVAS

Si la tercera carta es el as de espadas: divorcio

♀♂
Crisis familiar
Poca sinceridad familiar (se refiere a un miembro de la familia: padres, suegros, hijos casados, cuñados, etc.)

Si la tercera carta es el 10 de espadas: la situación empeorará

♀♂
Maledicencia
Las calumnias arruinan la paz familiar y también ponen en peligro el trabajo

❧ NUEVE DE BASTOS ❧

Nombre: Nueve de bastos.

Simbolismo: la sabiduría. El nueve es el número del iniciado: la perfección del tres multiplicado por sí mismo. Con inteligencia, se actúa; por experiencia, se calla. Es la carta del éxito logrado lentamente y con gran trabajo.

Significados generales: experiencias, proyectos, acontecimientos que podrían ser agradables, pero también actividad que necesita reflexión.

Carta derecha: carta que induce a la prudencia y al autodominio. Podría haber problemas que frenen nuestra actividad. Es mejor pensar detenidamente en lo que estamos haciendo, aunque todo esté saliendo muy bien.

Carta invertida: hechos penosos, obstáculos, mala salud. Las dudas se vuelven realidades y obstáculos a veces insalvables. La imperfección.

Curiosidades y analogías: carta favorable a la adquisición de bienes inmuebles y a las especulaciones bursátiles. Larga experiencia. Retraso (Papus).

COMBINACIONES POSITIVAS

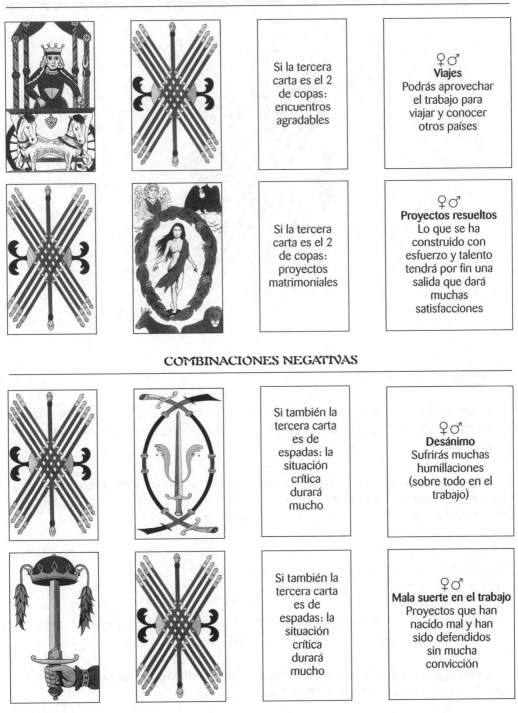

Si la tercera carta es el 2 de copas: encuentros agradables

♀♂
Viajes
Podrás aprovechar el trabajo para viajar y conocer otros países

Si la tercera carta es el 2 de copas: proyectos matrimoniales

♀♂
Proyectos resueltos
Lo que se ha construido con esfuerzo y talento tendrá por fin una salida que dará muchas satisfacciones

COMBINACIONES NEGATIVAS

Si también la tercera carta es de espadas: la situación crítica durará mucho

♀♂
Desánimo
Sufrirás muchas humillaciones (sobre todo en el trabajo)

Si también la tercera carta es de espadas: la situación crítica durará mucho

♀♂
Mala suerte en el trabajo
Proyectos que han nacido mal y han sido defendidos sin mucha convicción

DIEZ DE BASTOS

Nombre: Diez de bastos.

Simbolismo: arcano muy fuerte. La suprema Década pitagórica. La Fortaleza inaccesible y la empalizada que la defiende. La puerta que tiene alejados a los enemigos.

Significados generales: cambios felices, buenos negocios, éxito profesional, exuberancia, estudio con buenos resultados, recompensas. La casa como conjunto de edificio y de familia. La tienda como paredes y como actividad.

Carta derecha: carta favorable y beneficiosa. Indica la conclusión positiva de una operación que ha llevado tiempo y capacidad (un contrato, una venta, una compra, una inversión, etc.).

Carta invertida: traiciones, malas noticias, intrigas. La empalizada que defiende se vuelve un paso abierto que deja entrar todas las dificultades.

Curiosidades y analogías: carta favorable para artistas y estudiosos. Viajes necesarios, quizá hacia el sudeste (Del Bello). Traición (Papus).

COMBINACIONES POSITIVAS

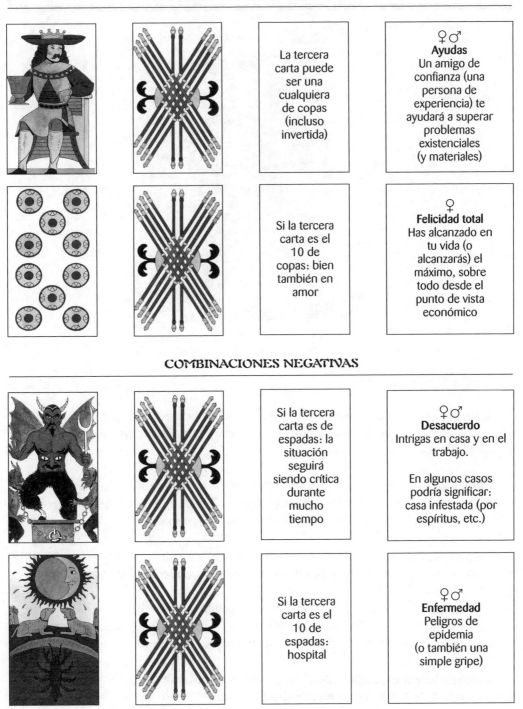

La tercera carta puede ser una cualquiera de copas (incluso invertida)

♀♂
Ayudas
Un amigo de confianza (una persona de experiencia) te ayudará a superar problemas existenciales (y materiales)

Si la tercera carta es el 10 de copas: bien también en amor

♀
Felicidad total
Has alcanzado en tu vida (o alcanzarás) el máximo, sobre todo desde el punto de vista económico

COMBINACIONES NEGATIVAS

Si la tercera carta es de espadas: la situación seguirá siendo crítica durante mucho tiempo

♀♂
Desacuerdo
Intrigas en casa y en el trabajo.

En algunos casos podría significar: casa infestada (por espíritus, etc.)

Si la tercera carta es el 10 de espadas: hospital

♀♂
Enfermedad
Peligros de epidemia (o también una simple gripe)

REY DE COPAS

Nombre: Rey de copas.

Descripción: un rey sentado en el trono, serio y respetable. En su mano derecha sostiene el símbolo de su palo. Es un hombre benévolo, generoso, comprensivo y paternal.

Simbolismo: la responsabilidad. Es la persona que tiene a su cargo a personas a las que quiere mucho y cuya felicidad desea. Por esto, es pródigo en consejos y atenciones. Es el buen padre ideal, que todos quisieran tener.

Significados generales: persona positiva y responsable, un padre de familia, un esposo, un amante ideal. Una persona que ha alcanzado el bienestar.

Carta derecha: carta que da estabilidad a todas las demás.

Carta invertida: infiel, libertino, corrupto, ladrón, proxeneta.

Curiosidades y analogías: posibilidad de pequeños deslices. Hombre iracundo y a veces violento. Hombre rubio (Papus).

COMBINACIONES POSITIVAS

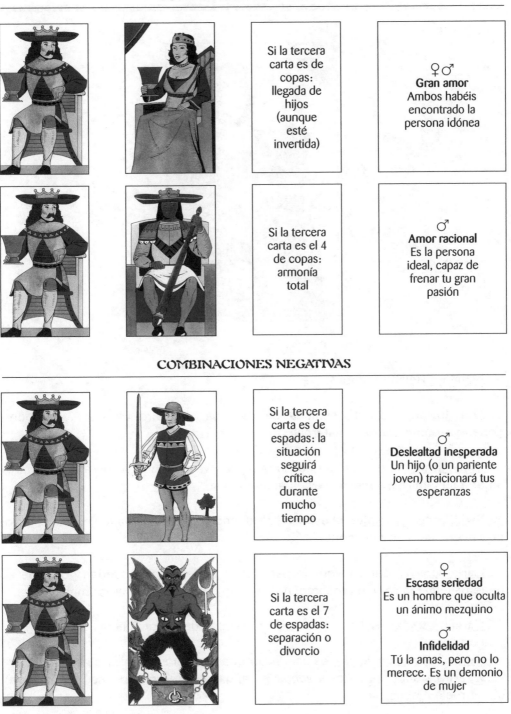

Si la tercera carta es de copas: llegada de hijos (aunque esté invertida)

♀♂
Gran amor
Ambos habéis encontrado la persona idónea

Si la tercera carta es el 4 de copas: armonía total

♂
Amor racional
Es la persona ideal, capaz de frenar tu gran pasión

COMBINACIONES NEGATIVAS

Si la tercera carta es de espadas: la situación seguirá crítica durante mucho tiempo

♂
Deslealtad inesperada
Un hijo (o un pariente joven) traicionará tus esperanzas

Si la tercera carta es el 7 de espadas: separación o divorcio

♀
Escasa seriedad
Es un hombre que oculta un ánimo mezquino

♂
Infidelidad
Tú la amas, pero no lo merece. Es un demonio de mujer

❧ REINA DE COPAS ❧

Nombre: Reina de copas.

Descripción: una reina sentada, con la copa y el cetro. Es una mujer buena, generosa, comprensiva y maternal.

Simbolismo: es una carta que pone de relieve el concepto de abnegación. El amor a su familia a veces la lleva a abandonarse.

Significados generales: la esposa fiel, la madre inteligente, la mujer dulce, devota, sincera, tierna e inteligente.

Carta derecha: carta favorable para todos aquellos que pueden gozar de su generosa influencia. Sin embargo, no hay que contrariarla. El amor mata.

Carta invertida: adúltera, infiel, deshonesta, ávida. La prostituta.

Curiosidades y analogías: es una mujer que vive para la familia, a costa de sacrificios. De carácter sencillo, a veces es engañada (pero sabe cómo vengarse). Mujer rubia (Papus).

COMBINACIONES POSITIVAS

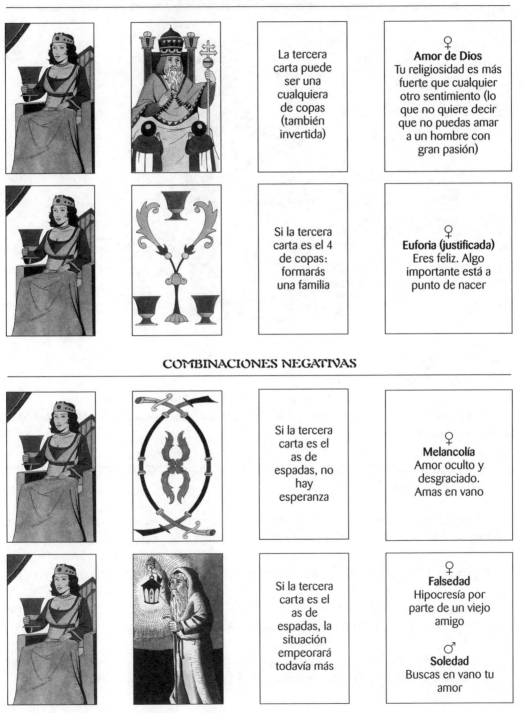

La tercera carta puede ser una cualquiera de copas (también invertida)

♀
Amor de Dios
Tu religiosidad es más fuerte que cualquier otro sentimiento (lo que no quiere decir que no puedas amar a un hombre con gran pasión)

Si la tercera carta es el 4 de copas: formarás una familia

♀
Euforia (justificada)
Eres feliz. Algo importante está a punto de nacer

COMBINACIONES NEGATIVAS

Si la tercera carta es el as de espadas, no hay esperanza

♀
Melancolía
Amor oculto y desgraciado. Amas en vano

Si la tercera carta es el as de espadas, la situación empeorará todavía más

♀
Falsedad
Hipocresía por parte de un viejo amigo

♂
Soledad
Buscas en vano tu amor

❧ CABALLERO DE COPAS ❧

Nombre: Caballero de copas.

Descripción: un joven caballero, desarmado, ofrece el símbolo de su palo, la copa de su gran amor.

Simbolismo: carta dinámica, que indica un cambio afectivo. Expresa la vitalidad del amor. Don Juan. Parsifal.

Significados generales: un marido joven, un seductor experto, un soñador que se ofrece a una nueva aventura, que se entusiasma sólo por amor.

Carta derecha: carta que indica vitalidad. Una buena noticia para quien ama.

Carta invertida: todo se vuelve del revés: el amor se vuelve traición. Es el hombre infiel, astuto, sin escrúpulos. El explotador (también material).

Curiosidades y analogías: puede ser el retorno de un viejo amor con mayor impulso que antes (Del Bello). Indica también curación. Llegada (Papus).

COMBINACIONES POSITIVAS

La tercera carta puede ser una cualquiera de copas (también invertida)

♀
Amor consolidado
Has sabido esperar y ahora llegará el premio

♂
Amor consolidado
Tu búsqueda afanosa ha dado sus frutos

La tercera carta determina el tipo de expectativa (amor, dinero, etc.)

♀♂
Buenas noticias
Lo que estabas esperando, por fin ha llegado. Éxito seguro

COMBINACIONES NEGATIVAS

Si la tercera carta es el 10 de espadas: hospital, tribunal, etc.

♀♂
Malos encuentros
A veces la ingenuidad es peligrosa: la persona que va a llegar no es de fiar

Si la tercera carta es la Torre, trauma psíquico

♀
Mentiras
Es una persona poco seria, a pesar de las apariencias

♂
Engaños
Amas intensamente, pero no te corresponden

SOTA DE COPAS

Nombre: Sota de copas.

Descripción: un joven ofrece su copa con amor. Pero todavía es un muchacho inmaduro que no siempre sabe lo que quiere.

Simbolismo: la pasividad en el amor, que se manifiesta sobre todo en la jovencita. Es una persona que ama sin saber por qué, inocentemente.

Significados generales: un joven enamorado, un joven que corteja, un buen hijo, un chico alegre, un joven inexperto, un estudiante.

Carta derecha: carta del amor atormentado e infeliz (porque no suele ser correspondido). Lealtad y compromiso, pero no sacrificio.

Carta invertida: adulador, hijo desnaturalizado, desleal. El prostituto.

Curiosidades y analogías: carta que indica a quien se ama, pero sin ser correspondido (sobre todo en los amores juveniles). Muchacho rubio (Papus).

COMBINACIONES POSITIVAS

| | | Si la tercera carta es el 10 de bastos, prepara tu futura casa | ♀♂ **Noviazgo** Habéis encontrado un acuerdo perfecto: amor y prosperidad |

| | | Si la tercera carta es el 4 de copas: serenidad | ♂ **Amor juvenil** Eres demasiado joven para formar una familia. También puede ser una relación homosexual |

COMBINACIONES NEGATIVAS

| | | Si la tercera carta es el as de espadas, no hay esperanza | ♂ **Penas de amor** Es un amor con poquísimas esperanzas. La sota de copas invertida indica que tu amor se queda en nada |

| | | Si la tercera carta es el 10 de espadas, hospital | ♀♂ **Peligro** Un hijo o un familiar joven corre un grave peligro. Si también aparece la Torre, corre peligro de muerte |

❧ AS DE COPAS ❧

Nombre: As de copas.

Descripción: una copa enorme de la que salen flores.

Simbolismo: la copa recuerda el cuerno de la abundancia y, al mismo tiempo, el vaso que contiene la bebida de la inmortalidad. Es el seno materno que produce la leche de la vida. Es la copa ritual y el cáliz de la misa. Pero también recuerda el Santo Grial medieval que contenía la sangre de Cristo. La copa no representa sólo el continente sino también la esencia de una revelación.

Significados generales: la unidad de la familia. Amor fatal, acontecimiento importante en el ámbito familiar. Un banquete (matrimonio, fiesta, etc.).

Carta derecha: carta que indica una nueva evolución. Un crecimiento sentimental.

Carta invertida: esterilidad, inconsistencia, celos, odio, divorcio.

Curiosidades y analogías: nacimiento de un hijo. El hogar. Mesa (Papus).

COMBINACIONES POSITIVAS

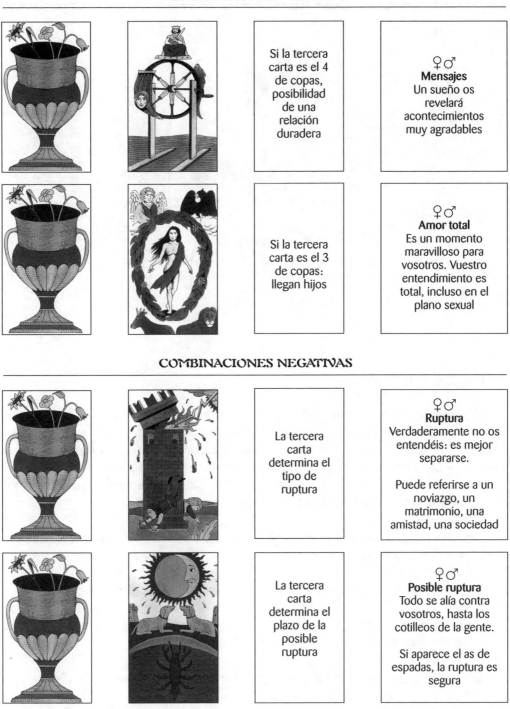

Si la tercera carta es el 4 de copas, posibilidad de una relación duradera

♀♂
Mensajes
Un sueño os revelará acontecimientos muy agradables

Si la tercera carta es el 3 de copas: llegan hijos

♀♂
Amor total
Es un momento maravilloso para vosotros. Vuestro entendimiento es total, incluso en el plano sexual

COMBINACIONES NEGATIVAS

La tercera carta determina el tipo de ruptura

♀♂
Ruptura
Verdaderamente no os entendéis: es mejor separarse.

Puede referirse a un noviazgo, un matrimonio, una amistad, una sociedad

La tercera carta determina el plazo de la posible ruptura

♀♂
Posible ruptura
Todo se alía contra vosotros, hasta los cotilleos de la gente.

Si aparece el as de espadas, la ruptura es segura

❧ DOS DE COPAS ❧

Nombre: Dos de copas.

Simbolismo: el dos es el número de la pareja y eso no necesita explicación. Dos es también el matrimonio (por lo menos, en el mundo occidental). Pero el dos no significa necesariamente una unión carnal; es también y sobre todo una unión espiritual. Los Dioscuros eran dos gemelos unidos de modo indisoluble. Pólux, el inmortal, logró del padre Zeus que su hermano Cástor, asesinado, pudiese pasar un día sobre la tierra junto a él y uno en el infierno.

Significados generales: amor, relación sentimental, amistad afectuosa, hermandad, matrimonio (como resultado final).

Carta derecha: carta benéfica solamente si se está vinculado por fuertes lazos.

Carta invertida: separación, malentendido, traición, adulterio. Todo el amor queda derribado, tirado.

Curiosidades y analogías: desfavorable con cartas negativas. Amor (Papus).

COMBINACIONES POSITIVAS

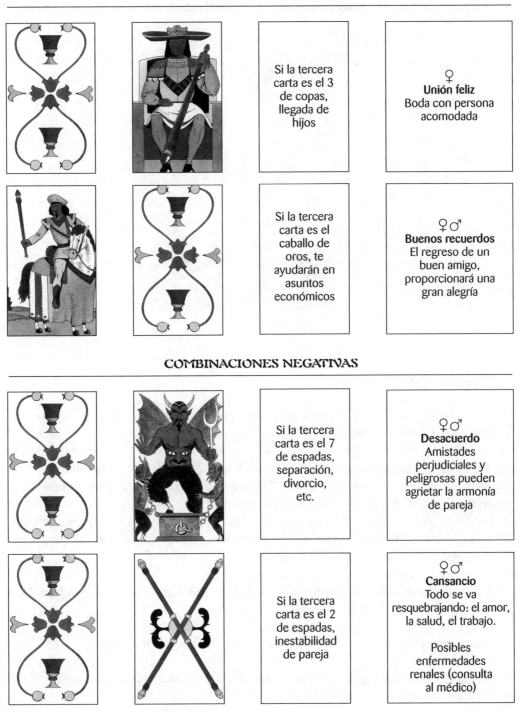

Si la tercera carta es el 3 de copas, llegada de hijos

♀
Unión feliz
Boda con persona acomodada

Si la tercera carta es el caballo de oros, te ayudarán en asuntos económicos

♀♂
Buenos recuerdos
El regreso de un buen amigo, proporcionará una gran alegría

COMBINACIONES NEGATIVAS

Si la tercera carta es el 7 de espadas, separación, divorcio, etc.

♀♂
Desacuerdo
Amistades perjudiciales y peligrosas pueden agrietar la armonía de pareja

Si la tercera carta es el 2 de espadas, inestabilidad de pareja

♀♂
Cansancio
Todo se va resquebrajando: el amor, la salud, el trabajo.

Posibles enfermedades renales (consulta al médico)

⊰⊱ TRES DE COPAS ⊰⊱

Nombre: Tres de copas.

Simbolismo: la evolución del amor. El deseo se convierte en realidad. La Trinidad. La Terna. El Triángulo.

Significados generales: carta de expansión. Dificultades superadas, buenas noticias, curación. La evolución afectiva trae diversas consecuencias: en una pareja puede conducir (aunque no necesariamente) al matrimonio; además, puede hacer nacer el fruto del amor, es decir, los hijos. Entre padres e hijos, en cambio, es una relación ideal, que lleva a la comprensión recíproca. Entre amigos, es la solidaridad.

Carta derecha: carta dinámica, de evolución (en buen sentido). Un hijo. Una carta de amor. Una cita sentimental.

Carta invertida: vuelco, pérdida de prestigio, triángulo amoroso.

Curiosidades y analogías: en el matrimonio, embarazo; en la enfermedad, incubación; en la moral, evolución espiritual. Logro (Papus).

COMBINACIONES POSITIVAS

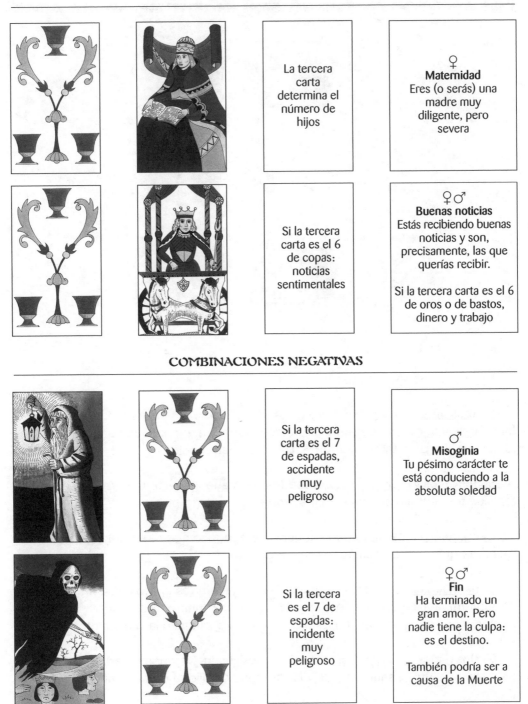

La tercera carta determina el número de hijos

♀
Maternidad
Eres (o serás) una madre muy diligente, pero severa

Si la tercera carta es el 6 de copas: noticias sentimentales

♀♂
Buenas noticias
Estás recibiendo buenas noticias y son, precisamente, las que querías recibir.

Si la tercera carta es el 6 de oros o de bastos, dinero y trabajo

COMBINACIONES NEGATIVAS

Si la tercera carta es el 7 de espadas, accidente muy peligroso

♂
Misoginia
Tu pésimo carácter te está conduciendo a la absoluta soledad

Si la tercera es el 7 de espadas: incidente muy peligroso

♀♂
Fin
Ha terminado un gran amor. Pero nadie tiene la culpa: es el destino.

También podría ser a causa de la Muerte

⇜ CUATRO DE COPAS ⇝

Nombre: Cuatro de copas.

Simbolismo: el 4 es el número de la estabilidad y, en este caso, afectiva. Por lo tanto, indica lo que ha determinado este estado: en general, un nacimiento (real o ideal), un hijo pero también el noviazgo o el matrimonio.

Significados generales: estabilidad (momentánea), afecto maternal en el ámbito familiar, matrimonio sin sobresaltos. Proyectos a largo plazo.

Carta derecha: carta de buen augurio para todo lo que es estable. Pero también rutina (lo que es muy peligroso en una pareja).

Carta invertida: odio, crisis amorosa, aburrimiento (es la evolución negativa de la costumbre), adulterio, divorcio. Otros la consideran una posición positiva. De todas formas, y no hay necesidad de recordarlo siempre, cuentan las cartas próximas.

Curiosidades y analogías: nacimiento de hijos (varones). Carta desfavorable para las aventuras sentimentales. Físicamente, debilidad de corazón. Aburrimiento (Papus).

COMBINACIONES POSITIVAS

		La tercera carta puede ser una cualquiera de bastos o de oros	♀♂ **Ayuda económica** Llegada de dinero (por correo o por mensajero)
		Si la tercera carta es el 3 de copas: hijos deseados	♀♂ **Encuentro decisivo** Nacimiento de un amor que resultará estable

COMBINACIONES NEGATIVAS

		Si la tercera carta es la Justicia, causa de separación o divorcio	♀♂ **Afecto en peligro** Noticias negativas, sobre todo en el terreno afectivo
		Si la tercera carta es la Justicia, causa de separación o divorcio	♀ **Pareja en crisis** Estás decidida a no volver a perdonarle ♂ **Pareja en crisis** Tu compañera ya no te quiere (o no te ha querido nunca)

⇜ CINCO DE COPAS ⇝

Nombre: Cinco de copas.

Simbolismo: el sentimiento que triunfa sobre los sentidos (el tres sobre el dos). Este número, considerado nefasto en general, para los pitagóricos se convierte en el «matrimonio» (la unión del primer par, *dos,* y del primer impar, *tres;* el *uno* no cuenta porque es la matriz de todos los números).

Significados generales: abnegación (por amor), sacrificios pero también aislamiento y, por lo tanto, rechazo de los demás. Amor meditado y, a menudo, interesado.

Carta derecha: carta que invita a la prudencia (sobre todo, en los afectos).

Carta invertida: pérdidas parciales, amistad superficial, desilusiones pero también rechazo de la soledad y, por lo tanto, búsqueda de conexiones o de afinidades. En este sentido adquiriría un aspecto positivo.

Curiosidades y analogías: prudencia en el amor, para evitar engaños o pasos en falso. Herencia, pero después de un doloroso luto (Del Bello). Herencia (Papus).

COMBINACIONES POSITIVAS

| | | Si la tercera carta es de oros, no ahorres gastos | ♀♂ **Regalos** Tu afecto merece un esfuerzo económico |
| | | Si la tercera carta es el as de oros, grandes beneficios | ♀♂ **Meta alcanzada** Tu sacrificio dará buenos resultados |

COMBINACIONES NEGATIVAS

| | | Si la tercera carta es la Torre, pérdida total | ♀♂ **Azar** No arriesgues en el amor, en el trabajo ni en las amistades. Esta combinación es negativa sólo si la tercera carta es de espadas, o la Torre o la Muerte |
| | | Si la tercera carta es el as de espadas, la situación empeorará | ♀♂ **Tendencia negativa** Pequeñas pérdidas en el trabajo y en los afectos |

SEIS DE COPAS

Nombre: Seis de copas.

Simbolismo: El seis de copas, al representar idealmente dos triángulos contrapuestos, es símbolo de equilibrio entre polaridades opuestas. Esta oposición de dos fuerzas iguales y contrarias conduce a lo estático y, por consiguiente, a la posible indecisión en los afectos. El 6 es el número del arcano del Amor.

Significados generales: apego al pasado, recuerdos nostálgicos, recuerdos que, a pesar de todo, todavía influyen en el presente. Invita a la recolección de lo que se ha sembrado, incluso de las cosas menos positivas, es decir, de los errores.

Carta derecha: carta de indecisión y de espera. Positiva entre otras cartas positivas. «Eres amado si *eres* puro».

Carta invertida: sentimientos acabados pero también proyectos para un futuro lejano. Tal vez demasiada confianza en el mañana. «No eres nada».

Curiosidades y analogías: indecisión en la elección matrimonial. El pasado (Papus).

COMBINACIONES POSITIVAS

		Si la tercera carta es el 4 de copas, buenas perspectivas	♀ **Entusiasmo** Retorno de un antiguo amor ♂ **Entusiasmo** Estás buscando el regreso de un antiguo amor
		Si la tercera carta es el 4 de copas, tranquilidad afectiva	♀♂ **Tranquilidad** Los buenos recuerdos devuelven la serenidad

COMBINACIONES NEGATIVAS

		Si la tercera carta es de espadas, la situación empeorará	♀♂ **Afectos ruinosos** Afectos que no resisten las adversidades (debes cortar los puentes con el pasado)
		Si la tercera carta es el as de espadas, separación, divorcio	♀♂ **Desilusiones amorosas** Encontrarás muchas dificultades en tu actividad. El seis de copas invertido indica amor desperdiciado

SIETE DE COPAS

Nombre: Siete de copas.

Simbolismo: la indecisión ha sido vencida. El triunfo del afecto. Es el Carro del amor, que lleva a buen puerto nuestros deseos.

Significados generales: está ligada al sentimiento, no sólo a través de los sentidos, sino a través del pensamiento. La posible conquista sentimental también se desarrolla a través de la imaginación, el sueño y, por lo tanto, la ilusión.

Carta derecha: victoria en el amor (como conclusión de una conquista). Las cartas sucesivas pueden indicar la duración, que nunca es infinita. Nadie vence siempre y para siempre. Tampoco en el amor. Esto quiere decir que, a veces, hay que pactar y aceptar pequeñas derrotas.

Carta invertida: la ilusión triunfa. Fantasías, pero también pesadillas, que se harán realidad. Los proyectos se vuelven utopía y estéril ejercicio retórico.

Curiosidades y analogías: favorable al matrimonio. Pensamiento (Papus).

COMBINACIONES POSITIVAS

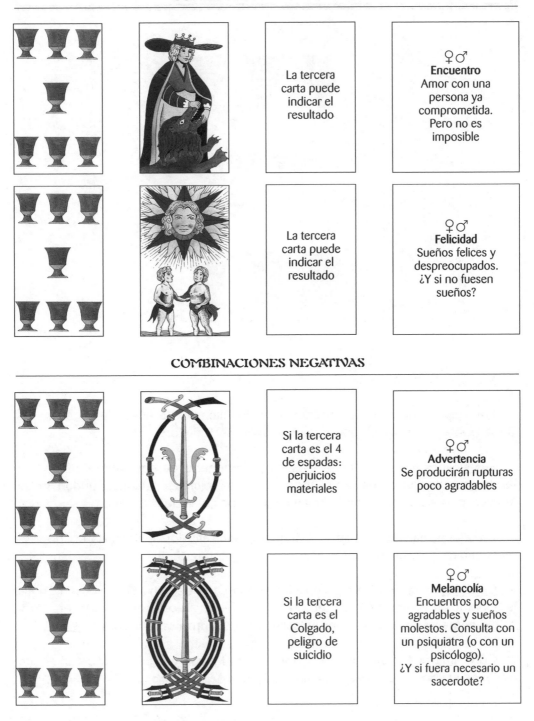

La tercera carta puede indicar el resultado

♀♂
Encuentro
Amor con una persona ya comprometida. Pero no es imposible

La tercera carta puede indicar el resultado

♀♂
Felicidad
Sueños felices y despreocupados. ¿Y si no fuesen sueños?

COMBINACIONES NEGATIVAS

Si la tercera carta es el 4 de espadas: perjuicios materiales

♀♂
Advertencia
Se producirán rupturas poco agradables

Si la tercera carta es el Colgado, peligro de suicidio

♀♂
Melancolía
Encuentros poco agradables y sueños molestos. Consulta con un psiquiatra (o con un psicólogo). ¿Y si fuera necesario un sacerdote?

OCHO DE COPAS

Nombre: Ocho de copas.

Simbolismo: número de la reflexión y del silencio. La edad de la razón (Del Bello). El 8 en horizontal recuerda el símbolo del infinito.

Significados generales: carta estática y, en general, de equilibrio. En amor, faltan los grandes impulsos, sobre todo por las inhibiciones y la inseguridad. Indica timidez, pudor en los sentimientos y también posibles desilusiones.

Carta derecha: carta positiva para quien sabe reflexionar. Necesita el apoyo de otras cartas positivas o favorables.

Carta invertida: parece más positiva que la carta derecha. Algunos ven en ella la superación de los propios temores. Pero pone en evidencia cierto grado de celos (enmascarados): un amor aplastado por las propias reflexiones.

Curiosidades y analogías: en cambio, para Muchery significa divorcio, adulterio, poca actividad sexual. Jovencita rubia (Papus).

COMBINACIONES POSITIVAS

| | | La tercera carta puede ser una cualquiera de copas | ♀♂ **Excelente salud** Es un período feliz y fecundo en todos los sentidos |

| | | Si la tercera carta es el Amor, seréis felices también en los sentimientos | ♀♂ **Sueños realizados** Se realizará un proyecto meditado durante mucho tiempo |

COMBINACIONES NEGATIVAS

| | | Si la tercera carta es el 10 de espadas: hospital, clínica | ♀♂ **Enfermedad** Consulta con el médico El ocho de copas invertido indica un trastorno de la salud |

| | | Si la tercera carta es el 3 de espadas, peleas, discusiones, etc. | ♀♂ **Calumnias** Volverán a la luz viejos rencores y pondrán en crisis algunas relaciones afectivas |

⋙ NUEVE DE COPAS ⋘

Nombre: Nueve de copas.

Simbolismo: la carta de la perfección amorosa; el tres multiplicado por sí mismo. El amor se purifica. *Amor omnia vincit.*

Significados generales: amor desinteresado, óptima salud, éxito en el trabajo, ganancias, sueños que se hacen realidad, respeto a las tradiciones familiares.

Carta derecha: carta feliz que trae alegría y tranquilidad (Del Bello). Hace positivas las cartas inciertas. Junto a las negativas, las atenúa. Neutraliza las desfavorables. Aporta su influencia benéfica a todas las cartas.

Carta invertida: en general, también cuando está invertida, se la considera bastante positiva. Sin embargo, en un contexto totalmente negativo indica discusiones estériles, disputas familiares, errores de planteamiento, pérdida de bienes.

Curiosidades y analogías: Hijos, sobre todo, varones. Unión con persona de más edad (Del Bello). Victoria (Papus).

COMBINACIONES POSITIVAS

Si la tercera carta es el Sol, todo ha vuelto a la normalidad

♀♂
Regreso a la tranquilidad
Por fin, vuelve la tranquilidad (después de muchas angustias).

La Torre, en este caso, sólo es negativa en cuanto al pasado

Si la tercera carta es el Sol, viaja a países cálidos

♀♂
Salud y prosperidad
Ha llegado el momento de tomarse unas buenas vacaciones.
Disfruta de ellas

COMBINACIONES NEGATIVAS

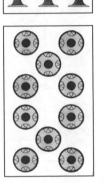

Si la tercera carta es el as de espadas: pleito probablemente perdido

♀♂
Pérdidas judiciales
Existe la posibilidad de perder un pleito. Pero no pongas en peligro tus afectos (ciertamente, valen más)

Si la tercera carta es de espadas, la situación es verdaderamente crítica

♀♂
Desgracias en el amor
Tu amor no es correspondido. Conviene renunciar.

El 9 de copas sólo puede atenuar lo dramático de la situación

⇒ DIEZ DE COPAS ⇐

Nombre: Diez de copas.

Simbolismo: la carta de la coronación de un proyecto afectivo. Pone en evidencia las relaciones consolidadas. El camino iniciado por el As llega a su término, se ha bebido hasta el fondo la copa de la alegría y del amor. El ciclo se ha completado. Algunos han visto en el 10 el símbolo de la unión sexual (1 = pene, 0 = vagina).

Significados generales: todos los aspectos afectivos que giran en torno al sujeto y que lo condicionan, desde la familia hasta la casa y la ciudad en la que vive. Sus objetos más queridos, el puesto de trabajo, los amigos, su vida sentimental.

Carta derecha: carta de la madurez sentimental. Indica felicidad, amor, serenidad, estima por parte de los demás. El ambiente de alrededor es favorable. Viajes.

Carta invertida: poco positiva. Disputas, infelicidad, soledad.

Curiosidades y analogías: parecido al arcano XV: tendencia a la homosexualidad. La ciudad (Papus).

COMBINACIONES POSITIVAS

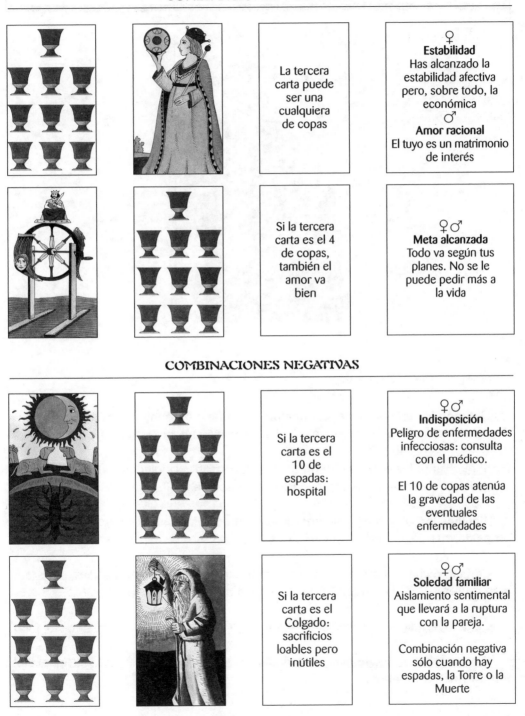

La tercera carta puede ser una cualquiera de copas

♀
Estabilidad
Has alcanzado la estabilidad afectiva pero, sobre todo, la económica
♂
Amor racional
El tuyo es un matrimonio de interés

Si la tercera carta es el 4 de copas, también el amor va bien

♀♂
Meta alcanzada
Todo va según tus planes. No se le puede pedir más a la vida

COMBINACIONES NEGATIVAS

Si la tercera carta es el 10 de espadas: hospital

♀♂
Indisposición
Peligro de enfermedades infecciosas: consulta con el médico.

El 10 de copas atenúa la gravedad de las eventuales enfermedades

Si la tercera carta es el Colgado: sacrificios loables pero inútiles

♀♂
Soledad familiar
Aislamiento sentimental que llevará a la ruptura con la pareja.

Combinación negativa sólo cuando hay espadas, la Torre o la Muerte

⊰⊱ REY DE ESPADAS ⊰⊱

Nombre: Rey de espadas.

Descripción: un rey, sentado, aprieta en su mano derecha el símbolo «amenazador» de su palo. Es un combatiente leal, no necesariamente un enemigo.

Simbolismo: las espadas siempre tienen un doble significado: de ataque, pero también de defensa. Es la capacidad, la decisión, la realización.

Significados generales: persona de elevada posición social, con autoridad, con dotes de mando. Oficiales, magistrados, sacerdotes.

Carta derecha: carta positiva para hombres rectos y justos. Severidad, pero también corrección. Una persona que respeta la autoridad y las leyes.

Carta invertida: se convierte en el enemigo, en el hombre sádico, egoísta, falaz.

Curiosidades y analogías: en medicina, reumatismo. El viudo (Del Bello). Hombre vestido (Papus).

COMBINACIONES POSITIVAS

La tercera carta puede ser una cualquiera de copas o de bastos

♂
Tranquilidad
Disfruta al máximo de tus aptitudes.

Las cartas de espadas, para ser negativas, tienen que estar reforzadas por otra carta de espadas o por otras cartas negativas

Si la tercera carta es el 3 de copas, llegan hijos (también si está invertida)

♀
Seriedad
Boda con persona con autoridad (pero también autoritaria)

COMBINACIONES NEGATIVAS

Si la tercera carta es el 10 de espadas, ingreso en el hospital

♀♂
Crisis mental
Peligro de trastornos psíquicos: consulta con el médico.

Si la tercera carta es de espadas: el peligro puede hacerse realidad

Si la tercera carta es el as de espadas, estás en peligro

♀♂
Rigidez mental
Un enemigo está al acecho y amenaza

❧ REINA DE ESPADAS ❧

Nombre: Reina de espadas.

Descripción: una reina sentada en su trono que sujeta en la mano el símbolo «amenazador» de su palo. Sus vestiduras son sencillas y austeras, como su carácter. Es una mujer que ha sufrido; en cambio, ahora está en situación de hacer sufrir a los demás, si quiere.

Simbolismo: la actividad, la felicidad medida, el sentido del deber.

Significados generales: la mujer sola, que lucha con ardor, que quiere alcanzar sus fines a cualquier precio. Ha sacrificado todo por sus ideales.

Carta derecha: carta positiva para quien tiene una moral recta y un espíritu puro (como todas las cartas de espadas). Es una invitación a no incurrir en errores.

Carta invertida: inmoralidad, arribismo, deslealtad, infidelidad existencial. La suegra intrigante. La viuda (Del Bello).

Curiosidades y analogías: la que antepone el deber a todo lo demás. Viudedad (Papus).

COMBINACIONES POSITIVAS

La tercera carta determina el campo específico de las aptitudes

♀
Mujer capaz
Eres una mujer segura de ti misma, que sabe lo que quiere.

Las cartas de espadas se vuelven negativas si van reforzadas por otra carta de espadas o por otras cartas negativas

Si la tercera carta es el 4 de copas, unión estable

♀
Decisión firme
Estás decidida a casarte a cualquier precio
♂
Decisión
Boda con una mujer decidida

COMBINACIONES NEGATIVAS

Si la tercera carta es el 3 de copas invertido, no habrá hijos

♀
Esterilidad
Tu relación resulta estéril en todos los terrenos

En cualquier caso, una mujer llevará a la ruina a la familia de alguien

♀
Problemas
Estás decidida a arruinarle, aun perjudicándote

♂
Elección equivocada
Te estás arruinando por una mujer

CABALLERO DE ESPADAS

Nombre: Caballero de espadas.

Descripción: un caballero con yelmo y espada. Dispuesto a cumplir con su deber. Si eres puro, no tienes nada que temer. Pero, ¡ay de los malvados!

Simbolismo: la hidalguía. El ideal caballeresco de los Templarios.

Significados generales: carta dinámica, muy activa, con influencia inmediata, aunque de breve duración, sobre las cartas próximas (como una carga de caballería). Aspecto dual: un hombre valiente, decidido, el héroe; pero también el fanfarrón y el aventurero. Pero no es nunca un enamorado, aunque pueda haber amado.

Carta derecha: carta favorable para quien combate por un fin justo.

Carta invertida: incapaz, jactancioso, perezoso, bellaco, traidor. Es el hombre sin escrúpulos, cobarde, embustero, capaz de todo con tal de hacer daño.

Curiosidades y analogías: oradores populares (demagogos), fanatismo religioso. Militar (Papus).

COMBINACIONES POSITIVAS

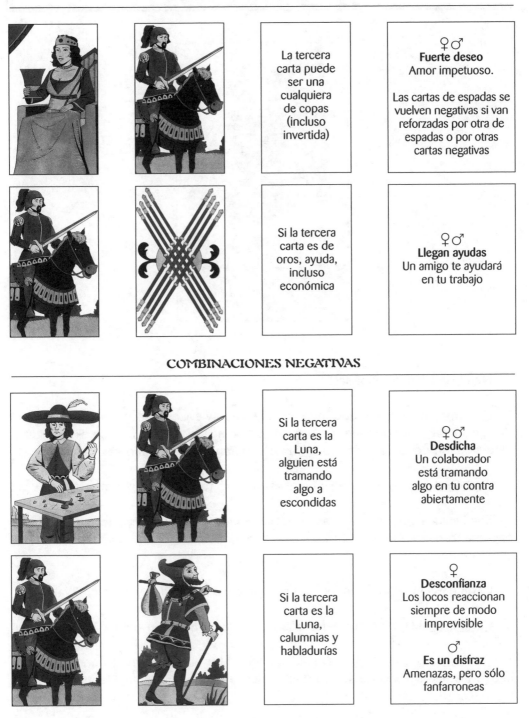

La tercera carta puede ser una cualquiera de copas (incluso invertida)

♀♂
Fuerte deseo
Amor impetuoso.

Las cartas de espadas se vuelven negativas si van reforzadas por otra de espadas o por otras cartas negativas

Si la tercera carta es de oros, ayuda, incluso económica

♀♂
Llegan ayudas
Un amigo te ayudará en tu trabajo

COMBINACIONES NEGATIVAS

Si la tercera carta es la Luna, alguien está tramando algo a escondidas

♀♂
Desdicha
Un colaborador está tramando algo en tu contra abiertamente

Si la tercera carta es la Luna, calumnias y habladurías

♀
Desconfianza
Los locos reaccionan siempre de modo imprevisible

♂
Es un disfraz
Amenazas, pero sólo fanfarronea

LA SOTA DE ESPADAS

Nombre: Sota de espadas.

Descripción: un joven que muestra la espada y avisa a todo el mundo que está dispuesto para el combate. Es menos peligroso de lo que parece. Recuerda al niño-soldado de los ejércitos que ya no cuentan con combatientes válidos.

Simbolismo: el amor juvenil; combativo, pero todavía sin malicia.

Significados generales: persona activa, rápida de reflejos, meticulosa, a la que hay que frenar y controlar. El vigilante (que, desde luego, no sacrifica su vida). El soldado mercenario.

Carta derecha: carta que indica prudencia y espera. Llegada de noticias.

Carta invertida: hipocresía, falsedad, calumnias. Lo imprevisto.

Curiosidades y analogías: el soldado (en el terreno militar); el dependiente. El hijo (en la familia). Podría ser un amigo, pero no lo es. Vigilante (Papus).

COMBINACIONES POSITIVAS

| | | La tercera carta puede ser una cualquiera de copas | ♀♂
Intensidad
Amor intenso
(que roza los celos).

Las cartas de espadas se vuelven negativas si van reforzadas por otra de espadas o por otra carta negativa |
| | | Si la tercera carta es el 4 de bastos: óptimas posibilidades de refuerzo | ♀♂
Amores juveniles
Son intensos pero, en general, de poca duración. Es cosa vuestra el hacer que duren |

COMBINACIONES NEGATIVAS

| | | Si también la tercera carta es de espadas: la situación es crítica | ♀♂
Destemplanza
Incomprensiones familiares (madre-hijo; hermano-hermana; pareja joven; etc.)

Templanza al revés = destemplanza |
| | | Si la tercera carta es el 7 de espadas: causa perdida | ♂
Vinculaciones peligrosas
No firmes contratos o pólizas: todavía eres demasiado inexperto |

AS DE ESPADAS

Nombre: As de espadas.

Descripción: una mano blande una espada rematada por una corona.

Simbolismo: La lucha (Del Bello). La fuerza recta de la voluntad. La inteligencia fecunda. La cola del escorpión. Excalibur, la espada del rey Arturo.

Significados generales: acción determinante, el combate pero también la justicia. Como símbolo fálico: potencia sexual. El exceso, en lo bueno y en lo malo.

Carta derecha: carta positiva si la energía está dirigida hacia un buen fin. Negativa con las personas falsas. Castiga a los malvados y a los arrogantes.

Carta invertida: tiranía, esterilidad, autodestrucción. La cruz sobre la tumba. Pero también el final de una situación. Por lo tanto, podría volverse positiva, indicando una nueva vida, un nacimiento, una nueva cosecha, un empezar de nuevo.

Curiosidades y analogías: Sentimentalmente indica celos. Analogía con el Mago. Acto sensual (Del Bello). Fructificación (Papus).

COMBINACIONES POSITIVAS

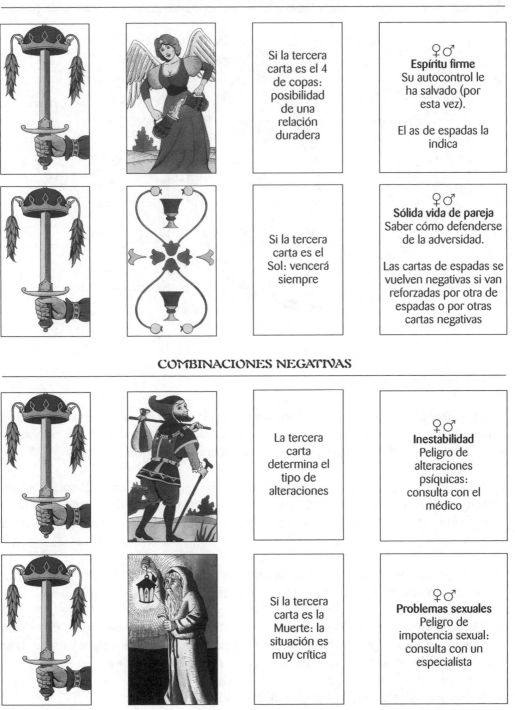

Si la tercera carta es el 4 de copas: posibilidad de una relación duradera

♀♂
Espíritu firme
Su autocontrol le ha salvado (por esta vez).

El as de espadas la indica

Si la tercera carta es el Sol: vencerá siempre

♀♂
Sólida vida de pareja
Saber cómo defenderse de la adversidad.

Las cartas de espadas se vuelven negativas si van reforzadas por otra de espadas o por otras cartas negativas

COMBINACIONES NEGATIVAS

La tercera carta determina el tipo de alteraciones

♀♂
Inestabilidad
Peligro de alteraciones psíquicas: consulta con el médico

Si la tercera carta es la Muerte: la situación es muy crítica

♀♂
Problemas sexuales
Peligro de impotencia sexual: consulta con un especialista

DOS DE ESPADAS

Nombre: Dos de espadas.

Simbolismo: el antagonismo, el conflicto entre dos fuerzas de igual potencia. Son duelistas que podrían estar combatiendo eternamente si alguien no les detuviese. Pero también pueden convertirse en aliados contra adversarios comunes.

Significados generales: fuerza equilibrada, sentimientos contradictorios y, por consiguiente, también opuestos. Los dos filos, cortantes, pueden herir, pero también cortar las ataduras que impiden el movimiento. Es la ambigüedad de la espada.

Carta derecha: carta de espera, puede evolucionar en un sentido o en el contrario. Con cartas positivas, resulta fundamentalmente positiva.

Carta invertida: enemistad, falsedad, destrucción, penas de amor, traiciones por parte de los amigos. Doblez (el 2 en sentido negativo). Se vuelve una cuchilla que hiere. Una especie de guillotina que corta todos los ideales.

Curiosidades y analogías: amor-odio. Duelos. Amistad (Papus).

COMBINACIONES POSITIVAS

Si la tercera carta es el Amor, posible boda

♂
Atracción sexual
Te sientes fuertemente atraído por una mujer enérgica y autoritaria

Si la tercera carta es un caballo de bastos o de copas, te han ayudado

♀♂
Superación
Una divergencia resuelta felizmente.

Las cartas de espadas se vuelven negativas si van reforzadas por otra de espadas o por otras cartas negativas

COMBINACIONES NEGATIVAS

Si también la tercera carta es de espadas, no hay salida

♀♂
Temores
No te dejes agredir por todos. Trata de superar el miedo

Si la tercera carta es el Ermitaño: perversiones ocultas

♀
Manías sexuales
Tus impulsos sádicos también se manifiestan en tu vida sexual

⇜ TRES DE ESPADAS ⇝

Nombre: Tres de espadas

Simbolismo: la separación de todo lo que está unido. Una espada parece insinuarse en medio de las otras dos, casi dividiéndolas.

Significados generales: carta generalmente negativa, no sólo para el amor, sino también para todas las relaciones con los demás. Indica un alejamiento, no necesariamente negativo pero, de cualquier forma, traumático.

Carta derecha: carta en general desfavorable y negativa. Con cartas positivas indica su carácter de ruptura.

Carta invertida: aumenta su aspecto negativo. Pérdida de amistades, accidentes, despidos, suspensos, hurtos, enfados, ansiedades, errores.

Curiosidades y analogías: carta del divorcio y de la separación (Del Bello). Alejamiento (Papus).

COMBINACIONES POSITIVAS

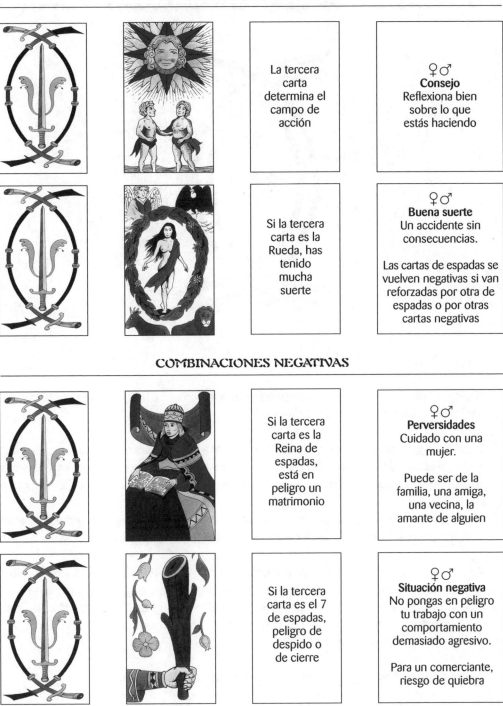

La tercera carta determina el campo de acción

♀♂
Consejo
Reflexiona bien sobre lo que estás haciendo

Si la tercera carta es la Rueda, has tenido mucha suerte

♀♂
Buena suerte
Un accidente sin consecuencias.

Las cartas de espadas se vuelven negativas si van reforzadas por otra de espadas o por otras cartas negativas

COMBINACIONES NEGATIVAS

Si la tercera carta es la Reina de espadas, está en peligro un matrimonio

♀♂
Perversidades
Cuidado con una mujer.

Puede ser de la familia, una amiga, una vecina, la amante de alguien

Si la tercera carta es el 7 de espadas, peligro de despido o de cierre

♀♂
Situación negativa
No pongas en peligro tu trabajo con un comportamiento demasiado agresivo.

Para un comerciante, riesgo de quiebra

CUATRO DE ESPADAS

Nombre: Cuatro de espadas.

Simbolismo: el enlace de las espadas parece formar una barrera, un obstáculo. Es señal de soledad y de resentimiento.

Significados generales: carta de espera nerviosa. Es un punto muerto, pero no muy tranquilo. Podría ser la soledad provocada por una enfermedad o por desavenencias familiares. Indica pequeños peligros e incertidumbres. Remordimientos (Del Bello).

Carta derecha: es una invitación a salir de la soledad. Carta negativa y desfavorable en general pero sólo cuando está cerca de cartas negativas o desfavorables.

Carta invertida: pequeñas operaciones en un hospital, pequeñas desgracias; pero también, en algunos casos, curación tras una enfermedad, recuperación parcial de la salud. Si el 4 de espadas es la carta de la soledad, invertida podría indicar un regreso a la normalidad o, por lo menos, un deseo fuerte de romper la espiral negativa de las 4 espadas.

Curiosidades y analogías: atentados, lutos. Soledad (Papus).

COMBINACIONES POSITIVAS

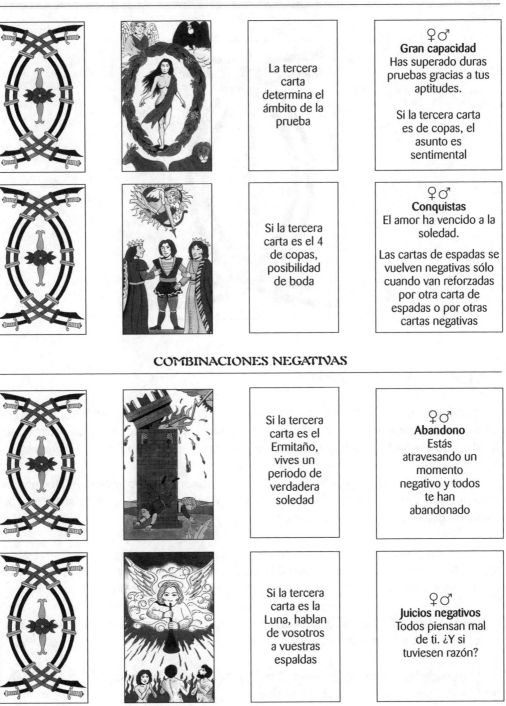

La tercera carta determina el ámbito de la prueba

♀♂
Gran capacidad
Has superado duras pruebas gracias a tus aptitudes.

Si la tercera carta es de copas, el asunto es sentimental

Si la tercera carta es el 4 de copas, posibilidad de boda

♀♂
Conquistas
El amor ha vencido a la soledad.

Las cartas de espadas se vuelven negativas sólo cuando van reforzadas por otra carta de espadas o por otras cartas negativas

COMBINACIONES NEGATIVAS

Si la tercera carta es el Ermitaño, vives un periodo de verdadera soledad

♀♂
Abandono
Estás atravesando un momento negativo y todos te han abandonado

Si la tercera carta es la Luna, hablan de vosotros a vuestras espaldas

♀♂
Juicios negativos
Todos piensan mal de ti. ¿Y si tuviesen razón?

⤳ CINCO DE ESPADAS ⤳

Nombre: Cinco de espadas.

Simbolismo: si el 4 de espadas, desde el punto de vista iconográfico, dejaba un agujero en la barrera negativa, el 5 quita toda esperanza de fuga. Es un arcano muy fuerte, que señala una lucha con pocas esperanzas. Es el Papa (V) de lo negativo.

Significados generales: remordimiento, deshonor, castigo moral, litigio, enemigos, pérdida de la razón. Lleva consigo agitación y malestar. Es, junto al 7 de espadas, una de las peores cartas numeradas.

Carta derecha: carta desgraciada para el que consulta. Negativa en el aspecto sentimental, indicando un bloqueo a la comunicación; pone en evidencia una profunda insatisfacción desde el punto de vista profesional y laboral.

Carta invertida: acentúa el carácter negativo y desfavorable. El dolor se agudiza, la enfermedad se hace crónica. Derrotas. Lutos, lágrimas.

Curiosidades y analogías: neurastenia, obsesiones, intentos de suicidio. Manía de persecución (Del Bello). Pérdida (Papus).

COMBINACIONES POSITIVAS

| | | Si la tercera carta es de oros, ayuda material | ♀♂ **Ayuda** Un amigo os ayudará a superar las dificultades (sobre todo, en el terreno laboral) |

| | | Si la tercera carta es de copas, problemas sentimentales resueltos | ♀♂ **Disputa terminada** Litigio que termina bien para todos los contendientes. Según la cábala fonética: adversidades que se han resuelto por sí mismas |

COMBINACIONES NEGATIVAS

| | | Si la tercera carta es el as de espadas, pérdida de un pleito | ♀♂ **Salud precaria** Posibilidad de intervenciones quirúrgicas. Esta combinación es negativa sólo si la tercera carta es de espadas |

| | | Si la tercera carta es el 10 de espadas, posible ingreso en un hospital | ♀♂ **Mala conciencia** Remordimiento después de una mala acción. También tendrá consecuencias sobre tu estado de salud |

Nombre: Seis de espadas.

Simbolismo: es un retorno a la barrera, ya visto en el 4 de espadas, pero que, en este caso, deja una posible vía de escape (para quien sea capaz de aprovecharla). Las espadas entrecruzadas parecen dos caminos que van en sentido opuesto. Quizá por esto se ha visto como la carta de los viajes y los desplazamientos.

Significados generales: carta débil, que se deja influir por las cartas próximas. Pone en evidencia ansiedad, crisis, salud incierta, incomprensión y dudas; pero también viajes para evadirse de una situación agobiante. La dependencia (Del Bello).

Carta derecha: carta insegura (puede ser positiva sólo para quien es capaz de vencer su propia ansiedad). Deja alguna posibilidad.

Carta invertida: acentúa el carácter negativo. ¡No viajes!

Curiosidades y analogías: estado de salud incierto. Letras protestadas. Multas. Impuestos. Intervención de la policía. Carretera (Papus).

COMBINACIONES POSITIVAS

Si la tercera carta es el Sol, ya no hay problema

♀
Explicaciones
La situación se va aclarando (precisamente porque eres contemporizador).
Las cartas de espadas se vuelven negativas si van reforzadas por otra de espadas o por otras cartas negativas

Si la tercera carta es el As de copas, un gran amor

♀♂
Prevalece el afecto
El amor puede superar cualquier duda

COMBINACIONES NEGATIVAS

Si la tercera carta es de espadas, la situación es todavía más grave

♀♂
Amenazas
Atención a los robos con tirón.

Desde el punto de vista sentimental (para una mujer): atención, tratan de quitarte tu pareja

Si la tercera carta es la Torre: accidentes, desgracias, enfermedades, robos, etc.

♀♂
Influencia negativa
Las estrellas no te son propicias en absoluto

✥ SIETE DE ESPADAS ✥

Nombre: Siete de Espadas.

Simbolismo: carta dual: por un lado, los mismos aspectos de cierre del 5 de espadas; por otro, la intervención positiva del número 7, el número de la perfección, que también anuncia el fin de un ciclo. Y, por lo tanto, hace que nazca un sentimiento de liberación, una esperanza (pero que puede no realizarse).

Significados generales: una de las cartas numéricas más fuertes, que incide notablemente sobre las otras. Por su duplicidad: actos maléficos y empresas sospechosas, pero también superación de situaciones críticas, mejoría, nuevas perspectivas.

Carta derecha: invita al coraje (naturalmente, es negativa al máximo para quien es cobarde). Inquietud (que puede ser superada por quien es fuerte).

Carta invertida: disputas, maledicencia, robos. Naturalmente, si está derecha indica «mejoría», invertida indica, por el contrario, «empeoramiento».

Curiosidades y analogías: estabilidad sentimental precaria. El Carro de la esperanza. Conversaciones. Fantasías. Pesadillas. Esperanza (Papus).

COMBINACIONES POSITIVAS

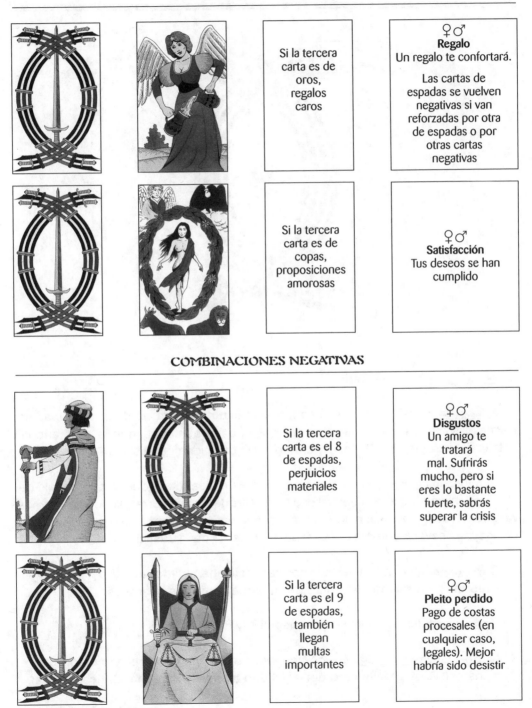

Si la tercera carta es de oros, regalos caros

♀♂
Regalo
Un regalo te confortará.

Las cartas de espadas se vuelven negativas si van reforzadas por otra de espadas o por otras cartas negativas

Si la tercera carta es de copas, proposiciones amorosas

♀♂
Satisfacción
Tus deseos se han cumplido

COMBINACIONES NEGATIVAS

Si la tercera carta es el 8 de espadas, perjuicios materiales

♀♂
Disgustos
Un amigo te tratará mal. Sufrirás mucho, pero si eres lo bastante fuerte, sabrás superar la crisis

Si la tercera carta es el 9 de espadas, también llegan multas importantes

♀♂
Pleito perdido
Pago de costas procesales (en cualquier caso, legales). Mejor habría sido desistir

OCHO DE ESPADAS

Nombre: Ocho de espadas.

Simbolismo: las barreras son cada vez más tupidas y la vía de escape más estrecha. Las fuerzas opuestas están en equilibrio momentáneo, quizás esperando la batalla final. Según Del Bello, el número 8 evoca la idea de Justicia (VIII).

Significados generales: es el momento de la crítica total. Todo lo que habéis hecho o dicho se discute. Vuestra crisis, la falta de confianza en vosotros mismos, vuestras dudas, todo sale a flote. Tenéis que ser vosotros los que os disculpéis ante el juez más severo: vuestra conciencia. Es el tema de la Justicia.

Carta derecha: carta incierta pero más inclinada al lado negativo. Hay que ser muy fuertes para salir del laberinto de vuestros conflictos interiores.

Carta invertida: aumenta el cariz negativo y desfavorable.

Curiosidades y analogías: agotamiento sexual, peligros relacionados con el agua, cárcel. Restablecimiento del equilibrio tras una condena. Crítica (Papus).

COMBINACIONES POSITIVAS

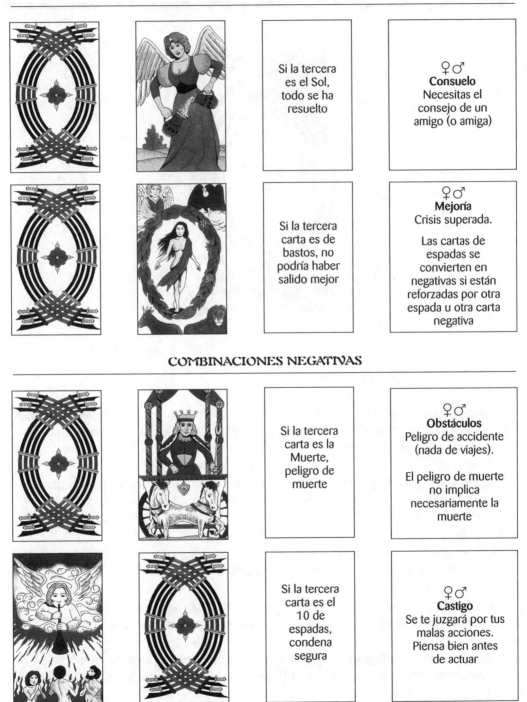

Si la tercera es el Sol, todo se ha resuelto

♀♂
Consuelo
Necesitas el consejo de un amigo (o amiga)

Si la tercera carta es de bastos, no podría haber salido mejor

♀♂
Mejoría
Crisis superada.

Las cartas de espadas se convierten en negativas si están reforzadas por otra espada u otra carta negativa

COMBINACIONES NEGATIVAS

Si la tercera carta es la Muerte, peligro de muerte

♀♂
Obstáculos
Peligro de accidente (nada de viajes).

El peligro de muerte no implica necesariamente la muerte

Si la tercera carta es el 10 de espadas, condena segura

♀♂
Castigo
Se te juzgará por tus malas acciones. Piensa bien antes de actuar

❧ NUEVE DE ESPADAS ❧

Nombre: Nueve de espadas.

Simbolismo: el carácter positivo del número 9 se anula por el negativo de su carta análoga, el Ermitaño (IX). La soledad y el misterio rodean a esta carta, que revela lo insondable del destino.

Significados generales: venganza, envidia, luchas internas, retrasos, pero también el consejo de una persona prudente en un momento difícil (el lado positivo del Ermitaño).

Carta derecha: carta negativa e infeliz. Pero no influye sobre las cartas próximas. Sólo si son negativas, se acentúa su aspecto desfavorable.

Carta invertida: es todavía peor. Sale a la luz todo el odio que anida en nosotros o que sufrimos. Además, indica posible divorcio, sospechas fundadas, vergüenza.

Curiosidades y analogías: enfermedades que minan el organismo (Del Bello). Alcoholismo, decrepitud, intoxicación. El convento, el sacerdote, el ermitaño, el monje. El soltero (Papus).

COMBINACIONES POSITIVAS

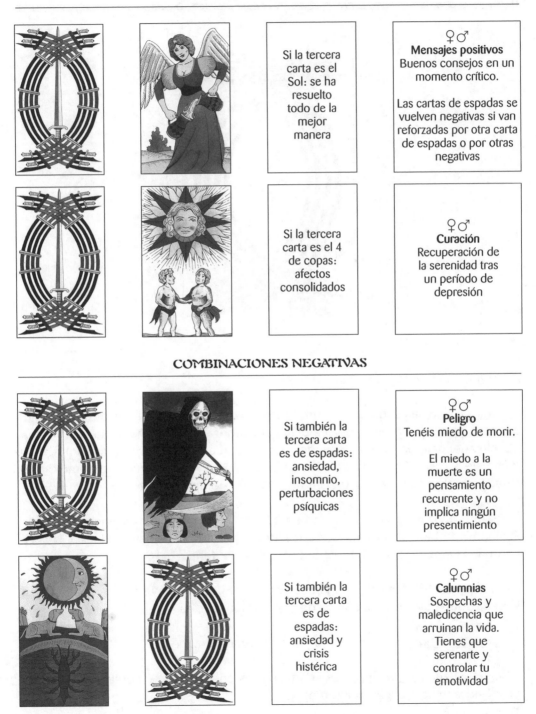

Si la tercera carta es el Sol: se ha resuelto todo de la mejor manera

♀♂
Mensajes positivos
Buenos consejos en un momento crítico.

Las cartas de espadas se vuelven negativas si van reforzadas por otra carta de espadas o por otras negativas

Si la tercera carta es el 4 de copas: afectos consolidados

♀♂
Curación
Recuperación de la serenidad tras un período de depresión

COMBINACIONES NEGATIVAS

Si también la tercera carta es de espadas: ansiedad, insomnio, perturbaciones psíquicas

♀♂
Peligro
Tenéis miedo de morir.

El miedo a la muerte es un pensamiento recurrente y no implica ningún presentimiento

Si también la tercera carta es de espadas: ansiedad y crisis histérica

♀♂
Calumnias
Sospechas y maledicencia que arruinan la vida. Tienes que serenarte y controlar tu emotividad

DIEZ DE ESPADAS

Nombre: Diez de espadas.

Simbolismo: las espadas son un signo doble, más bien negativo, pero con algún aspecto positivo. Sin embargo, es difícil descubrir esa pequeña parte positiva que conserva el palo en las diez espadas entrecruzadas. Es el máximo del dolor, de la lucha, de la crisis. Conserva sólo los aspectos negativos de su arcano homólogo, la Rueda de la Fortuna (X). Es una alternativa casi siempre negativa.

Significados generales: es la carta del llanto y de la angustia. Anuncia ruina, desilusiones, problemas, amenazas varias, dolor, pérdida de dinero, soledad. Nos recuerda los lugares del dolor: el hospital, el cementerio.

Carta derecha: carta de desgracia y, en general, de dolor. Indica un obstáculo insalvable, que sólo serán capaces de superar los fuertes.

Carta invertida: beneficios, mejoras, éxito momentáneo.

Curiosidades y analogías: los enemigos, las enfermedades contagiosas, problemas físicos y morales. Aflicción (Papus).

COMBINACIONES POSITIVAS

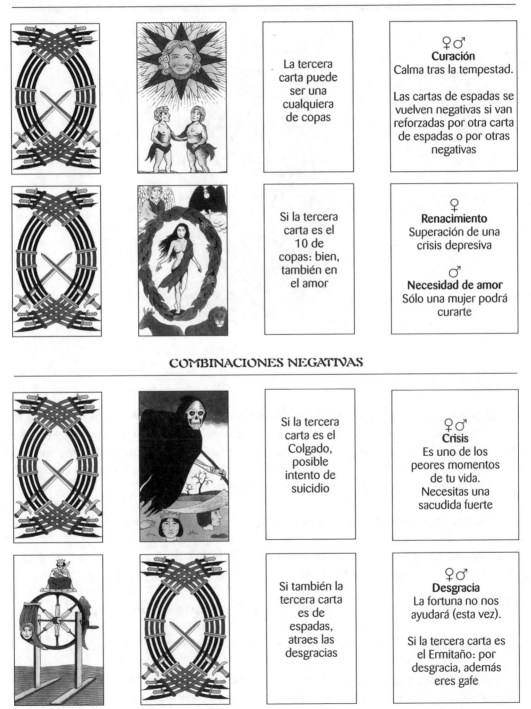

La tercera carta puede ser una cualquiera de copas

♀♂
Curación
Calma tras la tempestad.

Las cartas de espadas se vuelven negativas si van reforzadas por otra carta de espadas o por otras negativas

Si la tercera carta es el 10 de copas: bien, también en el amor

♀
Renacimiento
Superación de una crisis depresiva

♂
Necesidad de amor
Sólo una mujer podrá curarte

COMBINACIONES NEGATIVAS

Si la tercera carta es el Colgado, posible intento de suicidio

♀♂
Crisis
Es uno de los peores momentos de tu vida. Necesitas una sacudida fuerte

Si también la tercera carta es de espadas, atraes las desgracias

♀♂
Desgracia
La fortuna no nos ayudará (esta vez).

Si la tercera carta es el Ermitaño: por desgracia, además eres gafe

❖ REY DE OROS ❖

Nombre: Rey de oros.

Descripción: un anciano rey sentado en su trono. Con la mano derecha sujeta el símbolo de su palo. Es una persona prudente, que inspira confianza. Pero su «prudencia» no es consecuencia de su valor ni de su magnanimidad ni de sus conocimiento: es fruto de una larga experiencia como «administrador» del dinero. Si no llevara corona, sería un gran banquero medieval.

Simbolismo: el poder terrenal, erigido sobre el poder del oro y la ambición.

Significados generales: cónyuge fiable, un hombre muy eficiente, el financiero, el hacendado; pero también el plebeyo enriquecido, el comerciante.

Carta derecha: carta positiva para quien quiere realizar algo. Fortuna.

Carta invertida: vicioso, desleal, corrupto, falso. El usurero.

Curiosidades y analogías: amantes de fiestas y placeres, matrimonio en el que prevalece el interés por encima del amor. Hombre moreno (Papus).

COMBINACIONES POSITIVAS

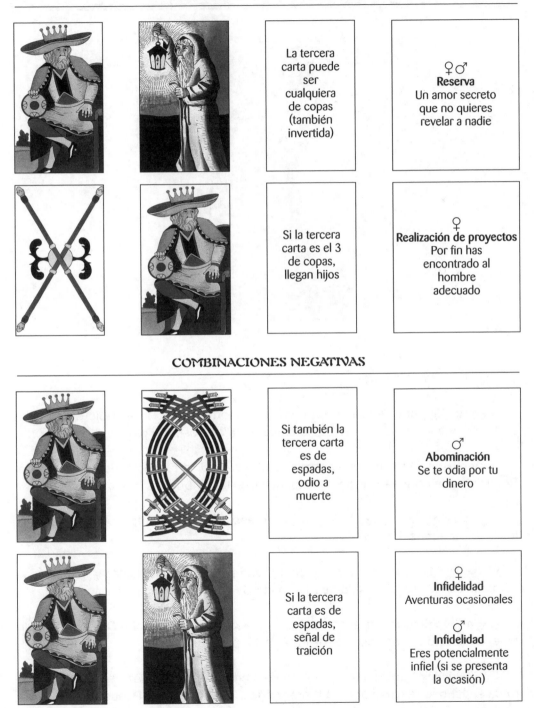

La tercera carta puede ser cualquiera de copas (también invertida)

♀♂
Reserva
Un amor secreto que no quieres revelar a nadie

Si la tercera carta es el 3 de copas, llegan hijos

♀
Realización de proyectos
Por fin has encontrado al hombre adecuado

COMBINACIONES NEGATIVAS

Si también la tercera carta es de espadas, odio a muerte

♂
Abominación
Se te odia por tu dinero

Si la tercera carta es de espadas, señal de traición

♀
Infidelidad
Aventuras ocasionales

♂
Infidelidad
Eres potencialmente infiel (si se presenta la ocasión)

❧ REINA DE OROS ❧

Nombre: Reina de oros.

Descripción: una reina sostiene una gran moneda de oro, símbolo de su palo. En la otra mano lleva un cetro. Es la única reina que está en pie.

Simbolismo: la mujer, inteligente y astuta, que se ha emancipado con el dinero. Recuerda a la cortesana renacentista, bella, culta, de buenos modales, rica.

Significados generales: mujer rica, pero espiritualmente sola, noble, moralmente libre. Asegura el bienestar.

Carta derecha: carta afortunada (sobre todo para los que consultan). También los hombres pueden sacar partido de ella, con tal de que no le pongan obstáculos.

Carta invertida: mujer suspicaz, sensual, caprichosa, voluble. Quien cree sólo en el dinero no puede tener otros ideales. La prostituta.

Curiosidades y analogías: enfermedades crónicas, pero vejez tranquila. El dinero da seguridad pero no amor. La suegra rica. Mujer morena (Papus).

COMBINACIONES POSITIVAS

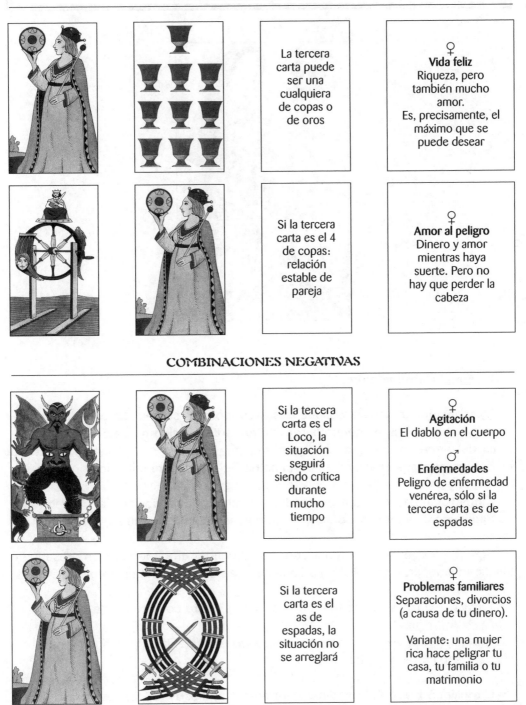

La tercera carta puede ser una cualquiera de copas o de oros

♀
Vida feliz
Riqueza, pero también mucho amor.
Es, precisamente, el máximo que se puede desear

Si la tercera carta es el 4 de copas: relación estable de pareja

♀
Amor al peligro
Dinero y amor mientras haya suerte. Pero no hay que perder la cabeza

COMBINACIONES NEGATIVAS

Si la tercera carta es el Loco, la situación seguirá siendo crítica durante mucho tiempo

♀
Agitación
El diablo en el cuerpo

♂
Enfermedades
Peligro de enfermedad venérea, sólo si la tercera carta es de espadas

Si la tercera carta es el as de espadas, la situación no se arreglará

♀
Problemas familiares
Separaciones, divorcios (a causa de tu dinero).

Variante: una mujer rica hace peligrar tu casa, tu familia o tu matrimonio

❄ CABALLO DE OROS ❄

Nombre: Caballo de oros.

Descripción: un caballero sigue tras el símbolo de su palo. La espada está enfundada. Quizá ya se ha hecho el reparto del botín. Es tiempo de descansar y disfrutar del bienestar adquirido con gran trabajo y lucha. Pero el caballero no piensa en detenerse, nada le ata, ni familia ni patria. Es un hombre solitario.

Simbolismo: la ambición desmedida de dinero. Laboriosidad encauzada a la conquista del bienestar absoluto (con pocos escrúpulos morales).

Significados generales: organizador hábil, jugador empedernido, empresario; filosóficamente, un materialista; persona segura de sí misma. Epicúreo.

Carta derecha: carta positiva (para los justos), pero con prudencia.

Carta invertida: *Homo sine pecunia, imago mortis.* Rufián, persona avara, desaliñada. Despilfarrador. Estafador.

Curiosidades y analogías: dinero por correo. Utilidad (Papus).

COMBINACIONES POSITIVAS

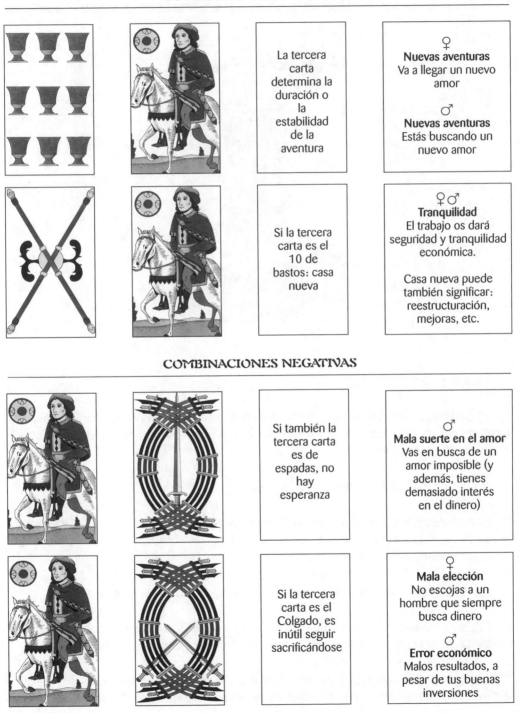

La tercera carta determina la duración o la estabilidad de la aventura

♀
Nuevas aventuras
Va a llegar un nuevo amor

♂
Nuevas aventuras
Estás buscando un nuevo amor

Si la tercera carta es el 10 de bastos: casa nueva

♀♂
Tranquilidad
El trabajo os dará seguridad y tranquilidad económica.

Casa nueva puede también significar: reestructuración, mejoras, etc.

COMBINACIONES NEGATIVAS

Si también la tercera carta es de espadas, no hay esperanza

♂
Mala suerte en el amor
Vas en busca de un amor imposible (y además, tienes demasiado interés en el dinero)

Si la tercera carta es el Colgado, es inútil seguir sacrificándose

♀
Mala elección
No escojas a un hombre que siempre busca dinero

♂
Error económico
Malos resultados, a pesar de tus buenas inversiones

⚜ SOTA DE OROS ⚜

Nombre: Sota de oros.

Descripción: un joven paje sostiene en la mano derecha (la mano activa) el símbolo de su palo. Es alegre y jovial porque, a pesar de su juventud, ya ha alcanzado un discreto bienestar.

Simbolismo: el oro como motivación única.

Significados generales: una persona que prospera. El comerciante, el joven empresario, el titulado que cuenta con su profesión, el administrador del dinero ajeno, el empleado de banco, el gestor.

Carta derecha: carta positiva para quien tiene dinero para invertir.

Carta invertida: ladrón, rebelde, ilógico, astuto, servil, embustero. Un pueblo que únicamente cree en el dinero, sólo puede ser maldecido por la historia.

Curiosidades y analogías: hijo o empleado del que uno no puede fiarse, Se considera en general como una carta ambigua. Muchacho moreno (Papus).

COMBINACIONES POSITIVAS

La tercera carta puede ser una cualquiera de bastos o de oros

♀♂
Buenos negocios
Las propuestas que te han hecho son muy favorables

Si la tercera carta es el 4 de bastos: actividad sólida

♂
Seguridad
A pesar de tu juventud, eres maduro y seguro de ti mismo (de todas formas, moderación)

COMBINACIONES NEGATIVAS

Si también la tercera carta es de espadas, puede empeorar la situación

♀♂
Problemas
Problemas a la vista (sobre todo legales) que te harán perder dinero.

La Justicia invertida indica que la justicia humana no está de vuestra parte

Si la tercera carta es de espadas, la situación es prácticamente irremediable

♀
Indiferencia
A tu marido o pareja sólo le interesa el dinero

♂
Pérdidas
Has invertido mal el dinero

✥ AS DE OROS ✥

Nombre: As de oros.

Descripción: una moneda de oro entre dos símbolos florales.

Simbolismo: el principio activo por excelencia. La realización de ideas sopesadas. El escudo que nos defiende de todas las adversidades económicas.

Significados generales: felicidad terrenal, perfección material, llegada de dinero, contratos ventajosos, euforia, satisfacción, tesoros, herencias.

Carta derecha: la carta más afortunada de los arcanos menores. En general, anula los efectos negativos de las cartas que la rodean.

Carta invertida: avidez, corrupción, usura, riqueza desperdiciada, despilfarro, reciclaje de dinero negro. El dinero mal empleado trae desgracia.

Curiosidades y analogías: inteligencia para las finanzas. Espíritu de trabajo, pero también egoísta. Perfecta satisfacción (Papus).

COMBINACIONES POSITIVAS

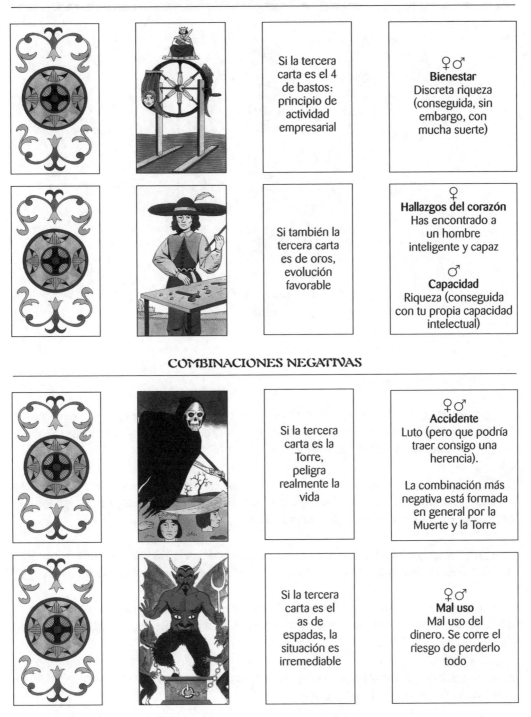

Si la tercera carta es el 4 de bastos: principio de actividad empresarial

♀♂
Bienestar
Discreta riqueza (conseguida, sin embargo, con mucha suerte)

Si también la tercera carta es de oros, evolución favorable

♀
Hallazgos del corazón
Has encontrado a un hombre inteligente y capaz

♂
Capacidad
Riqueza (conseguida con tu propia capacidad intelectual)

COMBINACIONES NEGATIVAS

Si la tercera carta es la Torre, peligra realmente la vida

♀♂
Accidente
Luto (pero que podría traer consigo una herencia).

La combinación más negativa está formada en general por la Muerte y la Torre

Si la tercera carta es el as de espadas, la situación es irremediable

♀♂
Mal uso
Mal uso del dinero. Se corre el riesgo de perderlo todo

❧ DOS DE OROS ❧

Nombre: Dos de oros.

Simbolismo: la duplicidad del dinero se revela por completo en esta carta. Siempre es difícil elegir: aunque, económicamente, ambas sean positivas. Sin embargo, el aspecto moral queda excluido del conflicto.

Significados generales: contactos de negocios que llegan a buen término, buenas noticias económicas, sociedades que aportan dinero, uniones ventajosas en los negocios, boda de interés, inversiones productivas, *leasing,* financiaciones.

Carta derecha: es la carta del riesgo calculado. Las opciones en el terreno económico deben analizarse hasta el mínimo detalle. Hay que pensárselo dos veces.

Carta invertida: también es buena de esta forma. El antagonismo material se ve también como aviso documental (por ejemplo, una citación legal, una controversia de negocios, una fianza).

Curiosidades y analogías: penas del corazón (a veces). El finiquito, la letra de cambio, el libramiento. El apuro (Papus).

COMBINACIONES POSITIVAS

		La tercera carta determina el ámbito de las noticias que van a llegar	♀♂ **Noticias agradables** Van a llegar buenas noticias (que podrían cambiar vuestra vida)
		Si la tercera carta es el 4 de bastos: inicio de actividades comerciales	♀♂ **Bienestar general** Tienes las estrellas a favor (premios, regalos, créditos)

COMBINACIONES NEGATIVAS

		Si la tercera carta es el 4 de espadas: actividad comercial con pérdidas	♀♂ **Pérdidas** Estás haciendo sacrificios inútiles que no son rentables
		El sentido de la aventura viene dado por el 2 de copas como tercera carta	♀♂ **Encuentros negativos** Pequeñas aventuras que harán perder dinero

⇜ TRES DE OROS ⇝

Nombre: Tres de oros.

Simbolismo: el número del nacimiento y el palo de la solidez terrenal hacen fructífera esta carta para quien consulta. Es el principio de la prosperidad.

Significados generales: poder, negocios, ganancias de juego, regalos, aumentos de sueldo, gloria terrenal: todo tendrá un desenlace positivo. Es una carta de crecimiento material y de bienestar. Pero no hay que pedirle más.

Carta derecha: carta favorable a las empresas de cualquier tipo. Dinero llama a dinero. La carta no dice si después no se utiliza con fines positivos. Porque, desgraciadamente, el aspecto moral no le interesa.

Carta invertida: mediocridad, preocupaciones financieras, humillaciones. Llegan las dudas en forma preponderante y hacen ver todos los puntos débiles de la carta invertida. Carrera en peligro.

Curiosidades y analogías: felicidad en los negocios. El importante (Papus).

COMBINACIONES POSITIVAS

La tercera carta puede ser una cualquiera de copas o de bastos

♀♂
Crédito
Hay personas adineradas que nos deben dinero (y nos lo darán)

Si la tercera carta es el Sol o el Mundo, habrá éxito en la empresa

♀♂
Fuerza de ánimo
Los negocios se consolidarán (si se sabe resistir las adversidades)

COMBINACIONES NEGATIVAS

La tercera carta indica las posibilidades reales de recuperación

♀♂
Pequeñas pérdidas
Podrías no recuperar un pequeño crédito, pero conviene evitar las acciones legales

La tercera carta indica las posibilidades de caída

♀♂
Desgaste
Tus negocios se están deteriorando. Podría producirse una quiebra (de modo irreparable)

CUATRO DE OROS

Nombre: Cuatro de oros.

Simbolismo: el número de la estabilidad y el palo del bienestar material dan vida a una carta favorable para quien consulta (si tiene dotes de administrador y de empresario). El dinero da estabilidad y seguridad, pero es como un caballo encabritado: sólo los buenos jinetes consiguen mantenerse siempre sobre la silla.

Significados generales: solidez económica, fortuna conseguida, regalos, buenas relaciones, venta de inmuebles. Pero, cuidado: que el deseo de dinero no se transforme en avidez. El egoísmo está siempre al acecho.

Carta derecha: carta de estabilidad (parcial). La mesa de trabajo o de estudio, el mostrador del comerciante. También la suerte juega su baza.

Carta invertida: indica sólo los aspectos negativos de la carta derecha. Obstáculos (superables), obstrucciones, retrasos, avidez, avaricia.

Curiosidades y analogías: nacimiento de hijos (sobre todo de niñas). El amor por la riqueza se puede convertir en codicia. Beneficio (Papus).

COMBINACIONES POSITIVAS

La tercera carta puede ser una cualquiera de bastos

♀♂
Ayuda merecida
Negocio estable, gracias, sobre todo, a vuestro carácter y laboriosidad

Si la tercera carta es el 4 de copas: serenidad en el terreno afectivo

♀♂
Negocios rentables
Estabilidad económica, bienestar, autoridad (debida al desahogo)

COMBINACIONES NEGATIVAS

Si la tercera carta es la Torre: actividades con pérdidas

♀♂
Enemistades
El dinero es causa de divergencias y de enemistades (incluso con los amigos)

La tercera carta determina la naturaleza de los obstáculos

♀♂
Obstáculos
Encontrarás muchos obstáculos a lo largo de tu vida (sobre todo de carácter económico). Esta combinación es negativa si aparecen espadas o cartas desfavorables

⊰⊱ CINCO DE OROS ⊰⊱

Nombre: Cinco de oros.

Simbolismo: carta de movimiento (material y mental). Esperanzas ligadas al dinero. La busca del bienestar material es fruto de mucho pensar.

Significados generales: indica el dinero que se desea y el estar pensando siempre en cómo poderlo conseguir. Carta positiva para las personas prácticas.

Carta derecha: carta beneficiosa (sobre todo para quien sabe usar bien el dinero). Es la posición del amante (también un poco enamorado); pero suele ser un amor mercenario. También es el amante que cuesta dinero. Contrato matrimonial. Dote.

Carta invertida: el deseo de dinero, a veces, ciega. Se pierden los afectos y las amistades. Indica una vida sin reglas, desorden existencial, problemas ligados al dinero, discordias por dinero, deudas, preocupaciones.

Curiosidades y analogías: el dinero domina al sujeto (Del Bello). Amante, hombre y mujer (Papus).

COMBINACIONES POSITIVAS

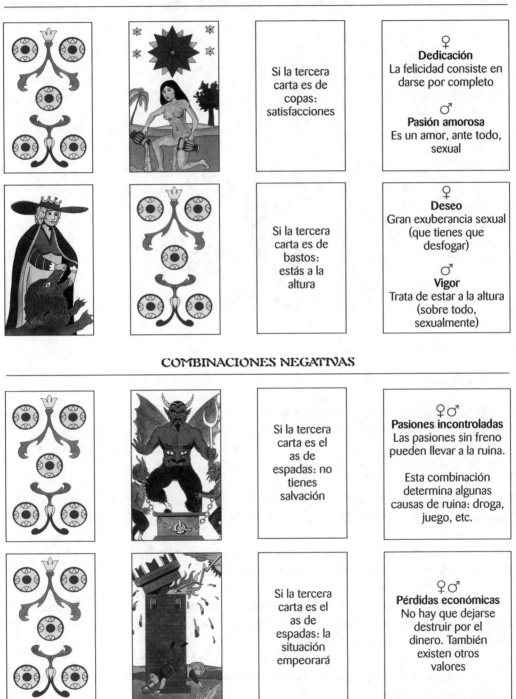

Si la tercera carta es de copas: satisfacciones

♀
Dedicación
La felicidad consiste en darse por completo

♂
Pasión amorosa
Es un amor, ante todo, sexual

Si la tercera carta es de bastos: estás a la altura

♀
Deseo
Gran exuberancia sexual (que tienes que desfogar)

♂
Vigor
Trata de estar a la altura (sobre todo, sexualmente)

COMBINACIONES NEGATIVAS

Si la tercera carta es el as de espadas: no tienes salvación

♀♂
Pasiones incontroladas
Las pasiones sin freno pueden llevar a la ruina.

Esta combinación determina algunas causas de ruina: droga, juego, etc.

Si la tercera carta es el as de espadas: la situación empeorará

♀♂
Pérdidas económicas
No hay que dejarse destruir por el dinero. También existen otros valores

SEIS DE OROS

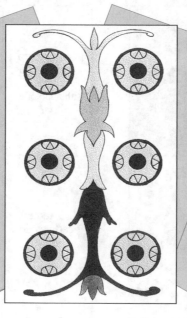

Nombre: Seis de oros.

Simbolismo: la carta parece dividida en dos partes, iguales pero opuestas. Son como dos platos de una balanza en equilibrio precario, pero siempre estable. El mal y el bien entran en conflicto por el buen o mal uso de la suerte (Del Bello). El amor por el dinero ha encontrado una momentánea satisfacción.

Significados generales: carta estática pero fluida. Generosidad, ganancias provisionales, regalos importantes, pero hay que tener prudencia al usarlos.

Carta derecha: carta positiva (sobre todo para quien maneja bien su dinero). Es una carta relativa al momento y, por ello, inestable.

Carta invertida: la admiración se vuelve envidia, la prudencia se hace avaricia, la pasión se transforma en celos, los créditos se vuelven deudas, las ganancias en el juego se revelan pérdidas. *Eres* venal.

Curiosidades y analogías: atención a los malos consejos: hacen perder dinero. El presente (Papus).

COMBINACIONES POSITIVAS

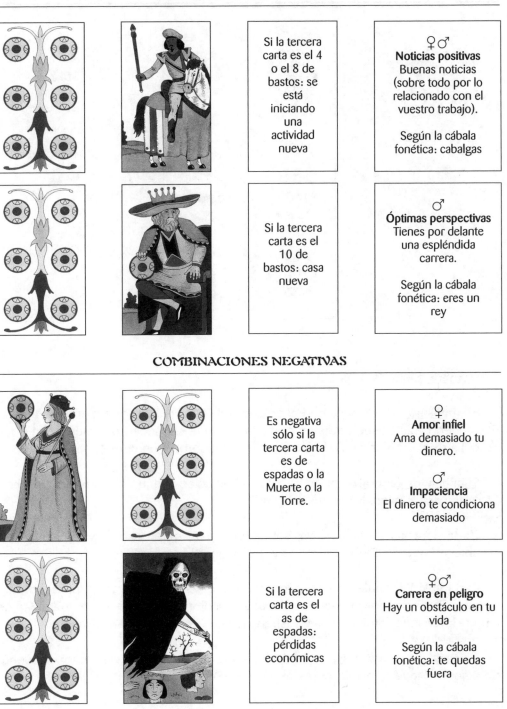

Si la tercera carta es el 4 o el 8 de bastos: se está iniciando una actividad nueva

♀♂
Noticias positivas
Buenas noticias (sobre todo por lo relacionado con el vuestro trabajo).

Según la cábala fonética: cabalgas

Si la tercera carta es el 10 de bastos: casa nueva

♂
Óptimas perspectivas
Tienes por delante una espléndida carrera.

Según la cábala fonética: eres un rey

COMBINACIONES NEGATIVAS

Es negativa sólo si la tercera carta es de espadas o la Muerte o la Torre.

♀
Amor infiel
Ama demasiado tu dinero.

♂
Impaciencia
El dinero te condiciona demasiado

Si la tercera carta es el as de espadas: pérdidas económicas

♀♂
Carrera en peligro
Hay un obstáculo en tu vida

Según la cábala fonética: te quedas fuera

✒ SIETE DE OROS ✒

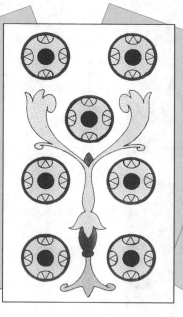

Nombre: Siete de oros.

Simbolismo: en analogía con el arcano del Carro (VII), aporta bienestar a quienes saben explotar sus dotes empresariales. Es la seguridad que viene con el dinero. La existencia se encamina a lo mejor. Recuerda a un cometa.

Significados generales: buen trabajo, financiación asegurada, ganancias fáciles, progreso económico. Nada puede ir mejor.

Carta derecha: carta positiva, sobre todo para quien sabe invertir su dinero (también el que recibirá). Herencias y donaciones, premios.

Carta invertida: quien desea demasiado el dinero, también teme perderlo para siempre. Por este motivo nacen ansiedades, insomnios, tensión. Indica pérdidas de dinero, inversiones atolondradas, sospechas de los colaboradores y socios.

Curiosidades y analogías: beneficencia, ayudas de dinero (Del Bello). Aumento de dinero. «Sigue tu estela, cometa». Dinero (Papus).

COMBINACIONES POSITIVAS

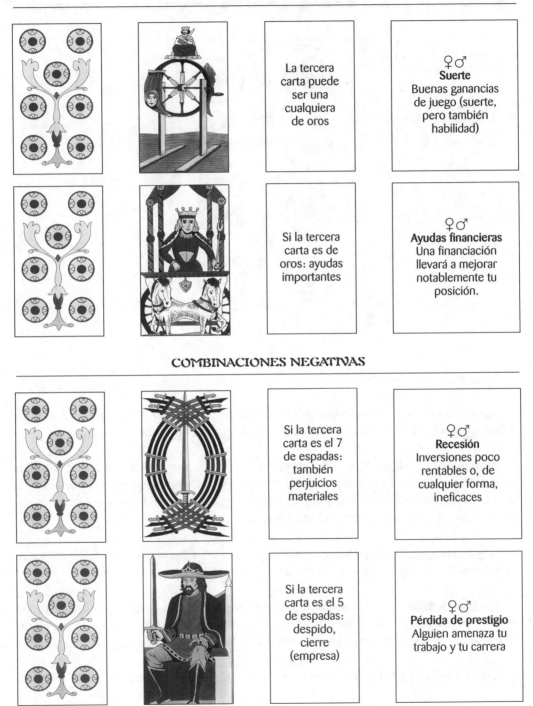

La tercera carta puede ser una cualquiera de oros

♀♂
Suerte
Buenas ganancias de juego (suerte, pero también habilidad)

Si la tercera carta es de oros: ayudas importantes

♀♂
Ayudas financieras
Una financiación llevará a mejorar notablemente tu posición.

COMBINACIONES NEGATIVAS

Si la tercera carta es el 7 de espadas: también perjuicios materiales

♀♂
Recesión
Inversiones poco rentables o, de cualquier forma, ineficaces

Si la tercera carta es el 5 de espadas: despido, cierre (empresa)

♀♂
Pérdida de prestigio
Alguien amenaza tu trabajo y tu carrera

❖ OCHO DE OROS ❖

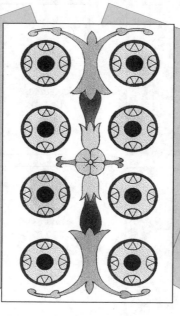

Nombre: Ocho de oros.

Simbolismo: hay analogía con el arcano de la Justicia (VIII). Los platos de la balanza están en perfecto equilibrio. Es el reparto justo de bienes y fortuna.

Significados generales: es una carta de equilibrio sustancial. Indica los resultados alcanzados en el trabajo y en la profesión. Permite ser reconocido por las propias cualidades. Habilidad artesana, trabajo manual rentable, buen puesto en la estructura de la empresa, experiencia comercial.

Carta derecha: carta positiva, sobre todo en las actividades artesanales y comerciales. De todas formas, hay que ayudar a la suerte.

Carta invertida: en general, jactancia, avidez, hipocresía, avaricia, usura. Para las buenas personas, el uso «injusto» del dinero lleva a veces a conflictos morales no siempre superables. En este caso genera inquietud y desesperación.

Curiosidades y analogías: herencia, la muchacha. Muchacha morena (Papus).

COMBINACIONES POSITIVAS

Si la tercera carta es el As de copas: gran amor

♀♂
Relaciones
Amistad que se puede transformar en amor (grande)

Si la tercera carta es el 10 de copas: matrimonio de amor

♀♂
Amor trabajado
Una conquista que ha requerido mucho trabajo (y sacrificios)

COMBINACIONES NEGATIVAS

Si la tercera carta es el 10 de espadas: pleito perdido y daños

♀♂
Evita los riesgos
No arriesgar dinero en procesos

Si la tercera carta es el 5 de espadas: la situación no mejorará

♀♂
Injusticias
Opresión en el trabajo (jefe, socio, director, etc.)

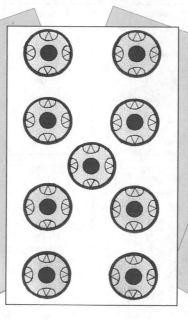

Nombre: Nueve de oros

Simbolismo: hay dos flujos que, después de entrecruzarse, reemprenden su camino por separado. Es la expansión continua, ordenada, hacia la seguridad total. Pero, por su duplicidad, la carta avisa siempre de las posibles desviaciones y se pregunta cuál es de verdad la verdadera meta del que consulta. *Cui prodest?* (¿A quién beneficia?).

Significados generales: indica movimiento imprevisto de dinero que dará sus resultados, pero no para siempre. Es el momento de consolidar nuestra posición, pero también de comenzar a disfrutarla. Anuncia viajes por dinero, ganancias, premios de la lotería, financiaciones, herencias, regalos.

Carta derecha: carta positiva, sobre todo para quien es activo, para quien viaja.

Carta invertida: el dinero se escapa de las manos. Anuncia mala fe, inversiones en peligro, engaños de falsos amigos, pérdidas de dinero. Prostitución.

Curiosidades y analogías: adquisición de bienes inmuebles. La abuela (Del Bello). Efecto (Papus).

COMBINACIONES POSITIVAS

Si la tercera carta es de oros: aumento del dinero

♀♂
Ganancias
Sabrás aprovechar vuestra inventiva (y vuestra suerte)

Si la tercera carta es el 4 de oros: inversiones económicas

♀♂
Regalos
Regalos por parte de un amigo (¿querrá algo?)

COMBINACIONES NEGATIVAS

Si la tercera carta es también de espadas: no será restituido

♀♂
No prestar dinero
Es mejor no prestar dinero (ni siquiera a los amigos). Con frecuencia se pierden dinero y amigos

Si la tercera carta es la Luna: habladurías y calumnias

♀♂
Envidia
No despiertas simpatías en ninguna parte ¿No será culpa tuya?

✧ DIEZ DE OROS ✧

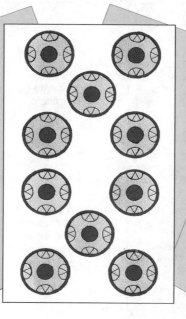

Nombre: Diez de oros.

Simbolismo: en analogía con el arcano de la Rueda de la Fortuna (X), has alcanzado la cumbre de la fortuna. Es la movilidad económica que funciona en sentido positivo.

Significados generales: anuncia el logro de la estabilidad, la tan trabajada prosperidad, la seguridad material (y psicológica), el progreso económico, el crecimiento definitivo del patrimonio. Es la casa como estructura financiera, la familia como ente productivo y sujeto de tasación, la ciudad como conjunto de ciudadanos que producen, la nación que trabaja.

Carta derecha: carta positiva y favorable. Anuncia dinero ganado con el trabajo, pero también heredado (ganado por otros miembros de la misma familia).

Carta invertida: amenaza con posible ruina. Entonces nacen incertidumbre y dudas sobre el futuro. La familia corre el riesgo de agrietarse. Pérdidas, despilfarros.

Curiosidades y analogías: descubrimiento de tesoros (Del Bello). La casa (Papus).

COMBINACIONES POSITIVAS

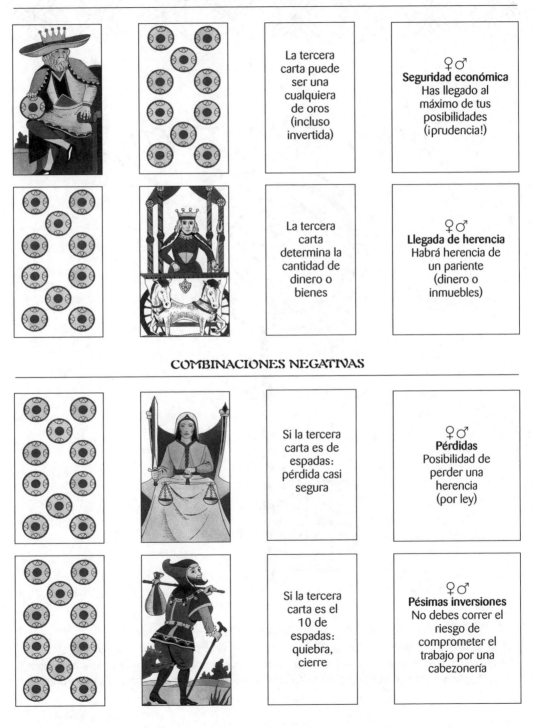

| | | La tercera carta puede ser una cualquiera de oros (incluso invertida) | ♀♂ **Seguridad económica** Has llegado al máximo de tus posibilidades (¡prudencia!) |
| | | La tercera carta determina la cantidad de dinero o bienes | ♀♂ **Llegada de herencia** Habrá herencia de un pariente (dinero o inmuebles) |

COMBINACIONES NEGATIVAS

| | | Si la tercera carta es de espadas: pérdida casi segura | ♀♂ **Pérdidas** Posibilidad de perder una herencia (por ley) |
| | | Si la tercera carta es el 10 de espadas: quiebra, cierre | ♀♂ **Pésimas inversiones** No debes correr el riesgo de comprometer el trabajo por una cabezonería |

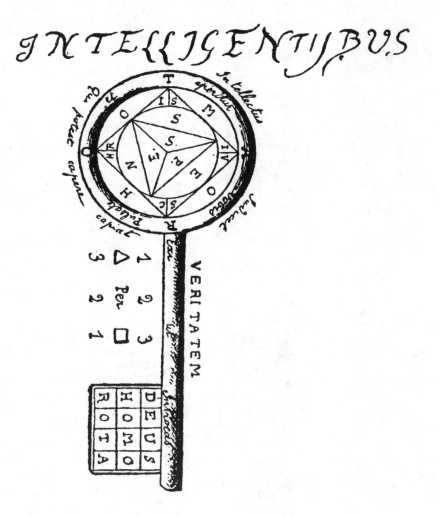

La Llave de las Cosas Ocultas de Guillermo Postel (Amsterdam, 1645).
Muchos ocultistas (entre ellos Eliphas Levi) creyeron que, precisamente por esta figura, Postel tenía conocimiento del uso esotérico del Tarot. En cambio, en la edición original *(Clavis Absconditorum,* París, 1546)* no estaba incluida; la palabra Tarot no aparece nunca, mientras que la palabra Rueda se cita una sola vez.

Los arcanos menores: síntesis

Los arcanos menores son los más difíciles de interpretar, ya que no siempre es posible diferenciar el significado de las diversas combinaciones (por ejemplo, rey de oros y seis de bastos, rey de oros y cinco de bastos, etc.). Por este motivo hemos tratado de hacer un planteamiento lógico que tuviese en cuenta los significados tradicionales de la numerología y de la cábala fonética, pero también de la iconología. Partiendo del As como centro dinámico y creador, se llega al 10, la carta que representa la conclusión de todo el proceso evolutivo (o involutivo). Según el palo, la evolución, si es negativa, se vuelve involución (por ejemplo, espadas, pero no siempre). Si el As es el principio, el nacimiento, el 10 representa la meta, el fin.

Desde el punto de vista simbólico, se pueden dividir los arcanos menores en agentes (las cartas con figuras) y en actos (las cartas numéricas). Y estas últimas se pueden a su vez dividir en cartas móviles (las impares) e inmóviles (las pares), teniendo siempre en cuenta que algunas son favorables y otras desfavorables (en general, las espadas). Entre las cartas inmóviles positivas, el 2 representa la estabilidad en la pareja, el 4 la estabilidad de base (la mesa con cuatro patas, el mostrador de la tienda, etc.); el 8, la estabilidad que se está confirmando, el 10, en fin, la estabilidad final (por ejemplo, el 10 de copas representa a la familia). El 6 es la carta de la confirmación: dice precisamente lo que somos en ese momento. Entre las negativas, en cambio, el 2 de espadas representa la divergencia; el 10, el hospital, la cárcel. Entre las cartas móviles positivas, el 3 representa el desarrollo normal de una relación entre dos (desde el punto de vista sentimental, el 3 de copas es el hijo; en el trabajo, el 3 de bastos es el socio, etc.); el 5 es el cambio positivo de la estabilidad de base, es decir, el principio de una mejoría; el 7, el cambio en positivo del ser. Entre las negativas, el 3 de espadas es la disputa; el 5 de espadas, la degradación; el 7 de espadas, un empeoramiento del carácter.

Las figuras, en cambio, representan a los que hacen que algo se realice: el Rey y la Reina son los que poseen (los señores, los amos, los cabezas de familia); los caballos, los que llevan o defienden (subordinados, pero con una cierta autonomía); las sotas o pajes, los que administran o custodian (los empleados, pero también los hijos).

ESQUEMA SINTÉTICO DE LOS ARCANOS MENORES EN SENTIDO NEGATIVO

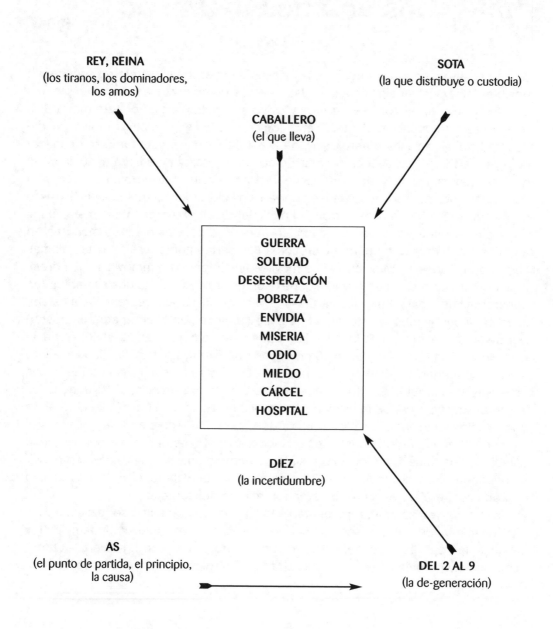

REY, REINA
(los tiranos, los dominadores, los amos)

SOTA
(la que distribuye o custodia)

CABALLERO
(el que lleva)

GUERRA
SOLEDAD
DESESPERACIÓN
POBREZA
ENVIDIA
MISERIA
ODIO
MIEDO
CÁRCEL
HOSPITAL

DIEZ
(la incertidumbre)

AS
(el punto de partida, el principio, la causa)

DEL 2 AL 9
(la de-generación)

ESQUEMA SINTÉTICO DE LOS ARCANOS MENORES
EN SENTIDO POSITIVO

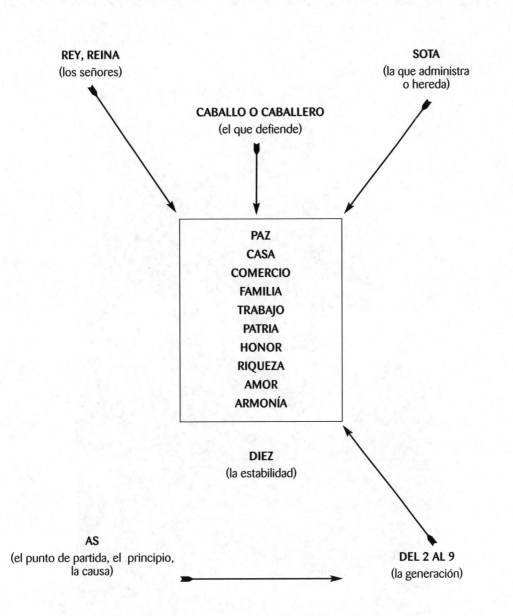

REY, REINA
(los señores)

SOTA
(la que administra
o hereda)

CABALLO O CABALLERO
(el que defiende)

> PAZ
> CASA
> COMERCIO
> FAMILIA
> TRABAJO
> PATRIA
> HONOR
> RIQUEZA
> AMOR
> ARMONÍA

DIEZ
(la estabilidad)

AS
(el punto de partida, el principio,
la causa)

DEL 2 AL 9
(la generación)

Infortunium
(grabado de Hans Sebald Baham, s. XVI).

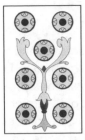

Cómo defenderse de las cartas negativas

Las cartas, como ya se ha podido observar, no dependen necesariamente del azar, sino que están en estrecha relación con nuestra conciencia, de la que reflejan emociones y conocimientos.

Frente a cualquier situación creada por las cartas podemos reaccionar de varias maneras, que van del miedo al rechazo, de la aceptación incondicional a la incredulidad y a la sonrisa.

Las mentes más débiles (pesimistas, supersticiosos...) son las más fácilmente vulnerables y ofrecen más posibilidades de que la mala suerte tome posesión de la carta. Podrá parecer ridículo, pero también existe para la carta la posibilidad de ser contaminada por fuerzas o energías, en cierto sentido, demoníacas.

Los significados con los que una carta se carga no proceden necesariamente de nosotros o, si proceden de nosotros, no es seguro que no se hayan activado desde «fuera».

Éste es uno de los motivos por los que no se debe dejar utilizar nuestras cartas a los demás.

Por lo tanto, existen modos de corregir la mala suerte que, en algunos casos, pueden usarse para atenuar los traumas que se derivan de las situaciones desagradables que se presentan en el juego. En general, hay tres formas de defensa, dos de las cuales presentan notables dificultades de realización.

La primera, que es aparentemente la más sencilla, pero que, en realidad, necesita una notable estabilidad racional, es el rechazo.

Las cartas (aparentemente) más negativas y desfavorables.

Defensa contra los peligros, de la *Iconología* de Ripa.

Rechazar una situación determinada, presupone dos actitudes fundamentales: la inconsciencia o la seguridad total en la propia actuación y en las propias dotes intelectuales y morales. Rechazar una situación del juego, porque no sea justa o porque sea equivocada, es un comportamiento que no se puede llevar a cabo impunemente.

Una conciencia férrea y recta no miente ni siquiera jugando.

El rechazo también puede estar motivado por el hecho de que no se acepte aquella situación, pero también hay que pensar que aquella situación no se ha presentado por casualidad, sino que se ha estructurado de acuerdo con la situación emotiva y mental del que consulta. La carta difícilmente miente, pues es el espejo de nuestra situación en ese preciso momento.

Podría decirse que las cartas de una determinada mano nos indican el «tema emotivo» de nuestra vida en un determinado momento.

El segundo modo de reaccionar ante las cartas negativas es el de tratar de descubrir su *lado positivo.*

Como hemos visto, no existen cartas positivas ni negativas en sentido absoluto, sino que cada carta se colorea al tomar contacto con nuestra propia energía. Por lo tanto, en una situación aparentemente negativa es posible tratar de encontrar los lados oscuros positivos que no se han manifestado. La realización de este método es particularmente compleja, porque presupone el conocimiento de nuestro propio lado oscuro positivo.

Además, las mentes ofuscadas por formas de superstición o que viven de modo pesimista sus situaciones existenciales no saben reaccionar ante una carta negativa y terminan por aceptar de forma inevitable su venida (o su caída).

La Intrepidez, de la *Iconología* de Ripa.

La Muerte es transformación y mutación (también de lo negativo).

«¡Lo presentía!», es la respuesta clásica del que pierde.

La tercera posibilidad nos parece, sin embargo, la mejor respuesta ante la situación negativa indicada por las cartas: tratar de aprovechar esta «noticia» y encontrar las soluciones más adecuadas.

Si las cartas nos dicen que alguien está tramando algo contra nosotros, tratar de saber quién es y por qué lo quiere hacer. Y, sobre todo, meditar por qué lo creemos así. Las causas hay que buscarlas retrocediendo en la mente, incluso en lo que se refiere a nuestro futuro. Las cartas nos están diciendo que *nosotros* tememos que pueda

La Torre también es la caída de los enemigos, de las adversidades y de los obstáculos.

ocurrirnos algo. Este *algo* que tememos nunca está completamente separado de nuestra vida. Generalmente nadie teme (salvo los papanatas) que le pueda caer un asteroide en la cabeza, pero seguramente teme que le pueda ocurrir algo desagradable (muerte, enfermedad, desgracias...).

Las cartas «malas» no son más que el reflejo de nuestra existencia cotidiana, hecha de amor y de odio, de vida y de muerte. Si se ha desarrollado en nuestra mente una situación discordante por la que nos preocupa mucho algo, las cartas generalmente lo identifican, precisamente porque nosotros lo vemos en ellas. Las cartas están allí, inocentes y separadas de la realidad y, de repente, se animan y se hacen parte integrante de nuestra propia realidad. Las cartas nos dicen también lo que no querríamos saber y rechazamos falsamente, aun habiendo sido nosotros quienes lo hemos «dicho por dentro». Extrañamente, las cartas negativas representan el aspecto más positivo del juego. Nos dan la posibilidad de superar sin grandes traumas nuestros obstáculos interiores y nos proyectan hacia un futuro armónico y tranquilo.

No tengamos miedo a las cartas negativas, porque nos dirán que ya estamos maduros para la vida.

Consideraciones finales

A estas alturas del libro, alguien se podría preguntar cómo es que, a pesar de las críticas sobre ciertos tipos de interpretación, al analizar cada uno de los arcanos —mayores y menores— se han citado también las hipótesis que proceden del ocultismo más bajo.

Efectivamente, algunas rozan el ridículo. Pero las hemos incluido sin ningún comentario. No es por maldad, ni por ignorancia, ni por broma.

A partir de 1700, las interpretaciones se han ido acumulando unas sobre otras, multiplicándose hasta el infinito. Lo que no existía, de cualquier manera existe hoy, se ha consolidado, a pesar de carecer de valor. Ya nadie puede prescindir de cierto tipo de planteamiento, tan discutible como se quiera, pero que ya existe y actúa. A partir de esta especie de evocación continua ha surgido un «ser» que ha cobrado vida propia y está actuando en el subconsciente colectivo. Alguien que negaba fanáticamente la existencia histórica de Cristo dijo un día: «Jesús no ha existido jamás, pero sí el cristianismo. Después de los Evangelios, después de Pablo de Tarso, sólo es posible una crítica filosófica». Quien quiere extirpar estas interpretaciones se encuentra librando la misma batalla vana e inútil de los puristas contra los neologismos o las palabras «mal nacidas». El uso consigue que un significado original también pueda cambiar por completo.

Por otra parte, las interpretaciones más serias de los esoteristas y estudiosos de los símbolos tampoco escapan a las mismas acusaciones.

Por ejemplo, Wirth analiza de manera sublime y exhaustiva el simbolismo del Tarot. Es una lástima que sus excelentes interpretaciones masónicas no tengan nada que ver con el simbolismo original de las cartas. Nos habla de Hiram, de acacias, de columnas del Templo, del Maestro Secreto, de piedra masónica sin labrar, símbolos que sólo existen en sus cartas o en las de sus epígonos. Pero también estas interpretaciones forman parte del gran Moloch interpretativo, en el que han confluido todas las hipótesis del mundo.

De todas formas, para los que quieren identificar una génesis correcta del significado original, hemos facilitado todos los instrumentos de análisis histórico, literario e iconográfico. Con éstos es posible reconstruir, aunque sea de un modo aproximado, la idea básica de la que han salido los anónimos creadores.

Sin embargo, en el fondo hay algo que liga toda esta maravillosa construcción interpretativa y es, tal vez, lo que llamamos las bromas del destino. Cualquier cosa que se piense o se diga sobre las cartas del Tarot encuentra una cierta correspondencia, sea verdadera o falsa, histórica o legendaria. Cada símbolo se abre a nuevas interpretaciones, sin olvidar por ello las viejas. Es el misterio de las cartas del Tarot: que dicen todo y nada, que saben todo y nada. Pueden tener los colores del arco iris o ser negras como el infierno o, sin más, completamente blancas. Es decir, no ser nada.

SEGUNDA PARTE

Ilustración satírica del *Vicio del juego de las cartas*
(de los *Proverbios* de Lagniet, h. 1650).

Los juegos más famosos

En este capítulo veremos una serie de métodos de lectura del Tarot generalmente definidos como «juegos», que comprende la mayor parte de los más usados actualmente y en el pasado. Los que se conocen corrientemente como «juegos», en realidad son métodos particulares de interpretación que siguen las reglas precisas de sus inventores. Por motivos obvios, sólo podemos facilitar los mecanismos del juego y no la teoría pues cada juego presupondría conocer también el pensamiento filosófico de su autor.

Sin embargo, hemos eliminado todos los ritos particulares y las técnicas mágicas que, a nuestro juicio, en esta fase de conocimiento del Tarot, no harían más que confundir las ideas y sugerir interpretaciones desviadas.

De igual forma, no nos referiremos en este texto a los juegos usados por los cartománticos del pasado, pues al ser sistemas particulares, muy personales resultan difícilmente comprobables con los mismos resultados de las personas corrientes, sin contar con que a menudo no utilizaban una baraja de Tarot tradicional, sino cartas de significados personalizados.

Sin embargo, aun estudiando sólo los sistemas presentados, podemos darnos cuenta de que no es tanto la técnica concreta de distribución o el rito para descubrir las cartas, sino la disposición de ánimo adecuada y la libertad de intuición las que pueden dar los resultados esperados.

Algunos de estos métodos prevén sólo el uso de los arcanos mayores; otros, de toda la baraja del Tarot; otros, de un número variable de cartas. Aunque personalmente consideramos que el uso de toda la baraja —aun siendo de lectura menos fácil— puede dar una interpretación más válida y que se adapta mejor al momento espacio-temporal que estamos viviendo.

Podremos así utilizar, a nuestra elección, cualquiera de los métodos expuestos: el que mejor se adapte a nuestro actual estado de ánimo, desde el más sencillo hasta el más completo. Incluso podremos modificarlo, para hacer que responda más a nuestras exigencias.

También podemos crear uno nuevo y personal sobre las estructuras de los que presentamos, que tenga las características concretas que deseemos. Para terminar, hay que recordar que no es el sistema de consulta ni la baraja de Tarot concreta que se use lo que nos dará las respuestas que buscamos, sino sólo nosotros mismos, con nuestra mente y a través de la interpretación de los signos y símbolos que consigamos identificar.

Notas sobre el modo de barajar las cartas

Como hemos visto en las fichas de interpretación de los arcanos, tiene una cierta importancia el hecho de que las cartas se presenten derechas o invertidas.

Por lo tanto, al barajar las cartas, es necesario tener cuidado también de ponerlas mezcladas boca arriba y boca abajo, para que sea el azar quien decida cuáles saldrán derechas y cuáles invertidas.

Por esto, cada vez, antes de barajar el Tarot, lo mejor es colocarlas de modo que estén todas derechas (la operación debe hacerse para todos los juegos). Después, se coge de entre ellas un montoncito y se invierte. Luego se baraja todo una docena de veces.

Esto se hace para impedir que aparezcan en el juego demasiadas cartas invertidas, lo que haría más complicada y confusa la interpretación. En realidad, la carta invertida debe ser un hecho extraordinario que modifica y enriquece la interpretación corriente y no una cosa habitual. Sin embargo, esto no impide que todas las cartas extraídas puedan aparecer invertidas (lo que daría mucho que pensar).

De todas formas, lo mejor es rehacer por completo la operación.

Notas sobre la manera de descubrir las cartas

Por el mismo motivo, al levantar las cartas hay que poner mucha atención en mantener el sentido exacto en el que se han sacado, y en girarlas de izquierda a derecha (o viceversa), pero no de arriba abajo o de abajo arriba, en cuyo caso los

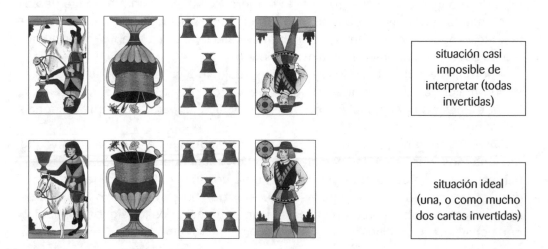

situación casi imposible de interpretar (todas invertidas)

situación ideal (una, o como mucho dos cartas invertidas)

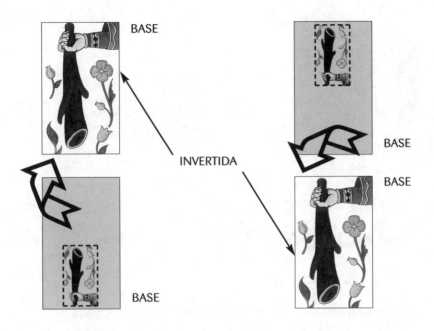

Formas equivocadas de levantar las cartas: la carta cubierta, derecha,
quedaría invertida.

dibujos aparecerían ante el consultante invertidos en relación con el momento de
sacarlas (ver figura explicativa).

También ocurre que en algunos juegos hay una o más cartas que deben po-
nerse de lado; en este caso, normalmente, la base de la carta debe considerarse
a la izquierda y el borde superior a la derecha.

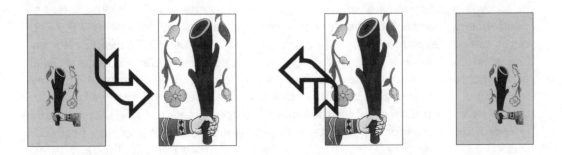

Modo correcto de levantar las cartas.

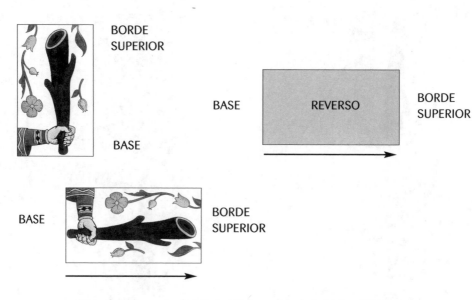

Carta derecha, carta de lado cubierta y carta de lado descubierta.

Consejos prácticos

No todos los juegos que vamos a exponer en este capítulo son fáciles e inmediatos: en realidad, veremos que muchos de ellos ponen en relación con una sola situación (por ejemplo, el futuro próximo) no un solo y unívoco arcano, sino con mucha frecuencia parejas o grupos de tres cartas, cuando no filas enteras de seis o siete cartas. Sólo los juegos iniciales, que hemos definido como sencillos, dan una o –a lo más– dos cartas a interpretar; la casi totalidad de los demás es más compleja. Está claro que el consultante que todavía es inexperto en la lectura del Tarot se encontrará con dificultades para interpretar al mismo tiempo varios arcanos, cuyos significados individuales pueden ser muy diferentes o, incluso, estar en contraposición entre ellos; frente a este escollo, aparentemente muy difícil de superar, podría desanimarse; pero, atención, la dificultad es más aparente que real. Deberemos observar que en cada juego está indicado el orden de lectura de las cartas colocadas (con frecuencia, aunque no siempre, corresponde al de la extracción) o, por lo menos, están indicadas las cartas clave o principales para la interpretación. Es precisamente esto lo que da al consultante todavía inexperto en el arte del Tarot, el método a utilizar también en los juegos más complejos: basta con ir poco a poco, mirando primero el significado del arcano principal o de base e ir asociándolo después con aquellos arcanos que van siendo más secundarios, viendo en las interpretaciones dadas anteriormente si las combinaciones que salen tienen un significado concreto. Si no ocurre esto o no hay combinaciones concretas entre las dos cartas, entonces, sencillamente, el arcano de menor importancia se suma al arcano clave, para atenuar la respuesta si está en contradicción con él, o para acentuarla si es de significado parecido o análogo. Procediendo de esta manera, combinando cada vez cada carta con la carta principal de la fila, se conseguirá una especie de mosaico que se irá enriqueciendo, y no confundiendo con las informaciones sucesivas. En lo único que hay que tener cuidado, si se utiliza este método, es en ver también si entre los arcanos de importancia no principal hay cartas próximas que formen combinaciones con un significado particular; en tal caso, este último significado habría que añadirlo al arcano clave y no al de las propias cartas que forman la combinación. Por ejemplo, si en una fila de tres cartas vemos una combinación entre la segunda y la tercera carta, entonces hay que añadir al arcano clave el significado de la combinación y no el de las cartas individuales.

carta base

cartas combinadas

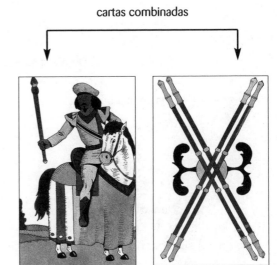

Juegos sencillos

Ahora veremos algunas reglas sencillísimas para lectura de los arcanos. Aconsejamos que en este planteamiento inicial se utilicen sólo los veintidós arcanos mayores. El número de cartas a interpretar será muy reducido, precisamente para facilitar la instauración de los mecanismos de asociación de que ya se ha hablado. Tratemos, sobre todo, de establecer una relación personal con las cartas.

Juego del mañana

Responde a la sencillísima pregunta: «Mañana, ¿será un día positivo o negativo?» (asociado con alguna cuestión que nos preocupa especialmente).

El procedimiento de extracción de las cartas es el siguiente: después de haber mezclado la baraja del Tarot como ya hemos aconsejado, debemos contar, empezando por la primera, tantas cartas como el número del día que queramos investigar y, si éste fuese mayor que el número de arcanos que tenemos, volviendo a empezar por la primera y sacando la carta así localizada. Después se recompone la baraja sin volver a mezclar las cartas y se saca por el mismo procedimiento la carta del Tarot que coincida con el número del mes en el que estamos.

Así tendremos dos cartas de respuesta: la primera dará una respuesta general a la pregunta; la segunda especificará mejor la situación que queremos saber o reforzará/atenuará el juicio inicial.

Veamos un ejemplo práctico:

Día que interesa: 30 de marzo

carta principal

octava carta de
la baraja inicial:
30-22 = 8

carta complementaria

tercera carta de
las que quedan
en la baraja =
tercer mes del
año

Trabajando y pensando con estas cartas, deberíamos llegar a crear los presupuestos para una proyección del futuro inmediato de las tendencias actuales que nos afectan, teniendo en cuenta, naturalmente, que la poca información que pueden dar sólo dos cartas no contribuirá mucho a la exactitud de la respuesta.

El juego del sí y del no

Sirve, como se deduce del nombre, para dar una respuesta inmediata a una pregunta. Usando siempre la baraja sólo con los arcanos mayores, baraja y saca al azar cuatro cartas consecutivas y colócalas, cubiertas, en el orden indicado en la ilustración:

USO: CUATRO CARTAS

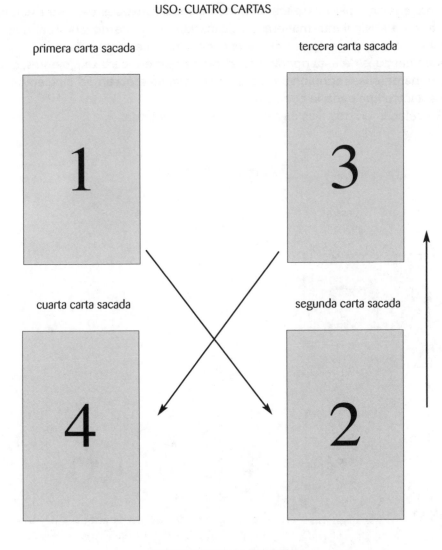

primera carta sacada   tercera carta sacada

cuarta carta sacada   segunda carta sacada

PRIMERA FILA: LA RESPUESTA
SEGUNDA FILA: INFLUENCIAS PRESENTES Y PASADAS

A continuación, hay que interpretar las cartas fila a fila: las dos cartas de la primera fila (es decir, la primera y la tercera que hemos sacado) dan la respuesta general, positiva o negativa; la segunda fila (cuarta y segunda sacadas) informa sobre acontecimientos y situaciones actuales y del pasado reciente que más influyen en la respuesta (es decir, sobre lo que hay que cambiar si se quiere modificar el resultado final).

El juego de la semana

Con la misma baraja de los arcanos mayores, después de haber barajado, se procede de la siguiente manera: se descartan tantas cartas como el número del mes en curso (por ejemplo, once si estamos en noviembre) y se sacan, de las que quedan después de esta operación, las primeras siete cartas siguientes, cubiertas. Cada una de ellas representa un día de la semana a partir del siguiente al día en que estamos haciendo la consulta.

Se colocan en dos filas a partir de nuestra izquierda.

UTILIZACIÓN: SIETE CARTAS

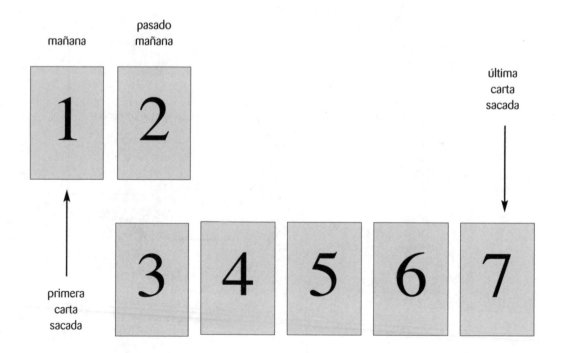

Este juego nos da información general sobre lo positivo o negativo de los diversos días futuros y, por lo tanto, sobre la oportunidad de elegir para hacer determinada cosa importante para nosotros.

El juego del amor

Es un juego muy sencillo que nos dirá si conseguiremos o no conquistar a la persona amada o qué tendremos que hacer para modificar la situación si es desfavorable (no hay que olvidar que el Tarot es, sobre todo, un método para comprender las situaciones y, si es necesario, modificarlas). Después de barajarlas, saca al azar siete cartas del montón (en este juego, incluso podemos intentar utilizar la baraja completa del Tarot). Coloquémoslas, cubiertas, en cuatro filas, según la ilustración siguiente:

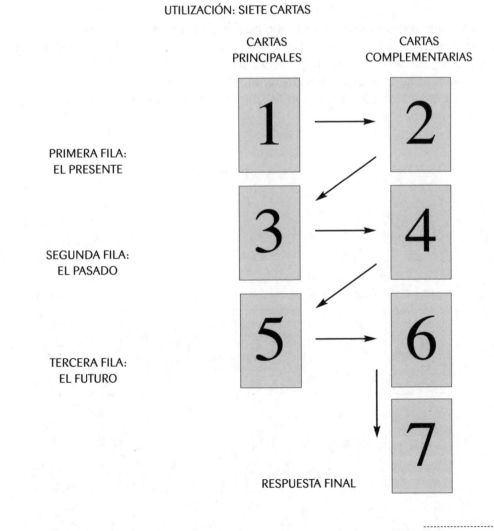

UTILIZACIÓN: SIETE CARTAS

CARTAS PRINCIPALES   CARTAS COMPLEMENTARIAS

PRIMERA FILA:
EL PRESENTE

1 → 2

SEGUNDA FILA:
EL PASADO

3 → 4

TERCERA FILA:
EL FUTURO

5 → 6

7

RESPUESTA FINAL

También en este caso la interpretación se hace fila a fila: la primera fila representa la situación actual, vista desde el lado de la persona que consulta. La segunda representa las influencias y los hechos que han producido la situación presente, sobre todo lo que ha influido, de modo positivo o negativo, en la persona investigada. La tercera fila corresponde al futuro inmediato: lo que ocurrirá o lo que debemos impedir que ocurra o incluso lo que tendríamos que hacer que ocurriera. La última fila, para terminar, formada por una sola carta, indica el resultado final teniendo en cuenta las filas anteriores: si el resultado es el que nos interesa, tendremos que actuar siguiendo las tendencias que nos han conducido hasta ahora; si no es así, tendremos que cambiar nuestra línea de actuación y tratar de cambiar el resultado final, modificando las influencias presentes y futuras.

El juego de los tres resultados

Es un juego general relacionado con cuestiones que no se refieren a hechos aislados, sino más bien a la evolución y al destino a largo plazo del consultante. Se usa toda la baraja de setenta y ocho cartas. Después de haber barajado las cartas como se ha indicado anteriormente, el consultante saca al azar veintiuna cartas y las coloca, cubiertas, según el sencillo esquema que se indica en la siguiente figura:

UTILIZACIÓN: VEINTIUNA CARTAS

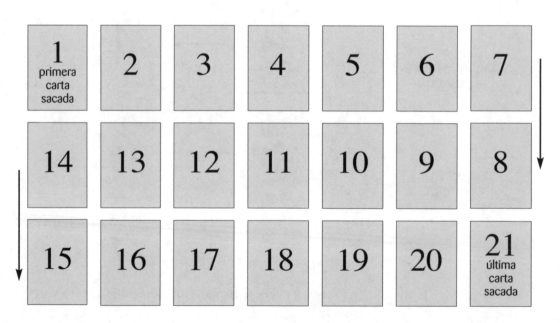

Ahora, hay que levantar las cartas según las indicaciones dadas anteriormente, teniendo en cuenta que cada fila de cartas debe ser interpretada en su totalidad, tratando de encontrar un significado conjunto de la combinación de los significados individuales de cada uno de los arcanos.

La clave de la interpretación para esta colocación de las cartas puede ser la siguiente:

La *primera fila* tendrá que dar información sobre la inteligencia del consultante, obviamente entendida en sentido general, es decir, como el espíritu instintivo con el que se enfrenta a la vida y a los problemas que se le presentan.

La *segunda fila* se referirá al ánimo del consultante y a su voluntad, es decir, a su capacidad para superar sus propias limitaciones en función de sus principios y de sus deseos.

La *tercera fila,* que es, a la vez, síntesis y complemento de las anteriores, nos dirá el destino general del que consulta, así como las consecuencias de su personalidad y de su fuerza de voluntad, dándonos la indicación de lo que habría que modificar; además, nos dirá si las cartas son adversas o las interpretamos como tales, o bien, las cualidades que habrá que reforzar y exaltar; para terminar, si se han visto, a través de la lectura, confirmaciones positivas a la forma actual de vida del consultante.

ESQUEMA INDICATIVO QUE DA EJEMPLO DE LA CLAVE DE LECTURA

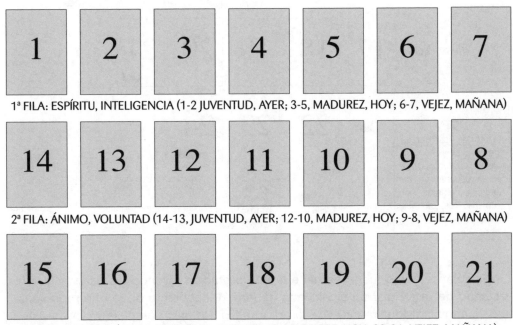

1ª FILA: ESPÍRITU, INTELIGENCIA (1-2 JUVENTUD, AYER; 3-5, MADUREZ, HOY; 6-7, VEJEZ, MAÑANA)

2ª FILA: ÁNIMO, VOLUNTAD (14-13, JUVENTUD, AYER; 12-10, MADUREZ, HOY; 9-8, VEJEZ, MAÑANA)

3ª FILA: DESTINO (15-16, JUVENTUD, AYER; 17-19, MADUREZ, HOY; 20-21, VEJEZ, MAÑANA)

Juegos complejos

El juego del abanico

Este sistema sirve esencialmente para responder a una pregunta específica en el terreno de los afectos, o bien sobre la situación mental y sensual de la persona que interesa al que consulta y, por lo tanto, sobre la posible evolución de sus relaciones con dicha persona. Siempre según las reglas ya indicadas, baraja todo el bloque de cartas del Tarot y escoge veinticinco cartas al azar. Colócalas, cubiertas, en forma de triángulo invertido, con el vértice dirigido a quien echa las cartas, como se indica en la ilustración.

UTILIZACIÓN: VEINTICINCO CARTAS

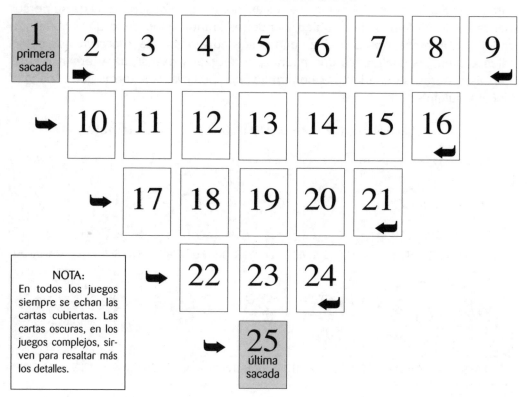

NOTA:
En todos los juegos siempre se echan las cartas cubiertas. Las cartas oscuras, en los juegos complejos, sirven para resaltar más los detalles.

También en este juego se hace la interpretación leyendo las cartas fila a fila, tratando de extrapolar un significado general del conjunto de lo que representan los arcanos individualmente. Así, la primera fila —la más compleja y obviamente la más llena de significados puesto que contiene nueve cartas— nos dirá la génesis y el estado actual de la relación en sentido general. La segunda, formada por siete arcanos, nos indicará el camino emprendido en las condiciones actuales, o sea, el futuro de la relación.

Las últimas tres filas se refieren, en cambio, directamente a la persona objeto de la consulta y son cada vez menos complicadas, hasta que se llega a una simple dicotomía, positiva o negativa.

En efecto, en la tercera fila se encontrarán indicaciones sobre la estructura mental de la persona indagada, sus cualidades y sus defectos interiores, es decir, todo lo que se refiere a su inteligencia. En cambio, en la cuarta podremos leer la actitud mental de la persona en cuestión respecto a la relación. En la quinta y última, formada por una sola carta (en síntesis, sí o no), se ve cómo percibe la situación, instintiva y sensualmente, la persona investigada.

ESQUEMA INDICADOR DE LA CLAVE DE LECTURA

NOTA:
En todos los juegos, las cartas se echan siempre cubiertas. En los juegos complejos, las cartas oscuras (1 y 25) sirven para resaltar mejor los detalles.

PRIMERA FILA: ESTADO ACTUAL DE LA RELACIÓN (CARTAS 1-9)
SEGUNDA FILA: FUTURO DE LA RELACIÓN (CARTAS 10-16)
TERCERA-QUINTA FILA: LA PERSONA AMADA (INTELECTO, CARTAS 17-21; POSICIÓN MENTAL, CARTAS 22-24; SENTIDOS E INSTINTO, CARTA 24)

El juego de las diez cartas (Cruz Celta)

Se trata de uno de los métodos más tradicionales. Se puede usar toda la baraja de las setenta y ocho cartas del Tarot o, en una versión simplificada e inmediata, sólo los veintidós arcanos mayores. En ambos casos, el método de ejecución es idéntico.

Después de haber barajado con cuidado con arreglo a las advertencias indicadas anteriormente, ponemos la baraja ante nosotros y vamos cogiendo las diez primeras cartas. Las seis primeras se colocan (siempre cubiertas), por orden de extracción, en forma de cruz, como se indica en la figura; las cuatro últimas, en cambio, se colocan al lado. Las seis primeras, se van descubriendo; las cuatro últimas, por el contrario, se quedan cubiertas.

UTILIZACIÓN: DIEZ CARTAS

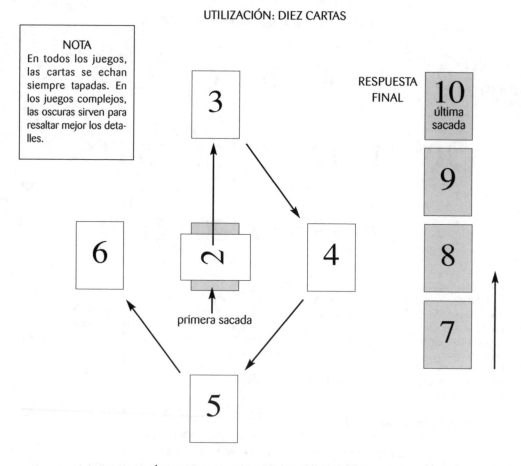

COLOCACIÓN DE LOS ARCANOS EN EL JUEGO DE LAS DIEZ CARTAS.

La clave de interpretación de las distintas cartas es la siguiente:

1. Arcano de la situación actual.

    Carta que representa al que consulta, el ambiente en que se mueve y su mundo físico y espiritual.

2. Arcano de los contrastes inmediatos.

    Lo que puede ocurrir en el futuro más próximo; sobre todo, los obstáculos, las dificultades y también los logros positivos que presupone la presente situación.

3. Arcano del destino.

    Indica la consecuencia lógica final de los presupuestos que se derivan de la situación actual y, por consiguiente, la suerte del que consulta.

4. Arcano del pasado.

    Se refiere a los acontecimientos más lejanos del pasado que más han influido en la evolución de la situación actual del que consulta.

5. Arcano de las influencias recientes.

    Representa los acontecimientos ocurridos en el pasado más reciente o que todavía están ocurriendo y que, de algún modo, están ligados estrechamente con la situación actual.

6. Arcano del futuro próximo.

    Indica en general todos los hechos y cambios que reserva el futuro próximo al que consulta. En sentido cronológico, están entre el número 2 (futuro inmediato) y el número 3 (destino final).

    Después de haber interpretado y meditado bien sobre estas primeras cartas, se puede pasar a descubrir las cuatro últimas, que son esencialmente de ayuda y aclaración de la lectura recién hecha y representan, respectivamente:

7. El que consulta.

Aclara y define, de forma más concreta, la posición del que consulta dentro de la presente situación.

8. El ambiente.

Indica la influencia que el consultante tiene sobre el ambiente y las personas que le rodean y, al contrario, indica también cómo lo condicionan estos factores externos.

9. Esfera íntima.

Las emociones íntimas, los pensamientos más recónditos, los deseos secretos: todo aquello que influye interiormente sobre el que consulta.

10. Respuesta final.

El resultado de todas las influencias. Representa la conclusión inevitable que dan los presupuestos de todos los arcanos.

Como se ha observado, siempre se pone el acento sobre el hecho de que las «previsiones» sobre el futuro están siempre condicionadas por el estado actual de las cosas; esto no es por azar, de ahí la fuerza y la belleza de la lectura del Tarot: modificando la situación actual que nos rodea o, más bien, modificándonos nosotros mismos, modificaremos también nuestro futuro llegando a ser verdaderamente «artífices de nuestro destino».

Las cartas que interpretamos nos dan solamente la indicación de las cosas que hay que modificar, no son un incentivo para vivir en un mundo inmóvil y fatalista.

El sistema gitano o zíngaro

La tradición nos lleva a los gitanos o zíngaros o, más bien, a las gitanas como usuarias clásicas del método de adivinación con las cartas y, como consecuencia de esto, podemos encontrar decenas de «verdaderos métodos zíngaros»; algunos de éstos son juegos verdaderamente válidos, una vez desprovistos de todo aquello que es el inútil aparato de imagen exterior. El que vamos a ver tiene la particularidad de usar una baraja de 42 cartas: todos los arcanos mayores, más 20 arcanos menores. Para conseguirlo, lógicamente hay que separar de la baraja completa de 78 cartas los 22 arcanos mayores y, de las 56 que quedan, saca 20 de ellas al azar. Estas últimas deben barajarse cuidadosamente junto con los arcanos mayores dejados aparte, formando así la baraja deseada de 42 cartas. Los 36 arcanos menores que quedan, ya no se utilizan. Después de mezclar las cartas

DISPOSICIÓN SEGÚN EL SISTEMA ZÍNGARO

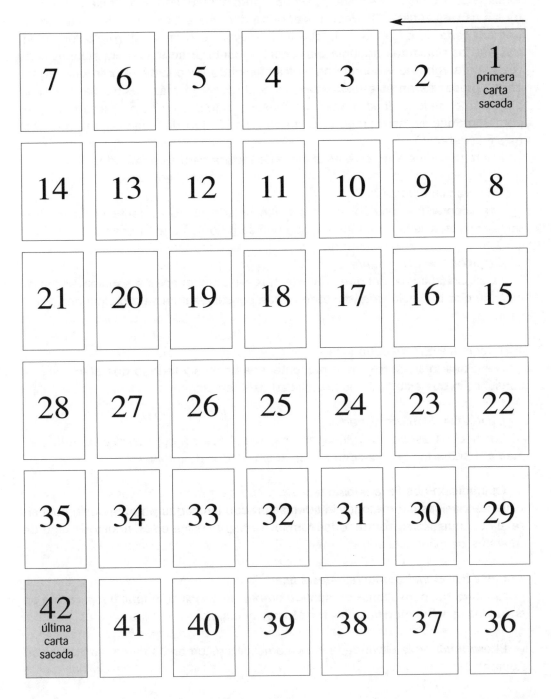

cuidadosamente, deben colocarse en 6 filas de 7 cartas cada una, según el esquema indicado en la figura de la página anterior: (hay quien hace primero 6 montoncitos de 7 cartas y las coloca después, pero el resultado no cambia). La lectura de las cartas de cada fila debe hacerse de derecha a izquierda; naturalmente, la primera carta de cada fila es la que tiene mayor peso en la interpretación, mientras que las siguientes, según se va hacia la izquierda, facilitan informaciones cada vez más marginales y complementarias. Teniendo en cuenta el gran número de cartas presentes en este juego, se aconseja utilizar lo más posible para la interpretación el método de las combinaciones, leyendo dos o tres cartas cada vez (recordemos que en este juego la carta con significado dominante es la que está más a la derecha).

Ahora pasemos a ver cuál es la clave de lectura para este método:

Primera fila: *El Pasado*
Los acontecimientos pasados que han dejado rastro evidente en la vida del que consulta; a veces, también los que han surgido de su memoria.

Segunda fila: *El Presente*
La situación actual del que consulta. Los problemas en que está inmerso y las experiencias que está viviendo: todo lo que constituye su esfera de influencia presente.

Tercera fila: *El ambiente exterior*
Relacionado siempre con el presente. Los hechos y todo lo que afecta al que consulta sin que éste tenga la posibilidad de intervenir.

Cuarta fila: *El futuro inmediato*
Los hechos, esperados o inesperados, que el que consulta vivirá en el futuro inmediato, sobre los que ya tiene pocas posibilidades de intervenir.

Quinta fila: *El futuro posible*
Las situaciones, los acontecimientos, los problemas que podrá evitar o buscarse el que consulta o que, de todas formas, formarán parte en un futuro próximo de su esfera de influencia activa.

Sexta fila: *Conclusión y respuesta final*
El futuro del consultante en sentido amplio, la conclusión final hacia la que se encamina si no se modifican las tendencias actuales.

El esquema de la clave de lectura, como de costumbre, se ve en la ilustración siguiente:

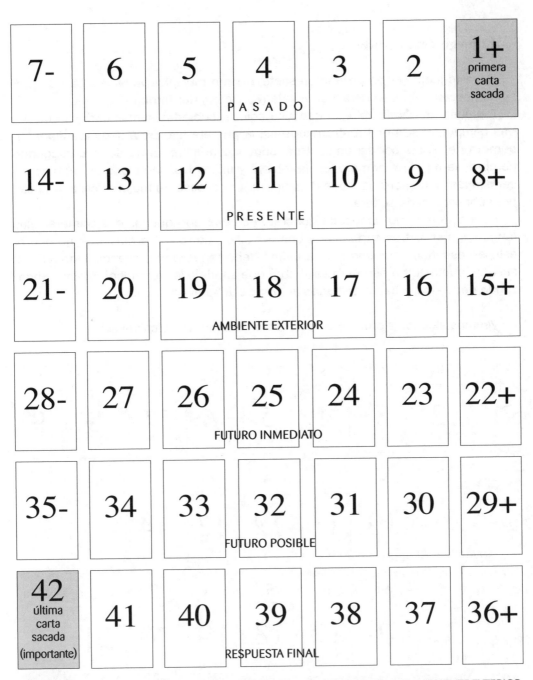

7-	6	5	4	3	2	1+ primera carta sacada
			PASADO			
14-	13	12	11	10	9	8+
			PRESENTE			
21-	20	19	18	17	16	15+
			AMBIENTE EXTERIOR			
28-	27	26	25	24	23	22+
			FUTURO INMEDIATO			
35-	34	33	32	31	30	29+
			FUTURO POSIBLE			
42 última carta sacada (importante)	41	40	39	38	37	36+
			RESPUESTA FINAL			

PRIMERA FILA: EL PASADO; SEGUNDA FILA: EL PRESENTE; TERCERA FILA: EL AMBIENTE EXTERIOR; CUARTA FILA: EL FUTURO INMEDIATO; QUINTA FILA: EL FUTURO POSIBLE; SEXTA FILA: RESPUESTA FINAL; CARTAS MÁS SIGNIFICATIVAS: 1-8-15-22-29-36; CARTAS MENOS SIGNIFICATIVAS: 7-14-21-28-35. LOS SIGNOS (+ y -) DETERMINAN SU FUERZA; LA ÚLTIMA CARTA ES MUY IMPORTANTE.

El juego del nombre

De este juego, divertido e interesante, existen múltiples variantes. La que presentamos aquí utiliza la baraja completa (78 cartas) del Tarot.

Después de barajar, el que consulta coloca, cubiertas, tantas cartas como letras componen su nombre, formando así la primera fila. En la segunda fila irá el número de cartas correspondiente al segundo nombre; si no tiene un segundo nombre, se repite el primero. En la tercera y última fila, se coloca un número de cartas igual al número de letras del apellido (en el caso de mujeres casadas, usar, por supuesto, el de soltera).

Para este método de lectura concreto es necesario que las dos primeras filas tengan al menos tres cartas cada una (es difícil, de todas formas, que no ocurra esto en español), mientras que la última debe tener, por lo menos, cinco. En el caso de que esto no ocurriera así, habrá que añadir a las filas incompletas, empezando por arriba, arcanos tomados al azar de la baraja que queda.

Veamos algunos ejemplos de colocación con nombres casuales:

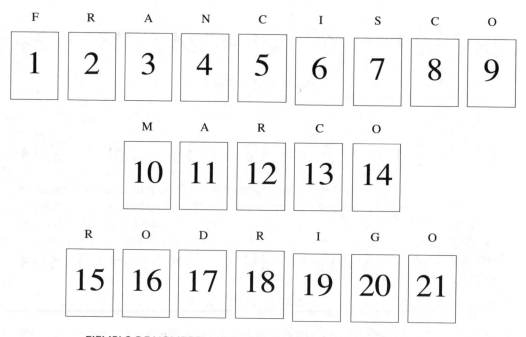

EJEMPLO DE NOMBRE Y APELLIDO QUE NO NECESITA AÑADIDOS.

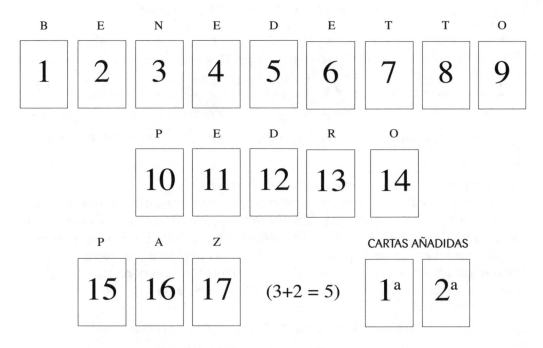

EJEMPLO DE NOMBRE Y APELLIDO QUE NO ALCANZA
EL NÚMERO MÍNIMO DE CARTAS PARA LA INTERPRETACIÓN.

Los arcanos clave para la interpretación de este juego son las cartas (o la carta) centrales de cada fila. Se empieza, por lo tanto, por levantar la primera fila de cartas.

La primera fila se refiere al pasado del que consulta; las cartas clave representan el pasado reciente, que ha influido de manera más determinante en la situación actual, y se refieren a la cuestión en particular o también a los hechos que aún están ocurriendo o bien representan una situación de transición; las cartas inmediatamente a la derecha de éstas representan el pasado bastante reciente pero, sobre todo, los hechos que no han tenido mucha importancia en la situación sino que han influido sólo sobre el que consulta, mientras que las cartas que están a la izquierda de la (o las) centrales son la representación del pasado más lejano. El nombre de la primera fila se debe dividir en tres partes (3 campos), según el método siguiente: el nombre de tres letras representa el ejemplo base (Lia es un nombre divisible perfectamente en tres partes). Para los nombres que tengan hasta 6 letras se empieza por la primera carta de la izquierda y se forman una o más parejas de letras. Por ejemplo: Mara (4 letras) es divisible en Ma-r-a; Darío (5 letras) en Da-rí-o; Franco (6 letras) en Fr-an-co. Para los nombres de más de 6 letras, se empieza, en cambio, con grupos de 3 cartas. Por ejemplo: Fra-nci-sco. Para los nombres de 10 letras se empiezacon grupos de 4 cartas, etc.

PRIMERA FILA: EL PASADO (NOMBRE DE 9 LETRAS)

1 PASADO LEJANO   2 CARTAS DE TRANSICIÓN   3 PASADO RECIENTE

Se empieza luego a levantar la segunda fila de cartas.

La segunda fila representa, en cambio, el presente: las cartas clave son el ambiente y la influencia en las que actualmente vive el que consulta; las cartas a la derecha representan las presiones y las influencias ejercidas por el ambiente y por las personas que rodean a quien consulta, mientras que las que están a la izquierda son las influencias que ejerce sobre el ambiente el que consulta. Para la segunda fila sirven las normas establecidas para la primera fila.

SEGUNDA FILA: EL PRESENTE (NOMBRE DE 5 LETRAS)

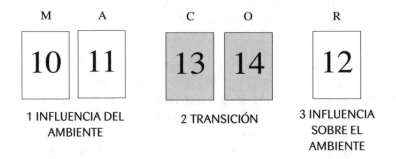

1 INFLUENCIA DEL   2 TRANSICIÓN   3 INFLUENCIA
AMBIENTE   SOBRE EL
                                               AMBIENTE

Por último, se empieza a destapar la tercera y última fila de cartas.

La tercera fila es, al fin, la del futuro; esta fila esta dividida, en cambio, en cinco campos (éste es el motivo del número mínimo de letras para el apellido). Hay que tener en cuenta que si la división en campos (más de 5 letras) resultase ambigua o fuesen posibles diversos métodos para conseguirla, sirve la regla de que los campos se forman en grupos de 2 cartas, a partir de la primera carta de nuestra izquierda.

La interpretación de esta fila será la siguiente: el campo tres (o sea, la carta clave) indica el futuro inmediato positivo o negativo que espera el que consulta, los obstáculos que se presentarán o el progreso hacia la meta prefijada; pasando a la izquierda inmediata, encontramos el campo dos, que dará una visión de las verdaderas metas finales del consultante; en la extrema izquierda, tenemos (campo uno) la esfera íntima del consultante: los deseos secretos e inconfesados que lo guían; en la otra parte, a la derecha del campo clave, tenemos el campo del futuro próximo (campo cuatro), o sea lo que se espera del consultante después del futuro inmediato ligado a la meta específica de la pregunta, mientras que el último y quinto campo, situado a la extrema derecha, da la respuesta final, que sintetiza todas las cartas vistas.

EJEMPLOS DE APELLIDOS ESPAÑOLES E ITALIANOS (5-6-7-8-9 LETRAS)

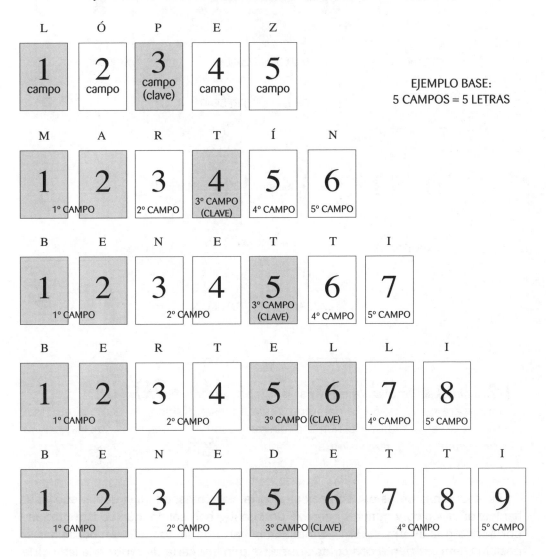

EJEMPLOS DE DIVISIÓN EN CAMPOS DE LA TERCERA FILA.

También en este caso damos un esquema gráfico como ejemplo (basándonos sobre el nombre de la pág. 334):

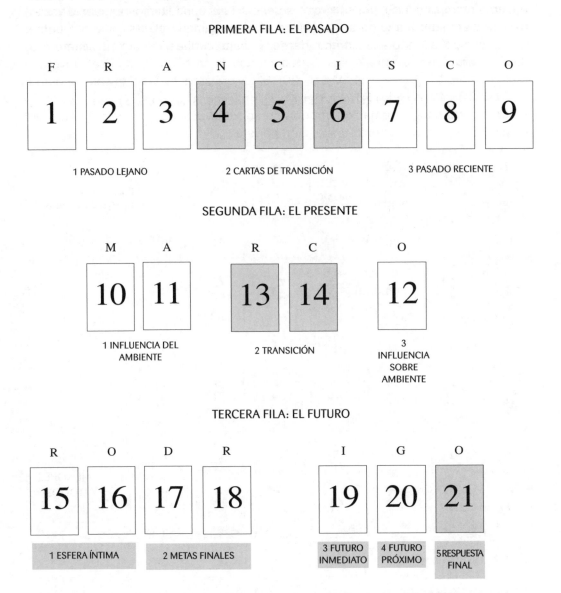

PRIMERA FILA: EL PASADO

F R A N C I S C O

| 1 | 2 | 3 | 4 | 5 | 6 | 7 | 8 | 9 |

1 PASADO LEJANO   2 CARTAS DE TRANSICIÓN   3 PASADO RECIENTE

SEGUNDA FILA: EL PRESENTE

M A R C O

| 10 | 11 | 13 | 14 | 12 |

1 INFLUENCIA DEL AMBIENTE   2 TRANSICIÓN   3 INFLUENCIA SOBRE AMBIENTE

TERCERA FILA: EL FUTURO

R O D R I G O O

| 15 | 16 | 17 | 18 | 19 | 20 | 21 |

1 ESFERA ÍNTIMA   2 METAS FINALES   3 FUTURO INMEDIATO   4 FUTURO PRÓXIMO   5 RESPUESTA FINAL

Para terminar, en este juego hay una carta clave más, además de las que ya se han visto: un único y concreto arcano de los que han salido, que reviste gran importancia en la interpretación general. Es la carta de la edad. Para determinar su posición será suficiente con contar, desde la primera carta de arriba a la izquierda, tantas cartas como años tenga el consultante. Naturalmente, si el número que indica la edad del consultante fuera mayor que el de las cartas extendidas, primero habrá que restar a la edad el número 21 tantas veces como sean necesarias hasta hacerlo inferior a 21. Si, por ejemplo, el señor Francisco Marco Rodrigo (21 letras) tuviese dieciocho años, para determinar la carta bastaría obviamente con contar hasta dieciocho. Si tuviese treinta y siete, la carta de la edad sería la número 16 (37-21 = 16). Si, en cambio, tuviese setenta y dos, la carta de la edad se convertiría en la número 20 (62-21 = 41; 41-21 = 20). Si tuviera setenta, la carta sería la número 7 (70-21 = 49; 49-21 = 28; 28-21 = 7).

Esta carta dará información importante sobre el pasado, presente y futuro del consultante, es decir, sobre su situación general.

La estrella mágica

Para este interesantísimo (y dificilísimo) juego, se utiliza una baraja anómala de 32 cartas, conseguida del siguiente modo:

Se dividen las cartas en dos montones, uno formado sólo por los arcanos mayores y otro formado por los arcanos menores; de este último montón se eligen, al azar, 10 cartas, que se dejan separadas y que se utilizarán después de haber empleado todos los arcanos mayores.

EL JUEGO DE LA ESTRELLA MÁGICA: **PRELIMINARES**

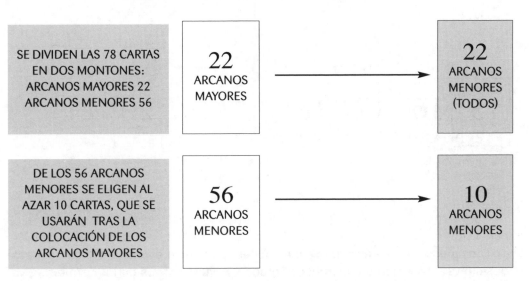

Se barajan los arcanos mayores y se colocan las cartas según la secuencia siguiente:

Primero se coloca la carta número 1 (la primera del montón), descubierta, que representa al consultante y es el centro físico e interpretativo del juego.

Esta carta es muy importante: a partir de ella se desarrollarán una serie de círculos que, tras haber alcanzado la máxima expansión, volverán al centro de partida. En efecto, la carta número 22 se colocará sobre la carta número 1.

Filosóficamente, es el regreso al Uno. Después de haber recorrido su camino generativo, la creación vuelve al Ser originario y queda anulada en él por completo.

Hecha esta operación, se empiezan a disponer (siempre descubiertas) las siguientes cartas alrededor de la carta número 1.

De este modo, la segunda carta se colocará debajo de la primera, la tercera, encima de ella, la cuarta y la quinta, respectivamente, a su izquierda y a su derecha.

Habremos completado así el núcleo de la Estrella, que nos representa a nosotros mismos y al mundo que nos rodea (ver figura A).

EL JUEGO DE LA ESTRELLA MÁGICA: **EL NÚCLEO** (FIGURA A)

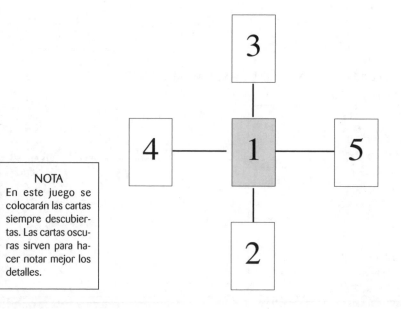

NOTA
En este juego se colocarán las cartas siempre descubiertas. Las cartas oscuras sirven para hacer notar mejor los detalles.

Después se pasa a formar el círculo exterior, que representa el tiempo: el pasado, el presente y el futuro. Yendo por grados y ayudándonos de los esquemas, veremos la colocación de las cartas sucesivas en grupos de cuatro.

Las cartas sexta, séptima, octava y novena se colocarán (siempre destapadas) en círculo alrededor de las primeras cinco en el sentido de las agujas del reloj, empezando por la colocada arriba a la izquierda (ver figura B).

EL JUEGO DE LA ESTRELLA MÁGICA: EL **PRIMER CÍRCULO** (FIGURA B)

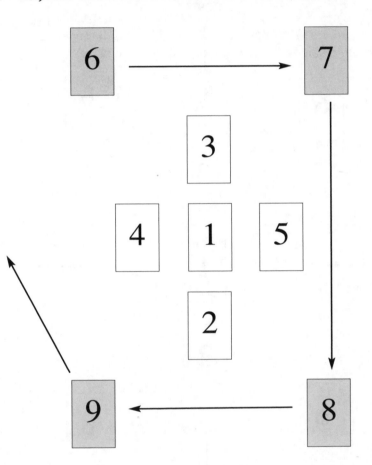

Las cartas décima, undécima, duodécima y decimotercera se deben colocar en el mismo círculo precedente en los puntos cardinales de las posiciones Norte, Sur, Este y Oeste, respectivamente (ver figura C).

En cambio, las cartas decimocuarta, decimoquinta, decimosexta y decimoséptima deben colocarse a los lados y debajo de las cartas décima y undécima, según este esquema: las pares a los lados y encima de la carta décima, de derecha a izquierda; las impares, a los lados de la carta undécima, de izquierda a derecha (ver figura D).

EL JUEGO DE LA ESTRELLA MÁGICA:
EL **CÍRCULO EXTERNO** (FIGURA C)

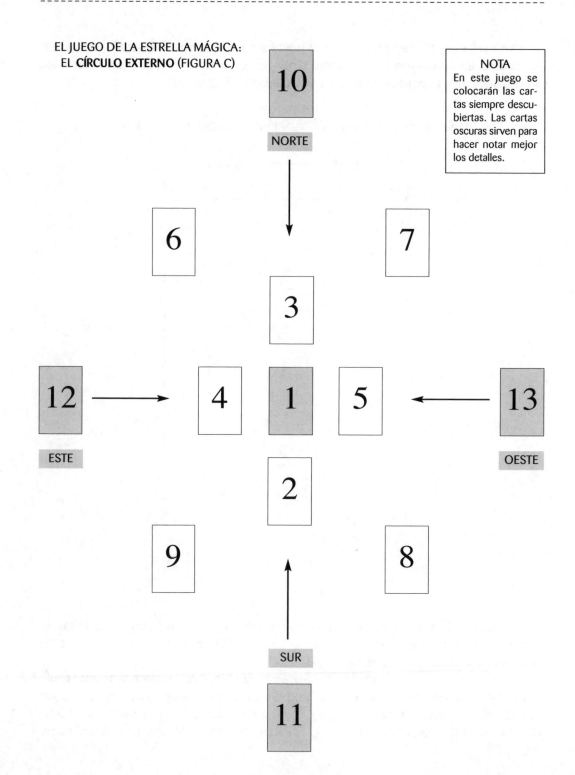

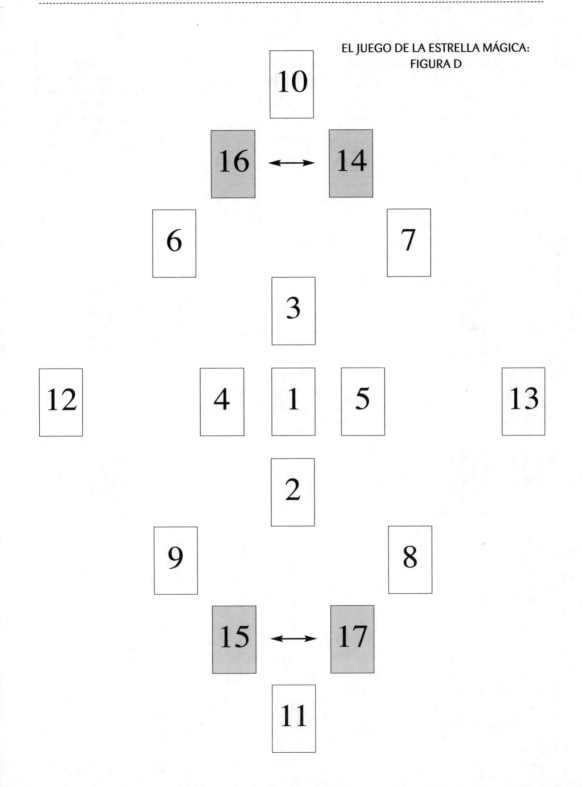

EL JUEGO DE LA ESTRELLA MÁGICA:
FIGURA D

EL JUEGO DE LA ESTRELLA MÁGICA:
FIGURA E

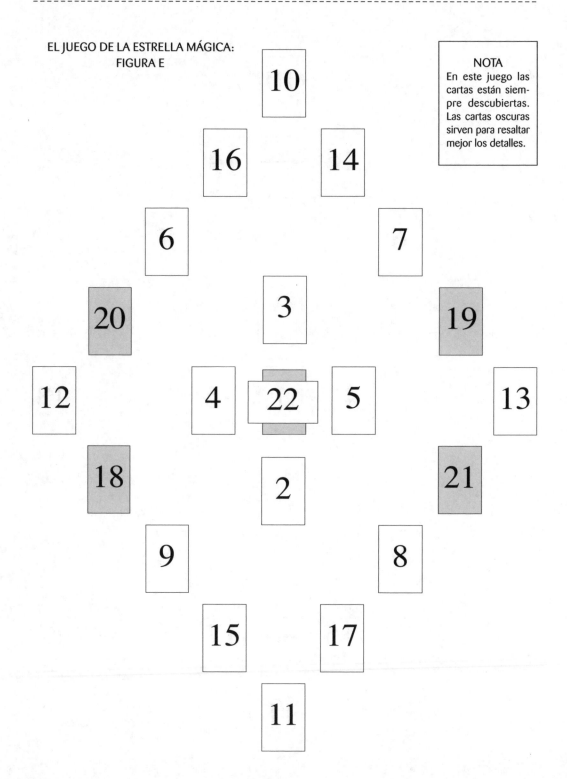

NOTA
En este juego las cartas están siempre descubiertas. Las cartas oscuras sirven para resaltar mejor los detalles.

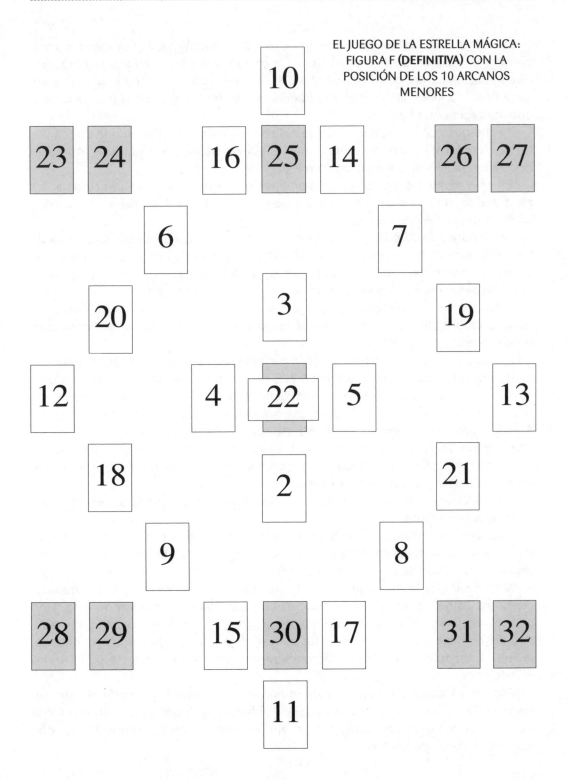

EL JUEGO DE LA ESTRELLA MÁGICA: FIGURA F **(DEFINITIVA)** CON LA POSICIÓN DE LOS 10 ARCANOS MENORES

De forma análoga, las cartas decimoctava, decimonovena, vigésima y vigesimo-primera se colocan encima y debajo de la duodécima y de la decimotercera; precisamente las cartas pares (dieciocho y veinte) van, respectivamente, debajo y encima de la duodécima; las impares (diecinueve y veintiuna) encima y debajo de la decimotercera (ver figura E).

Así, hemos completado la «Estrella mágica»; la última operación que queda por hacer es colocar la carta vigesimosegunda atravesada sobre la primera: representa la respuesta final, la evolución última del que consulta.

En este momento, se colocan los arcanos menores, que sirven para indicar los aspectos secundarios y contingentes (veamos en la figura F el esquema de colocación totalmente desarrollado).

Se pondrán cinco en la zona superior y cinco en la zona inferior. Cada una de las partes se subdivide después en tres campos (las cartas de la izquierda representan el pasado; las centrales, el presente; las dos de la derecha, el futuro) por lo tanto, deben leerse sobre la base de su subdivisión por campos.

Antes de dar la interpretación general será oportuno aludir a las divisiones en las que es posible reagrupar varias cartas, divisiones que después serán la base de las diversas interpretaciones.

El esquema final (F) nos da la figura definitiva de la «Estrella Mágica». Está formada por un núcleo central (cartas 1-22), de las que se saca una pequeña cruz (brazos horizontales: 4-5; brazos verticales: 2-3) y varios círculos exteriores. La cruz del núcleo va a formar después una gran cruz (brazos horizontales: cartas 12-4-5-13; brazos verticales: cartas 10-3-2-11), que divide la estrella en cuatro partes, una superior (norte), una inferior (sur), una izquierda (este) y una derecha (oeste).

La interpretación de los arcanos mayores se hace normalmente considerando juntas las parejas de cartas horizontales.

Sólo las cartas primera, décima, undécima y vigesimosegunda deben interpretarse individualmente.

Las combinaciones pueden hacerse en horizontal, empezando por las cartas de encima de la línea media y descendiendo gradualmente hasta las inferiores (excluido el núcleo, que se analiza aparte).

Al contrario de lo que pueden hacer pensar los nombres utilizados para subdividirlas, éstos no tienen nada que ver con cualidades o modos de vida, sino que representan términos, podríamos decir, geográficos o de posición; en realidad las cartas superiores, a partir de la más alejada (10) representan el pasado; la línea horizontal, el presente; las cartas inferiores, el futuro (la 11 es el futuro más lejano).

Pasado, presente y futuro también implican a las cartas que desde el Este van hacia el Oeste. De este modo, es posible entender qué episodios ocurren antes que otros y cómo un acontecimiento casi puede ser fechado, comparándolo con los anteriores o con los futuros.

El pasado (o el ayer) nos dice lo que ha ocurrido antes que otra cosa, que también podría pertenecer al pasado. Y así sucesivamente.

La clave interpretativa de las diversas combinaciones (numeradas de uno a nueve) y de los arcanos individuales (1, 10, 11, 22) es la siguiente:

Núcleo

CARTA UNO - Es *el que consulta* y representa su situación presente (o de partida). Es una carta muy importante y da la primera impresión. Una carta negativa o desfavorable no compromete necesariamente el resultado final. Quiere decir que se empieza cuesta arriba, ligeramente penalizados, pero seguramente no vencidos.

COMBINACIÓN 1 (cartas 4 Y 5) - La *influencia* que ejerce el que consulta sobre el mundo que le rodea (entendido también como familia o ambiente de trabajo).

COMBINACIÓN 2 (cartas 2 y 3) - La *influencia* que el mundo externo, es decir, el ambiente en que vive y las personas que están próximas a él, ejercen sobre el que consulta.

CARTA VIGESIMOSEGUNDA - La *respuesta final:* el futuro final de las tendencias actuales. Esta carta debe verse más tarde, después de haber interpretado todas las demás. Seguramente es la carta más importante de todas.

Círculos externos

Cartas superiores

Bajando desde arriba (norte) hacia abajo (sur) se pasa del *pasado* hacia el *futuro;* así tenemos:

CARTA 10 - El *pasado remoto:* las influencias de la infancia, educativas o hasta prenatales, que han actuado sobre el que consulta.

COMBINACIÓN 3 (cartas 16 y 14) - Los *obstáculos pasados:* los acontecimientos o las personas con influencia negativa, que más han obstaculizado al consultante en su historia pasada.

COMBINACIÓN 4 (cartas 6 y 7). El *estado psicológico, consciente o inconsciente,* que ha vivido el que consulta. Su anterior actitud ante la vida.

COMBINACIÓN 5 (cartas 20 y 19) - El *pasado próximo:* las influencias más recientes. Los hechos todavía presentes o recién ocurridos que han interesado al que consulta.

COMBINACIÓN 6 (cartas 12 y 13) - El *presente,* la transición: se relaciona con el núcleo. Aclara y completa su significado. El estado psicológico actual del consultante, las influencias actuales y todo lo que actúa sobre el que consulta en el momento actual.

Cartas inferiores

COMBINACIÓN 7 (cartas 18 y 21) - El *futuro próximo:* las influencias futuras inmediatas, que serán consecuencia del estado actual de la situación.

COMBINACIÓN 8 (cartas 9 y 8) - Los *obstáculos futuros:* los acontecimientos o las personas que con más probabilidad serán obstáculos para la realización de nuestros deseos.

COMBINACIÓN 9 (Cartas 15 Y 17) - La *actitud futura:* el estado psicológico que caracterizará las acciones futuras si no cambian los presupuestos actuales.

CARTA 11 - El *futuro lejano.* Se enlaza con la carta 22 del núcleo: el resultado futuro de la situación presente.

Hay que tener en cuenta que la carta *más significativa* de las diversas combinaciones es la situada a la *izquierda* de la pareja (es la carta base de la pareja).
Este último juego apenas visto, aunque no es muy corriente (quizá por su complejidad, por lo demás sólo aparente), sin embargo es un juego muy completo y, desde luego, es uno de los que más favorecen y desarrollan la concentración visual e intelectual del que consulta.
Se aconseja usarlo sólo una vez al principio de cada nuevo año.

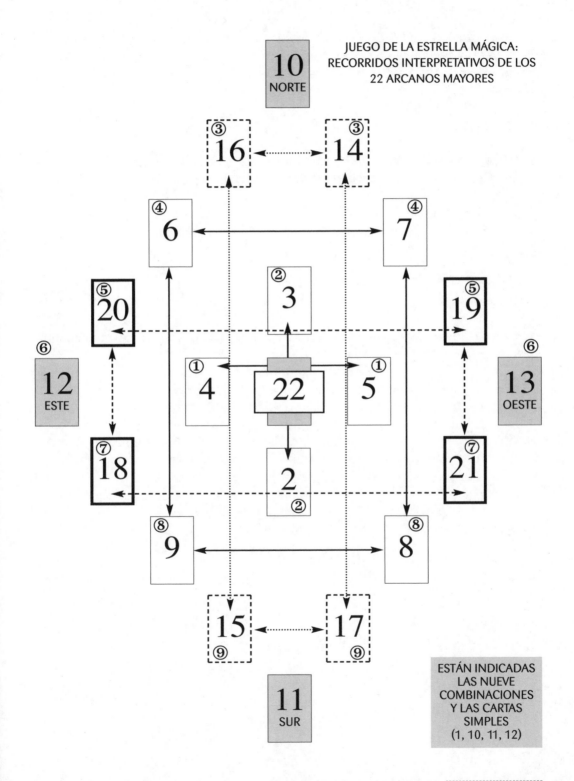

JUEGO DE LA ESTRELLA MÁGICA:
RECORRIDOS INTERPRETATIVOS DE LOS
22 ARCANOS MAYORES

ESTÁN INDICADAS
LAS NUEVE
COMBINACIONES
Y LAS CARTAS
SIMPLES
(1, 10, 11, 12)